OS INFERNAIS

ALEXANDER GORDON SMITH

LIVRO 1

TRADUÇÃO
MARIANA MOURA

Editora Melhoramentos

Dados Internacionais de Catalogação na Publicação (CIP)
(Câmara Brasileira do Livro, SP, Brasil)

Smith, Alexander Gordon
    Os infernais / Alexander Gordon Smith; tradução Mariana Moura. – São Paulo: Editora Melhoramentos, 2022. – (O motor do diabo; 1)

    Título original: Hellraisers
    ISBN 978-65-5539-381-1

    1. Ficção juvenil I. Título II. Série.

22-101774   CDD-028.5

Índices para catálogo sistemático:
1. Literatura juvenil 028.5

Aline Graziele Benitez - Bibliotecária - CRB-1/3129

Copyright © 2015 by Alexander Gordon Smith
Título original: *Hellraisers*

Tradução: Mariana Moura
Preparação: Alessandra de Sá Miranda
Revisão: Laila Guilherme e Maurício Katayama
Projeto gráfico e diagramação: Bruna Parra
Capa: adaptada do projeto original de Andrew Arnold
Adaptação de capa: Bruno Santos
Imagens de capa: ©rangizzz/Shutterstock (jovem), ©A-Nurak/Shutterstock (gotas de óleo) e ©Miloje/Shutterstock (respingo)
Imagens de miolo: Freepik

Direitos de publicação:
© 2022 Editora Melhoramentos Ltda.
Todos os direitos reservados.

1ª edição, abril de 2022
ISBN: 978-65-5539-381-1

Atendimento ao consumidor:
Caixa Postal 729 – CEP 01031-970
São Paulo – SP – Brasil
Tel.: (11) 3874-0880
sac@melhoramentos.com.br
www.editoramelhoramentos.com.br

Siga a Editora Melhoramentos nas redes sociais:
[f] [©] /editoramelhoramentos

Impresso no Brasil

Para Lucy

Para Avalon

Para Jellybean

(Desculpe, ainda não escolhemos seu nome!)

*Obrigado a todos vocês
por fazerem de mim um pai orgulhoso
e muito feliz.*

PARTE I
NOVO MUNDO

INFERNAL

Aquele era o problema de ser alguém infernal.

Às vezes você se queimava.

Marlow Green sabia disso melhor do que ninguém. Quantas vezes tinha escutado aquelas palavras? Dos professores, quando era expulso da sala. Dos diretores, quando era expulso das *escolas*. Da mãe, uma vez após outra. *Você taca fogo no mundo e depois foge, Marly*. E era verdade. Não literalmente – infernal, sim; incendiário, não –, mas ele botava fogo no mundo ao seu redor; acendia fogueiras que queimavam pontes, obrigando os amigos e a família a se mudar; que invadiam seu futuro com um rugido, destruindo o que viria pela frente antes mesmo de chegar lá. Então, quando ficava quente demais, ele dava meia-volta e fugia.

Qualquer dia você vai acender uma fogueira que não vai poder ser apagada, dissera a mãe. *Uma fogueira da qual não vai conseguir fugir rápido o bastante.* E ele sempre se perguntou quando seria isso, sempre se perguntou o que teria que fazer para provocar um inferno daquela magnitude.

Acontece que a resposta para a primeira pergunta era agora. Quanto à segunda? Bom, a resposta para ela era riscar a pintura do carro do diretor com um desenho de certa parte da anatomia masculina.

Vieram buscá-lo durante a aula. Não bateram na porta, só entraram como se invadissem um laboratório de metanfetamina, não uma aula de matemática. Metade da garotada estava distraída, olhando pelas janelas sujas a luz radiante de junho que inundava Staten Island. Ao verem três guardas da escola e o diretor irrompendo sala adentro como uma corrente fria e nebulosa, todos se sobressaltaram.

– Green! – rugiu o diretor, o Sr. Caputo, parecendo um espantalho em seu terno barato. O dedo em riste como uma lâmina apontado para Marlow. – É ele.

Putz.

O maior dos três guardas abriu caminho por entre as carteiras. Todo mundo o chamava de Zé Colmeia, porque ele sempre confiscava o lanche da garotada e o metia goela adentro. Sem contar que era imenso. Seus olhos eram duas uvas-passas cravadas na carne massuda do rosto, e ele sorria para Marlow de um jeito malicioso com seus lábios de salsicha.

– Dessa vez você não escapa.

Marlow suspirou fundo e se recostou na cadeira, sentindo as bochechas quentes. Mordeu a pele dos nós dos dedos, como fazia quando estava estressado. A traqueia já começava a crepitar, como estática, e se perguntou se deveria usar a bombinha logo, antes que as coisas fervessem. Decidiu que não, pois não queria parecer um fracote diante dos colegas.

Outro guarda se enfiou entre as carteiras com uma expressão assassina. A terceira ficou na porta, o coldre desabotoado, a mão na coronha da pistola.

– Pelo amor de... – disse Charlie Alvarez na carteira ao lado dele, passando a mão pelo cabelo preto despenteado e estourando uma bola de chiclete. – Cara, o que foi que você fez agora?

– Eu? – Marlow sorriu para o melhor amigo, seu *único* amigo, e pigarreou para limpar a garganta. – Absolutamente nada. Estão armando contra mim.

Zé Colmeia entrou na frente da janela, bloqueando a luz do sol e fazendo a sala parecer cinco graus mais fria. Ele agarrou a camisa de Marlow com a mão livre.

– Tire essas mãos molengas dele, Zé Colmeia! – gritou Charlie. – Ele não fez nada.

– Não é da sua conta, Alvarez – disse Caputo, virando-se para Marlow e fuzilando-o com o olhar. – Longe demais, senhor Green. – Ele cuspiu as palavras, pulverizando gotículas de perdigoto que pareciam pedras preciosas em contraste com a luz do sol.

– Como assim? – indagou Marlow do jeito mais inocente que pôde.

– Você foi longe demais. Agora não tem volta.

– Não sei muito bem o que você acha que eu fiz – disse Marlow, sentindo a traqueia apertar e amaldiçoando sua asma por fazê-lo parecer tão fraco. Inspirou com esforço. – Só estou na sala de aula, cuidando da minha...

– Tire ele daí! – ordenou Caputo. – Leve-o para fora.

Zé Colmeia obedeceu, puxando Marlow da cadeira com tanta força que ela tombou para trás. Charlie se levantou da dele com a mesma rapidez, encarando o guarda de frente, embora tivesse metade do tamanho dele.

– Isso é agressão – disse ele. – Você não tem esse direito.

— Falei para ficar fora disso, Alvarez — respondeu o diretor. — Não vale a pena arruinar sua vida por esse mer... esse *idiota*.

— É, moleque — retrucou Zé Colmeia. — Senta aí.

— Senão o quê? Vai me bater?

Toda a classe riu, e alguém acertou uma bola de papel amassado na cabeça grande e careca do guarda. Zé Colmeia olhou para os outros dois guardas, mas eles só deram de ombros, indiferentes. Marlow riu. Não os culpava. Charlie era pequeno, mas podia ser bastante assustador quando o sangue subia à cabeça.

— Que bom que você acha isso tudo tão divertido — comentou o diretor. — Mas garanto que não vai rir por muito tempo. Vamos.

Zé Colmeia puxou a camisa de Marlow, que se pôs a caminhar, tossindo com força para aliviar a pressão na traqueia. Alguém da turma começou a aplaudir, e, quando chegou à porta, ele já recebia uma entusiasmada salva de palmas, reforçada por gritos e assobios de apoio. Ele se virou e fez uma reverência para a plateia, antes de ser arrancado da sala de forma tão abrupta que quase perdeu o chão. Zé Colmeia e os outros dois guardas o içaram, e foi como se Marlow estivesse em uma prisão de muros pretos. De algum modo o diretor magricela se enfiou entre eles.

— Você não faz ideia da enrascada em que se meteu, Green — disse Caputo com um gritinho.

— Ainda não sei o que eu supostamente fiz.

— Então não foi você que riscou meu carro?

— Seu carro? — retrucou Marlow, balançando a cabeça e tentando disfarçar o sorrisinho que queria explodir em seu rosto. — Eu nem sabia que você tinha carro.

— Um Prius verde, lá no estacionamento.

— Você acabou de admitir que dirige um *Prius*? — A voz de Charlie fez-se ouvir, embora Marlow não pudesse vê-lo por causa do círculo de guardas.

— Aquele que agora tem... tem uma coisa desenhada no capô. Uma coisa obscena — continuou o diretor, e mostrou a Marlow uma foto no celular.

— Parece um foguete pra mim — disse Marlow. — E com certeza não fui eu.

— Sério? — O homem cresceu para cima dele, os punhos tão fechados que os nós dos dedos estavam brancos. — Então o "criado por M. Green" escrito embaixo é uma mentira?

Uma risada subiu pela garganta de Marlow com tanta força que ele não conseguiu segurar. A verdade era que tinha feito aquilo naquela mesma manhã, com suas chaves, enquanto esperava por Charlie. Não que Caputo não merecesse isso; ele estava em cima de Marlow desde que o garoto chegara ao

Colégio de Ensino Médio Victor G. Rosemount. O diretor parecia pronto para desferir um soco, mas deu meia-volta e saiu marchando pelo corredor.

– Leve-o para minha sala, temos uma papelada para preencher.

Isso só podia significar uma coisa. Marlow mordeu o lábio, sentindo o coração apertar. É, quem brinca com fogo acaba queimado – ele sabia disso melhor do que ninguém. Afinal, aquela era a terceira escola em oito meses.

Eles subiram um pequeno lance de escada que dava na recepção, cruzaram o hall e passaram pelo portão de segurança com detectores de metal. Era a mesma coisa em todas as outras escolas, aquela longa caminhada. Como se fosse uma marcha pelo corredor da morte rumo à execução.

A única diferença dessa vez era a escolta policial.

– Green – disse o diretor por cima do ombro –, não sei por que está tão determinado a arruinar sua vida antes mesmo de ter a chance de começar. Você tem quinze anos e está prestes a ser preso. Sabe por que está aqui, não sabe? Nesta instituição?

Sabia, sim. O Victor G. era a última parada na estrada que levava à Fracassolândia. Era para onde se ia depois de ser expulso de qualquer outro centro de atendimento socioeducativo, depois de ter incinerado todas as outras opções. Marlow sentiu a familiar pressão no peito, a tempestade começando a rugir. Pigarreou, expelindo um pouco de secreção, depois engoliu com força e inspirou profundamente.

– Você é um covarde, Green. Você foge de qualquer resquício de responsabilidade na vida, você queima todas as pontes. Covardes não são bem-vindos aqui. Se o colégio VGR não o aceitar, ninguém mais o fará. E pode ter certeza absoluta de que o VGR *não aceita você*.

O sangue de Marlow fervilhava com tanta intensidade que o garoto não encontrou uma resposta. Zé Colmeia segurava sua camiseta com tamanha força que era como se uma corda envolvesse seu pescoço, dificultando ainda mais a respiração. Charlie trotava ao lado deles, parecendo muito preocupado.

– Tudo bem, cara? – perguntou ele. – Você está ficando azul.

– Tudo – murmurou Marlow. Mas era mentira. Se tinha uma coisa que ele não estava era bem. Puxou um pouco de ar pelo canudo que era sua traqueia agora, sabendo que, assim que entrasse na sala do diretor, seria o fim. Ele receberia os papéis da expulsão, seria escorraçado. Depois voltaria para casa, para encarar a mãe, o momento de mais uma confissão.

– Volte para a aula, Alvarez, a menos que queira se afundar junto com ele como cúmplice – disse o diretor. – Dessa vez faremos acusações criminais, Green. Está me ouvindo?

Marlow tentou afrouxar o colarinho. Onde diabos estava o oxigênio? Avistou a porta da escola, a gloriosa luz do sol lá fora, a seis metros de onde estava, e tudo o que queria era correr. Cair fora dali. Fugir enquanto podia. Charlie tinha se afastado, mas encontrou seu olhar e balançou a cabeça. Ele o conhecia muito bem.

Chegaram à porta da sala e o diretor a abriu, desaparecendo na escuridão. Zé Colmeia empurrou Marlow para dentro. A sala era pequena, quase não havia espaço para a mesa e alguns armários de arquivo. E estava escura, um pedaço de madeira cobrindo a janela na qual alguém tinha jogado um tijolo semanas antes. Era muito apertado ali, não havia ar fresco. O pânico foi como um soco em seus pulmões, paralisando-os. Marlow inspirou, mas nada aconteceu.

Não passe mal!, ordenou a si mesmo, o pânico como uma tocha de acetileno atrás de seus olhos. *Por favor, não tenha um ataque.* Não seria capaz de lidar com o terror, a ambulância, a correria para pegar o nebulizador, não depois de todo o resto.

— Entende o que está acontecendo? — perguntou o diretor. — Entende que acabou para você aqui?

Marlow o ignorou, recuando um passo em direção à porta. Abaixou a mão para alcançar o bolso, em busca da bombinha, mas Zé Colmeia a agarrou.

— O que você tem aí, moleque?

Nada, tentou dizer Marlow, produzindo um som que mais parecia um acordeão quebrado. Tentou desvencilhar a mão, mas Zé Colmeia a apertava como um píton, os ossos prestes a se quebrarem. Podia ouvir o guarda falando, pedindo para se acalmar, mas seu coração batia tão alto que poderia derrubar as paredes da sala. Era como se estivesse se afogando. O pânico o levou a agir antes que soubesse o que fazia, as mãos se soltando e acertando o peito de Zé Colmeia. O homem era feito de madeira sólida, mas foi pego desprevenido e se desequilibrou com o empurrão. Cambaleou para trás, soltando Marlow, os braços girando no ar em um frenesi. Ele tombou na mesa, fazendo os papéis voarem.

Marlow não queria esperar para ver o que aconteceria. Virou-se, abriu caminho com os ombros por entre os outros guardas, os pulmões se esvaziando. Irrompeu no corredor iluminado pelo sol, derrapando em direção aos detectores de metal que pairavam como sentinelas diante das portas. Uma rápida olhadela para trás o avisou de que estavam em seu encalço.

Charlie estava um pouco mais longe no corredor, voltando para a sala de aula. Ele balançou os braços freneticamente, balbuciando *Vai!*, sem emitir nenhum som. Marlow assentiu, depois se virou, fugindo por uma das portas e ganhando o estacionamento. No caminho pegou a bombinha do bolso, apertou-a algumas vezes e sentiu os pulmões se alargarem. Ficou tão aliviado por ser capaz de respirar de novo que quase não escutou as portas se abrindo atrás de si e a voz do diretor berrando:

– Você está expulso! Está ouvindo, Green? Corra quanto quiser, não tem volta!

Foi o que Marlow fez, deixando para trás o Prius com sua nova decoração. Virou-se para o diretor enquanto corria.

– Belo carro, seu *escroto*!

E, embora estivesse real e seriamente encrencado; embora pudesse ouvir seu futuro escorrendo pelo ralo; embora essa fosse provavelmente a pior vingança na história das vinganças, ele sorria ao fugir.

MATADOURO

— Estamos em uma enrascada.

Pan não precisava que ninguém dissesse isso. Era bem claro que estavam em uma enrascada. Em uma *grande* enrascada. Corriam pela via expressa Cross Island a cento e trinta quilômetros por hora, a caminhonete rugindo como um avião. A maioria dos carros na estrada tivera o bom senso de sair da frente deles, mas alguns haviam sido expulsos do asfalto pela grade customizada do Ford F-650. Pan não olhou para trás para ver o que acontecera com eles. Coisas mais importantes estavam em jogo.

A vida dela, para começar.

Olhou para o relógio. Não havia um horário no visor, apenas uma linha de números vermelhos brilhantes. *00:00:32:21*. Zeros demais para o seu gosto. Trinta e dois minutos, e correndo rápido. Trinta e dois minutos até que viessem atrás dela. Conferiu o colete preto de Kevlar, feito para aguentar o disparo de uma Magnum .44 à queima-roupa. Não que importasse. Não duraria cinco segundos contra o que estava por vir.

— Uma enrascada bem séria — disse o cara sentado ao lado dela. Seu nome era Forrest, embora Pan não gostasse de pensar nele como algo que tivesse um nome. Dificultava muito as coisas. Não se batiza o gado ao mandá-lo para o matadouro. A pele dele tinha um tom desagradável de cinza, coberta de suor, o que não causava nenhuma surpresa. Ele tinha fechado seu contrato dez minutos antes dela, então tinha dez minutos a menos na contagem regressiva. Ele enxugou a testa e se reclinou no banco, como se fosse vomitar. Era a primeira missão de Forrest, e os Advogados estavam em cima da hora.

Muito em cima da hora.

— Segurem as pontas, pessoal — disse o outro cara no banco de trás. Herc. Era o comandante da missão, mas não comandava *droga nenhuma* naquela missão em particular. A coisa toda tinha ido pelos ares, e, se os Advogados não se apressassem, ele ou qualquer outra pessoa na caminhonete só serviria de lanchinho da manhã para os mais famintos do inferno. Ele coçou a barba grisalha. – Pegue a próxima saída, vamos nos esconder. E peguem o máximo de munição que puderem, vamos precisar.

Herc colocou um cartucho no rifle de combate, e Forrest se atrapalhou com o dele. Essas armas eram a melhor defesa que haviam conseguido encontrar contra os demônios. *É como dizer que um palito de dente é a melhor defesa contra um urso enfurecido*, pensou ela. Pan não tinha uma arma de fogo. Ela se inclinou no assento, sentindo a balestra a seus pés. Mesmo aquilo não ajudaria muito. A menos que os Advogados encontrassem alguma maneira de encerrar o contrato dela. Por que diabos estavam demorando tanto?

– Ostheim – chamou ela no rádio acoplado ao colete. Havia um canal permanentemente aberto entre ela e seu empregador, Sheppel Ostheim. – O pessoal está perto? Não temos muito tempo aqui.

Ouviu-se um barulho de estática, seguido de uma voz com um leve sotaque alemão.

– *Eles estão indo o mais rápido que podem, Pan. Esse osso é duro de roer. Concentre-se em se manter viva; eles vão conseguir.*

Pan soltou uma risada amarga.

– Me manter viva? Até que enfim você desenvolveu um senso de humor, hein, Shep? Alguma chance de termos reforço?

– *Rouxinol da Noite e Caminhão estão dentro do Motor, os demais estão voando. Até lá vocês estão por conta própria.*

Ótimo.

Todos balançaram no assento quando a caminhonete fez contato com alguma coisa. O cheiro azedo do medo preencheu as narinas de Pan, que teve vontade de vomitar. Ela e Herc já tinham feito aquilo antes, mas Forrest apenas ouvira histórias – a forma como o mundo se abria, como eles se multiplicavam como insetos através da fina casca da realidade. Ele estava com uma das mãos sobre a boca, os olhos, arregalados e brancos, sendo a coisa mais brilhante da caminhonete. Ela não lhe ofereceu nenhuma palavra de conforto. Para quê? Muito provavelmente, em menos de meia hora a única prova de sua existência seria o nome dele no *Livro dos Engenheiros Mortos*.

Bem ao lado do dela.

– Segurem firme! – berrou o motorista, lutando contra o volante. A caminhonete saiu da rodovia, indo para a lateral da estrada de forma tão brusca que lançou todos para fora dos assentos. Pan foi empurrada para trás por uma mão invisível enquanto aceleravam, o estômago tentando sair por suas costas, o mundo passando do lado de fora das janelas escuras rápido demais para que pudesse enxergá-lo. Não importava quão rápido estivessem. Não podiam fugir deles. A única coisa que importava era se esconder, para ninguém ver o que aconteceria.

— *Saia da rua* — disse Ostheim, lendo a mente dela. — *Pelos meus cálculos...* — Ele praguejou. — *Vinte minutos, Pan, e contando, rápido. Saia do campo de visão.*

O mundo não pode saber. É a única coisa que conta, é mais importante do que sua vida. Ostheim lhe ensinara isso no primeiro dia. E todo dia desde então.

Mas por que raios estavam indo para o centro de Staten Island?

— Fora do campo de visão, caramba! — gritou Herc, agarrando o banco enquanto colidiam com a traseira de um SUV, fazendo-o rodar para o acostamento.

Tarde demais, pensou Pan enquanto o motorista manobrava por uma curva larga, tão rápido que o mundo do lado de fora era apenas um borrão. Os pneus guincharam e soltaram fumaça, e por um segundo o motorista quase perdeu o controle. Ouviu-se um ruído gorgolejante quando Forrest vomitou sobre a calça, mas Pan o ignorou. Havia outra coisa no ar além do cheiro de vômito. Um cheiro forte e denso de enxofre que ela conhecia muito bem.

O cheiro deles. O cheiro do inferno.

— *Vinte minutos, Pan* — repetiu Ostheim, como se ela não tivesse ouvido da primeira vez.

Vinte minutos. Vinte minutos entre ela, Forrest e uma eternidade de agonia. Vinte minutos antes que a arrastassem para o inferno em meio a chutes e gritos.

— É melhor aqueles Advogados se apressarem! — berrou ela para Ostheim, amaldiçoando a si mesma, pela centésima vez no mínimo, por ter aceitado a oferta dele.

O Motor.

A droga do Motor do Diabo.

Ela sempre soube que seria seu fim.

SEM FÔLEGO

Marlow já tinha corrido por um quarteirão e meio antes de ousar desacelerar. Atravessando a rua, entrou aos tropeços em um beco atrás da rodovia, trombando em uma cerca. Usou a bombinha mais algumas vezes só por garantia, sentindo o último bloqueio na traqueia se dissipar. Mas seus pulmões ainda ardiam, como se os tivesse enchido de spray de pimenta e corrido uma maratona, não algumas centenas de metros.

Ele cuspiu uma massa de secreção e limpou o suor da testa. Só ali, na quietude repentina – apenas o barulho distante da cidade e o lamento estranho de uma sirene –, foi que a ficha do que tinha acontecido nos últimos minutos caiu.

Que diabos você estava pensando?

Estava ferrado. Não apenas tinha sido expulso da última escola que o aceitaria, como também cometera atos de vandalismo e agressão – contra um *guarda*. Provavelmente já existia um alerta contra ele; a sirene que ouvia na rua era de uma viatura da polícia. Estava no bairro de Mariners Harbor, seria alvejado assim que o vissem.

As palmas de suas mãos ardiam do empurrão que dera em Zé Colmeia, e Marlow as esfregou na calça, tentando pensar em um plano. A melhor coisa seria se virar e voltar para a escola com o rabo entre as pernas, se oferecer para pagar pela pintura do carro ou algo do tipo. Poderia ficar de gatinhas e voltar para a aula de matemática como se nada tivesse acontecido.

Aham.

Era mais provável que criasse asas e voasse até Harvard. Limpou o suor do rosto; suor que tinha menos a ver com a corrida e mais com o pânico de não ser capaz de respirar. Tivera sorte dessa vez. A asma era uma ameaça constante, sempre se esforçando para matá-lo.

Quando era pequeno, deitado na cama, se contorcendo para a frente e para trás e ficando azul enquanto a mãe ligava para a ambulância, ele via a asma como um monstro, algo que enlaçava sua garganta com dedos invisíveis, algo cuja língua abria caminho até sua traqueia como uma minhoca, fechando-a com força. Embora tivesse quinze anos, ainda carregava consigo aquela fera, que estava sempre em seu encalço, só esperando para atacar. Quando a coisa ficava ruim, ruim *de verdade*, era uma luta entre a vida e a morte. A bombinha perdia o poder. Até mesmo o nebulizador que tinha em casa não fazia efeito. Fora por pouco mais cedo. Mais alguns minutos, e possivelmente o diretor teria que ligar para a emergência e fazer respiração boca a boca.

Talvez essa tivesse sido uma opção melhor. Não se pode exatamente expulsar alguém que está morrendo no chão da sua sala.

Marlow balançou a cabeça. O que diria à mãe? *Por favor, Marlow*, ele a ouviu dizer, tão claro como se estivesse a seu lado. Já sentira Bacardi demais no hálito dela naquele dia, a ponto de seus olhos arderem. *Por favor, só dessa vez, se comporte. Não aguento, não aguento os problemas. Preciso que faça isso por mim, que fique na escola.*

E ele tinha feito isso, estava indo bem. Era só aquele diretor idiota no pé dele todo dia. Era tudo culpa do Caputo. Talvez devesse voltar para ensinar uma lição àquele cara...

Passos, firmes e rápidos, surgiram no fim do beco. Marlow se espremeu contra a parede, os punhos fechados. *Por favor, que não seja o guarda da escola.* Virou a metade do corpo, incerto sobre se os pulmões aguentariam outra corrida, quando o rosto de Charlie surgiu. Ao ver Marlow, o garoto hesitou. Então se desmanchou em um sorriso suarento, derrapando até parar com as mãos nos joelhos. Marlow praguejou:

— Minha nossa, Charlie, de onde você saiu?

— Eles estavam muito ocupados correndo atrás de você; não resisti e me enfiei na corrida com eles.

Então os dois começaram a rir, nervosos, tentando não fazer muito barulho, só para o caso de os guardas, de alguma maneira, poderem ouvi-los a um quilômetro de distância.

— Cara, você tinha que ter visto como as coisas ficaram por lá, foi um caos. Não acredito que você bateu no Zé Colmeia!

— Não bati nele — disse Marlow. — Ele só caiu com aquele traseiro gordo. O que aconteceu?

— Parecia que o inferno tinha tomado conta do lugar, tive que ir conferir. O Zé Colmeia estava em cima da mesa e a mesa estava no *chão*, tudo parecia partido em dois. Ele se contorcia como uma tartaruga com o casco virado para baixo, a coisa mais engraçada que eu já vi. Então saíram correndo atrás de você. – Charlie teve que parar para recuperar o fôlego de tanto rir. – A melhor parte é que o Zé Colmeia saiu da sala batendo tanto os pés que quase me atropelou, correu direto para um dos capangas dele e acabou dando de cara no chão. E começou a se contorcer de novo. Precisou da ajuda dos outros guardas e do Caputo para se levantar. Eu quase morri de rir.

– Eles foram atrás de você também? – perguntou Marlow.

Charlie balançou a cabeça.

– Que nada. Não pareço muito uma ameaça, pareço?

O eufemismo do século. Charlie era um ano mais velho do que Marlow, mas tinha um metro e sessenta e era magricela. A frase "incapaz de matar uma mosca" fora inventada pensando nele, embora qualquer um que tomasse isso como certo estivesse enganado. Charlie era um pitbull. Não só era capaz de matar uma mosca como daria um tiro nela, atearia fogo e depois pisaria nas cinzas até não sobrar nada. Era o que acontecia depois de passar três quartos da vida em lares temporários.

– Além do mais, o Caputo me adora. Sou um de seus alunos-modelo, dei a volta por cima, coloquei minha vida nos trilhos. Eles me usaram no folheto, lembra? Você, por outro lado... – Charlie balançou a cabeça, suspirando. – Que coisa idiota a fazer, Marlow, mesmo pra você. O que te deu na cabeça pra desenhar *aquilo* no carro do diretor?

– Era um foguete – murmurou Marlow.

Charlie abriu um sorriso, mas o fechou depois de um ou dois segundos.

– Sério, cara, o que você vai fazer agora?

Marlow não respondeu, só se virou e andou pelo beco. A melhor resposta para uma pergunta como aquela: virar as costas.

Charlie foi até ele, chutando o cascalho.

– Marlow, não estou de sacanagem, você precisa começar a encarar as coisas.

– Estou encarando – disse Marlow. – Eu odiava aquele lugar, de qualquer forma.

– Então vai fugir de novo? As opções de lugares para ir estão se esgotando. Vai ser a prisão ou o exército desse jeito.

O exército, não. Sem chance. Marlow fechou os olhos e pensou em Danny. Mal se lembrava do irmão, mas batia continência para a fotografia amarelada dele – uniforme de combate completo, bronzeado do sol do deserto – na parede da cozinha todos os dias. Fazia isso desde os cinco anos, sem que o irmão tivesse voltado para casa. Houve um tempo em que tudo o que queria era ser fuzileiro naval como Danny. Talvez assim sua mãe o olhasse como olhava para aquela foto. Com amor.

Depois pensou no caixão vazio. A bandeira estendida por cima, dobrada pelo guarda de honra e entregue à mãe no funeral. *Covardes não podem ser soldados*, disse seu cérebro, e ele olhou para o sol, tentando queimar as palavras para que desaparecessem.

— Tem vaga na fábrica de concreto — disse Charlie, chutando uma lata amassada para o outro lado por uma abertura na grade. — Não é incrível, mas pelo menos vai manter você longe de problemas. — Ele bufou. — Se bem que os problemas sempre encontram você. — Bufou de novo. — Arrumando briga com o grandalhão do Zé Colmeia.

— Já vi você fazer coisa pior — comentou Marlow, olhando para o amigo. Quando conhecera Charlie, o garoto tinha brigado com dois atletas universitários em Tottenville. Ele estava em menor número e desarmado, mas dera tudo de si. Os dois caras acabaram fugindo, segurando o nariz ensanguentado. Charlie provavelmente teria atravessado o estado atrás deles se Marlow não o tivesse impedido. Quase acabara com um olho roxo por isso.

— Sou a própria definição de doçura e tranquilidade — zombou Charlie. — Aonde vamos agora?

Marlow tirou o celular do bolso e olhou a hora. Quase onze. Chegou a pensar em ligar para a mãe, contar a ela pelo telefone. Era melhor do que ver o rosto dela se contorcer, as lágrimas caírem. Mas não podia encará-la, nem mesmo por telefone. Não era a raiva que o preocupava, ele lidava com isso o tempo todo. Era a decepção.

Precisava tomar umas para criar coragem antes de falar com ela.

— Vamos comemorar meu novo período de liberdade — disse ele, abrindo um sorriso amargo para Charlie. — Acabou a escola, cara. Agora é só alegria e farra. Quer vir comigo?

— Encher a cara antes do almoço? Esse é seu grande plano?

Saíram do beco rumo à Park, uma sólida fila de carros engarrafados balindo como ovelhas robóticas e soltando fumaça. Marlow tossiu, sentindo a coceira de novo, a fera enlaçando sua garganta com os dedos. Cara, como odiava aquela cidade, odiava os carros, odiava as escolas, odiava as pessoas.

— Marlow? — chamou Charlie, agarrando-o pela camisa. — Você não quer acabar como a sua mãe. Como o meu pai.

Marlow se desvencilhou, a raiva fervilhando dentro dele como o sol.

— Vai dar tudo certo — disse ele se afastando, de modo que Charlie não visse o rubor chegar a seu rosto. — Pode voltar, faça as suas coisas, viva a sua vida.

Sai pra lá, sai pra lá. Às vezes parecia que só sabia fazer isso.

– É, beleza – retrucou Charlie. – Vai lá tomar um drinque matinal, Marlow. Fuja, como sempre faz.

Seus tênis fizeram barulho enquanto ele voltava para o beco, então sua voz surgiu de novo:

– Sabe, Caputo tem razão em um ponto. Você tem muito medo de encarar as coisas. Faça um favor a si mesmo, Marlow, arrume *cojones*.

Depois ele se foi. Marlow ficou lá, querendo ir atrás do amigo, mas sem arredar o pé.

Às vezes as pessoas não recuam. Às vezes você as pressiona tanto que elas somem da sua vida.

– Quem se importa? – murmurou para si mesmo. – Vou ficar bem.

Mas a ficha de que talvez não fosse ficar bem começava a cair.

DANOS COLATERAIS

00:00:22:21.

Vinte e dois minutos.

Pan olhou para o relógio de novo; podia jurar que o tempo estava passando duas vezes mais rápido. Até deu um tapinha no visor, achando que talvez estivesse com algum problema.

Só nos seus devaneios. Aquele era um modelo customizado – à prova d'água, de bombas, de balas.

Só não era à prova de demônios.

A caminhonete deu uma guinada, trazendo-a de volta ao mundo real. Estavam fora da via expressa e passando direto pelo trânsito como um *derby* de demolição. Gente demais assistia à passagem deles com olhos arregalados, câmeras de segurança demais os registravam. Pan podia ouvir as sirenes ressonando mais alto do que o ronco do motor. Aquilo era ruim.

Muito ruim.

O motorista chegou ao fim da estrada e puxou o freio de mão com força, como se tentasse arrancá-lo. A caminhonete derrapou para a esquerda, sacolejando com força suficiente para quase despedaçá-los. Por um segundo ela ficou em duas rodas, prestes a tombar. Pan praguejou, agarrando-se ao banco para não cair em cima de Forrest. O motorista girou o volante de uma vez, e a caminhonete se alinhou com um solavanco.

Tinham que se esconder, e *rápido*. As consequências de permanecer em campo aberto não eram nada boas. Piores até do que a ideia do que poderia acontecer com ela em vinte e dois minutos.

Olhou para o relógio.

Vinte e um.

Praguejou, inclinando-se para examinar a via à frente. Não havia nada além de prédios de apartamento se erguendo dos dois lados como lápides.

A caminhonete estava a cento e vinte por hora, abrindo caminho com violência pelo trânsito da rua.

Vamos, vamos, nos deem uma trégua.

– Eles vão conseguir quebrá-lo, não vão? – perguntou Forrest.

O moleque estava coberto do próprio vômito e tremia muito. Ele era da idade dela, dezessete anos, mas no momento parecia ter a metade, um garotinho que de repente se vira a quilômetros de distância de casa sem saber como chegara ali. Ela não sabia muito sobre ele, tirando o nome. Simples assim. Era mais fácil se fossem estranhos.

– Você precisa se concentrar – disse ela. – Deixe os Advogados se preocuparem com o contrato.

– Sério – rosnou Herc para o motorista. – Se não levar esse monte de sucata para um esconderijo *agora*, vou atirar você pela porta.

– Lembre-se: você é um soldado, um Infernal – disse Pan a Forrest. – Você pode enfrentá-los, os demônios. Você negociou sua força, não negociou?

Ele assentiu.

– Então acabe com eles.

Seria como nadar contra a correnteza. Eles continuariam vindo. Nada podia impedi-los. Mas pelo menos assim ele teria esperanças.

Ela pegou a balestra para conferir se estava pronta para uso. A arma tinha mais de trezentos anos, mas estava como nova. A flecha no estojo era de ferro, extraído do próprio Motor. Não intimidava tanto quanto um rifle, mas a munição era algo bem mais antigo e poderoso do que chumbo grosso.

Os demônios estavam vindo para a cobrança, com certeza. Mas não significava que ela iria pagar a dívida sem resistir.

– Você precisa que eu… fale com alguém? – perguntou Herc. Era a última coisa que ela queria ouvir. Ele sabia melhor do que ninguém que não havia com quem falar. Ela o ignorou, concentrando-se na via, nas infindáveis barreiras de edifícios de ambos os lados. A caminhonete estava a oitenta por hora, semidetida pela fumaça densa do trânsito que entupia a rua. A grade do para-choque fazia seu trabalho, porém, mais cedo ou mais tarde, atingiria algo maior do que ela e seria o fim: ficariam parados no meio da cidade mais populosa dos Estados Unidos. – Pan? Sua mãe? Posso encontrá-la. Posso dizer a ela…

Ela estendeu a mão enluvada para cobrir a boca dele. Não havia necessidade, pois o olhar cortante que dirigiu a ele já bastaria para calar sua boca.

– Herc, pare de falar. Morrer não está nos meus planos hoje.

00:00:19:23.

Mas os planos do relógio dela eram outros.

— E você, moleque? – perguntou Herc a Forrest. O garoto se virou para ele, os olhos arregalados de terror.

— Você me falou que isso não ia acontecer – disse ele, a voz tão baixa que era quase inaudível em meio ao ronco do motor. – Você disse que os Advogados iam conseguir quebrá-lo.

— Eles vão conseguir – falou Pan, tentando passar segurança com o olhar. Viu de relance o relógio dele. Menos de dez minutos. Ela acionou o rádio. – Ostheim, uma ajudinha cairia muito bem agora.

— *Não vai demorar, Pan, eles estão quase conseguindo.*

A caminhonete subiu aos trancos no meio-fio, e alguém gritou enquanto eles saíam do caminho. O veículo bateu em um hidrante, e a água jorrou em direção ao sol, salpicando a rua de arco-íris. Um arco-íris que cintilava sob luzes vermelhas e azuis.

Ai, merda.

— Polícia! – gritou o motorista. A janela traseira definitivamente fora atingida pela luz, uma viatura azul e branca correndo atrás deles.

— Joguem os estrepes! – rugiu Herc, e, como ninguém respondeu, ele se virou irritado para a caçamba. Pegou uma bolsa de viagem, abriu o zíper, deu um chute na porta traseira e arremessou a bolsa. O mecanismo ali dentro foi ativado, disparando um fio de arame farpado, que saiu girando pelo asfalto. A viatura freou, mas não antes de passar pelo arame, explodindo os quatro pneus. Então capotou, girando com violência, quicando em cima dos carros estacionados.

Pan se virou para a frente, em parte se perguntando se os policiais ainda estavam vivos, em parte tentando não se importar. *Duas vidas não são nada em comparação com o que pode acontecer se o mundo descobrir sobre nós*, ela se forçou a pensar. *Danos colaterais, apenas danos colaterais.* Se continuasse repetindo, aquilo se tornaria verdade.

— Precisamos sair da estrada! – exclamou Herc, os olhos quase saltando das órbitas. – Precisamos encont...

Uma fenda no paredão de prédios se abriu no lado esquerdo da rua e os lançou de volta ao sol. Pan semicerrou os olhos, vendo um edifício maior atrás de algumas árvores. Havia um portão, e depois dele uma rua desembocava na entrada de um túnel. Um estacionamento subterrâneo. Era a única chance deles.

— Ali! – disse ela, apontando por cima do ombro do motorista. Ele se desesperou, virando o volante rápido demais, reduzindo um pilar do portão a poeira de tijolos enquanto a caminhonete passava por ele com tudo. Então eles foram engolidos pela escuridão do túnel.

Os ouvidos de Pan tamparam, uma mudança de pressão que nada tinha a ver com o subsolo. Uma faísca atravessou o interior da caminhonete, tão forte que deixou uma marca nas retinas da garota e fez seu cabelo ficar em pé. O cheiro de enxofre era mais forte ali, uma névoa de fumaça já se acumulava em volta dos pés deles. A caminhonete derrapou ao descer a rampa em espiral, raspando as paredes de concreto, e se lançou ao primeiro piso do estacionamento. O motorista pisou no freio, e os pneus cantaram até parar.

As luzes do teto tremeluziam, descontroladas, e mais faíscas atravessavam o ar ao redor deles. O prédio inteiro balançava e gemia como um navio à beira do naufrágio. Os demônios sempre foram poderosos, mas dessa vez havia duas almas em jogo, e eles estavam famintos. Demoliriam metade de Nova York tentando fazer a cobrança.

– Vai-vai-vai! – gritou ela.

Herc abriu com um chute a porta traseira da caminhonete e saltou para o chão, rifle a postos. Embora Pan já tivesse vivido aquela situação inúmeras vezes, ainda tinha vontade de gritar, o medo criando um vazio em seu corpo. Ela resistiu, agarrando o banco e literalmente se arrastando em direção à porta.

As luzes no estacionamento se renderam, explodindo em fagulhas e afundando o mundo em escuridão.

– O tubo! – gritou ela, sacando do cinto um bastão sinalizador e atirando-o porta afora. A luz se acendeu, queimando ardentemente, dando a impressão de que o estacionamento submergira em um oceano de sangue.

– Vocês dois – disse Herc, apontando para a cabine e dando a ambos um olhar de aviso –, fiquem aqui.

Ele se virou, encaixando mais cartuchos no rifle e enfiando um no cano. Estava esquentando ali – esquentando *muito* –, o ar tremeluzindo como se estivessem em uma fornalha.

Ela deu mais uma olhada no relógio; tinha apenas dez minutos de vida se os Advogados não se apressassem. Dez minutos, e então estaria pior do que morta.

Danos colaterais.

– *Ouça o que Herc disse* – falou a voz de Ostheim em seu ouvido, o sinal entrecortado por causa das camadas de concreto acima. – *Não saia do veículo.*

– Sim, senhor – respondeu ela. Depois conferiu a balestra, respirou fundo e se lançou pelas portas rumo ao pesadelo de sangue e fogo.

AFOGANDO AS MÁGOAS

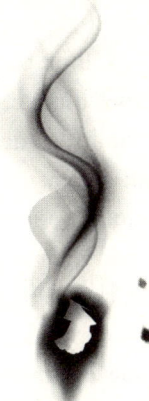

Charlie tinha razão. Para alguém que não corria nem dez passos sem pegar a bombinha, Marlow havia corrido bastante.

Nem corridinha, nem cooper, nem maratona. Não, seu jeito de correr era de outra natureza. Ele nunca corria até alguma coisa, mas *de* alguma coisa.

É o que os covardes fazem, disse sua cabeça. Tinha cinco anos quando Danny morreu, então não se lembrava da voz do irmão. Mas estava bem certo de que era ele, o irmão mais velho cujo fantasma vivia em sua mente.

– Cala a boca – sussurrou. – Você deu o fora assim que teve idade para se alistar.

Precisava ficar longe da mamãe, veio a resposta.

Marlow abaixou a cabeça e ligou o piloto automático. Não sabia aonde estava indo. Nem se importava. Contanto que continuasse indo, não tinha que pensar em nada. Não tinha que pensar no que diria à mãe, não tinha que pensar no que faria da vida. Atravessou a rua, a luz do sol perfurando seu crânio, cegando-o. Uma caminhonete passou por ele, tão perto que quase dava para tocá-la, envolvendo-o com a fumaça do escapamento. A buzina retumbou, intensa e alta, fazendo os ossos de Marlow tremerem.

O que você vai falar pra ela?, perguntou Danny.

Não fazia ideia. Não que ela se importasse com o que ele fazia da vida – ela passava o dia em sua bolha de cuba-libre. Tudo o que ela falava era como tinha orgulho de Danny, quanta saudade sentia dele, que Marlow nunca seria capaz de usar as botas militares do irmão, não importava quanto tentasse – não que tivesse interesse em tentar.

Não, melhor correr, melhor manter a cabeça baixa, os ouvidos tampados, a boca fechada. Correr e buscar um bom esconderijo. Se a mãe tinha encontrado conforto em uma garrafa de Bacardi, Marlow estava certo de que poderia fazer isso também.

Olhou para cima, sem ter ideia de onde estava. Mas havia uma rua principal adiante, e ele se pôs nessa direção. Virou à esquerda, passando por entre a multidão de crianças que matavam aula e mães com carrinhos. Uma oficina mecânica, um salão de beleza, uma pizzaria e, então, tão pequena que quase não viu, a marquise verde de uma mercearia de esquina.

Perfeito.

Fez menção de atravessar a rua, mas recuou quando uma ambulância passou correndo, as sirenes berrando. Depois, mais uma. Elas derraparam à direita mais à frente, desaparecendo atrás dos prédios. Agora que prestava atenção, podia ouvir mais sirenes, o ar ondulando com elas. Não que fosse incomum, é claro. Ali era Nova York. No dia em que não ouvisse nenhuma sirene, você saberia que estava realmente encrencado.

O trânsito parou, e ele atravessou a rua correndo. A mercearia parecia mais uma prisão do que uma loja, com grades nas janelas e meia dúzia de câmeras apontadas para a calçada. Havia um grupo de rapazes fumando do lado de fora, e eles o encararam tanto que ele pensou se não seria melhor dar meia-volta. Então um deles riu de alguma coisa e os outros desviaram o olhar, e Marlow deu os últimos passos pisando firme, entrando na loja como um furacão.

O interior da mercearia se parecia ainda mais com uma prisão: na parede dos fundos, uma única prateleira na altura do peito estava abarrotada de produtos enlatados empoeirados; junto às paredes, refrigeradores surrados estocavam suco, refrigerante e cerveja; os corredores lotados de mostradores com salgadinhos e outras tranqueiras; na frente, uma pequena área de frios e, atrás do acrílico, em uma parte acessível apenas da caixa registradora, uma bancada com bilhetes de loteria, cigarros, balas. Os olhos de Marlow demoraram um tempo para se ajustarem à escuridão, as grades da janela impedindo a luz do sol de entrar e mantendo o calor e a poeira do lado de dentro. Estava uma sauna ali, e ele precisou levar a mão ao bolso e usar a bombinha para interromper o chiado dos pulmões.

Pegou uma garrafa de um litro de licor de malte em um dos refrigeradores. Mas sentia que alguém o observava, e de repente se deu conta de sua aparência – encurvado e fazendo bico como uma criancinha emburrada.

Endireitou-se em todo o seu um metro e oitenta e pigarreou, revirando as moedas no bolso da calça de moletom como tinha visto caras mais velhos fazerem. Marchou até a frente da loja com o máximo de confiança possível, parando diante da estante de jornais para pegar uma cópia do *Daily News*, imaginando que isso lhe daria um ar mais adulto.

Aos poucos, um rosto se tornou visível atrás do vidro, uma mulher que devia estar viva desde a assinatura da Declaração da Independência. Era tão pequena que mal conseguia enxergar por cima da bancada, mas tinha fogo nos olhos e parecia desejar fazer Marlow entrar em combustão espontânea. Ele tossiu, nervoso, e pôs a garrafa e o jornal na janelinha do caixa. A velha não se moveu.

— Só isso, por favor — disse ele, parecendo um pobretão. Olhou para a bancada, a parede, o teto, os próprios sapatos e, então, finalmente para a velha.

— Claro, garoto — respondeu ela com um sotaque carregado que ele não soube distinguir. — Vou pegar uns cigarros e um bilhete de loteria para você fazer uma festa.

— Hum... — Marlow sentiu cada gota de sangue subir para o rosto. — Não é para mim, é para minha... esposa. Ela me pediu que comprasse essas coisas no caminho para casa, depois do... trabalho.

Por um momento ele achou que a mulher fosse morrer sufocada de tanto rir. Ela enxugou os olhos com a mão grossa como couro.

— Ah, claro, não queremos desapontar a *esposa* — disse ela após se recompor. — Qual é o nome dela?

Marlow revirou a mente atrás de um nome e não encontrou nada. Olhou para a primeira página do jornal, uma reportagem sobre o Rio de Janeiro.

— B... Brasil. — Ele hesitou. — Brasília.

— Brasília — disse ela, assentindo. — Ela deve ser linda. Onde vocês se conheceram?

— No... — Marlow se enrolou de novo. — Olha, estou com pressa. Tive um dia ruim. Será que posso só pagar por essas coisas e ir embora?

O sininho em cima da porta soou e a mulher levantou a cabeça, a mão indo para baixo da bancada. Ela devia ter um bastão ou algo do tipo ali, embora Marlow duvidasse que isso seria de alguma ajuda, já que ela com certeza era muito pequena para levantá-lo. Mas ela logo relaxou, e Marlow olhou para trás, avistando duas mulheres tagarelando em espanhol. Pela porta aberta, ouviu mais viaturas passando rápido pela rua, as sirenes zunindo.

— Encrenca lá fora — disse a mulher, balançando a cabeça em uma negativa. — Sempre tem encrenca.

— É — concordou ele, tirando a carteira do bolso da calça. Era vermelha e preta, e, quando puxou o fecho de velcro, sentiu-se com dez anos de idade. Havia uma nota de vinte e algumas de um. Ele pegou a de vinte e passou-a pela janelinha do caixa. — É suficiente?

— Claro, garoto. Quer aproveitar e me mostrar sua identidade?

Marlow olhou para a carteira e se voltou para a velha.

– É...

– Na sua outra carteira? – perguntou ela, cruzando os braços. Marlow abriu a boca para responder, mas ela o cortou de novo: – O cachorro comeu? Está na bolsa da sua *esposa*? Os alienígenas levaram? Você esqueceu no... trabalho?

– Todas as alternativas anteriores? – sugeriu Marlow, com o que esperava ser um sorriso charmoso. Ele pensou que a mulher tinha cedido, mas o rugido distante de uma máquina invadiu a loja, metal sendo amassado, freios guinchando. Será que aquilo tinha sido um grito abafado pelas paredes da loja? Ela olhou para trás, balançando a cabeça.

– Melhor que a encrenca não tenha a ver com você, garoto – disse ela.

Marlow negou com um gesto de cabeça, dando um passo para o lado enquanto as duas mulheres iam até a bancada comprar chiclete. Chegou a considerar apenas se virar e fugir com a garrafa. Não que a velha pudesse alcançá-lo. Mas seus pulmões estavam cansados, e, até estar a meio caminho de criar coragem, as mulheres já tinham ido embora e ele estava sozinho com a atendente mais uma vez. Beliscou a ponte do nariz, uma dor se formando em seu crânio.

– Olha, tive um dia realmente péssimo. Só quero esquecer.

– Garoto, você é jovem, saudável, não saberia o que é um dia ruim nem se ele te desse um chute no traseiro. Sem identidade, sem bebida. Posso te vender aquele jornal e um pacote de Skittles, e você pode se considerar o mais sortudo de todos. Fechado?

Ele olhou para a garrafa, lambendo os lábios ao imaginar a paz que jazia ali dentro.

– Senhora, por favor.

– Senhora? – repetiu a mulher. – Você me chamou de *senhora*?

Ela se debruçou em direção ao vidro, e assim de perto seu rosto enrugado parecia mais masculino.

Ai, que merda.

– Desculpa, cara, é...

– Continue! – gritou o sujeito, batendo o punho rugoso no vidro. – Caia fora daqui antes que eu...

Algo explodiu na rua, não bem um som, mas um tremor que fez toda a loja balançar, um tremor que atingiu os ossos de Marlow, quase fazendo-o cair sentado no chão. Ele se segurou com força na bancada, esforçando-se ao máximo para conter um grito. A onda de choque fez a porta se abrir, um rugido de trovão do mundo lá fora adentrando o ambiente. Uma das janelas implodiu, borrifando estilhaços banhados de sol. Atrás do vidro, o atendente quase caiu do banco.

— Minha nossa senhora! — gemeu ele, apoiando uma das mãos na bancada e levando a outra para baixo. Quando se ergueu novamente, não trazia um bastão, mas uma espingarda, serrada e de cano duplo. Apontou-a para Marlow, o dedo no gatilho, tudo tremendo.

— Ei! — exclamou Marlow, as mãos sobre a cabeça, o coração martelando nas costelas. Seus ouvidos zuniam. Havia um odor no ar, não de fumaça, mas de algo pior — algo que cheirava a ovo podre e ácido.

— É melhor me dizer que diabos está acontecendo — disse o cara da mercearia, os olhos praticamente saltando das órbitas. Seu cabelo ensebado desafiava a gravidade, esticando-se para o teto como se tentasse escapar da cabeça. Marlow sentia algo na pele, uma espécie de descarga elétrica. — Juro por deus que acabo com você aqui mesmo e transformo sua esposa imaginária em uma viúva imaginária.

Outro som se distinguiu em meio ao caos, o *pá-pá-pá* de tiros.

— Não tem nada a ver comigo — repetiu Marlow, olhando para o buraco grande e oco dos canos da espingarda. Ele se perguntou se a camada à prova de balas do vidro funcionava dos dois lados. — Juro, não faço ideia. Só queria uma bebida.

— É? Que coincidência, então. Vá, dê o fora daqui.

Marlow se afastou. Ouviu-se outra sirene na rua, mais alta, agora que a porta estava aberta. A poeira piorava a asma dele, fechando seu peito mais uma vez. Tentou tossir para abrir a traqueia e levou a mão ao bolso em busca da bombinha.

— Não, não — disse o homem. — Fique com as mãos onde eu possa ver até que esteja lá fora.

Marlow recuou, os braços estendidos ao lado do corpo. Tinha andado pouco mais de um metro quando outra explosão sacudiu a loja, forte o bastante para fazê-lo cair de joelhos. Sua visão ficou branca, tão branca que parecia haver uma força física agindo sobre suas retinas. Apoiou-se em uma prateleira para se levantar, pedaços do teto caindo ao redor dele como granizo. O atendente abriu a boca, parecendo prestes a gritar algo para Marlow, mas não teve chance. O teto acima dele se partiu em uma avalanche de reboco e vigas. Em um segundo, ele estava ali; no outro, estava soterrado.

Marlow balançou os braços para afastar a poeira, ignorando a dor nos pulmões, e correu para a bancada. Havia uma porta lateral, que a explosão deixara entreaberta, mas presa por destroços. Ele a abriu com o ombro. Não havia sinal do atendente, a não ser por uma mão e uma perna em meio aos destroços. Marlow tocou a mão, uma fagulha brusca de eletricidade saltando da carne do homem para a dele, mas não sentiu pulsação nenhuma.

Meu deus.

Marlow segurou a mão flácida do homem por mais um instante, tentando trazê-lo de volta à vida. Os restos do teto fizeram um barulho. Àquela altura, o prédio inteiro devia estar prestes a desabar. Marlow subiu no balcão novamente, detendo-se apenas quando se lembrou da espingarda. Abaixou o corpo e pegou a arma. Avistou uma caixa de cartuchos atrás do balcão e enfiou o máximo que pôde nos bolsos. Se as coisas estavam tão ruins quanto os ruídos davam a entender, ele ia precisar de todo fogo que conseguisse.

Marlow lançou um último olhar para a mão do funcionário morto. *Poderia ter sido eu.* Então correu pelo lugar vazio, escorregando na poeira e nos escombros, mais uma vez fugindo tão rápido quanto seus tênis permitiam.

FAÇA O PIOR
QUE PUDER

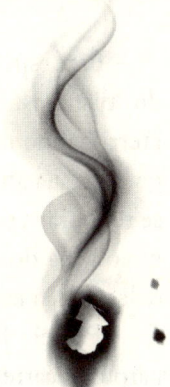

O mundo estava acabando.

Literalmente.

Pan se afastou da caminhonete, sabendo que se ficasse parada seria seu fim. Não seria morta, mas algo infinitamente pior. Fagulhas cruzavam o ar acima, descontroladas, dedos de relâmpago branco e sulfuroso passavam perto o suficiente para queimar sua pele. O estacionamento era uma zona de fogo, ruído e fumaça, e havia algo ali na escuridão, entre as vigas de aço. Algo que se movia com violência, contorcendo-se.

— Falei para ficar na caminhonete! — gritou Herc. Sem esperar pela resposta, ele puxou o gatilho de seu rifle de combate. O teto explodiu até virar poeira de concreto. Forrest também estava lá, apertando o rifle com as mãos, os nós dos dedos esbranquiçados, embora os olhos esbugalhados estivessem fixos no relógio. Pan não precisou olhar para o visor para saber que ele marcava *00:00:00:00*. Os demônios estavam ali. O tempo dele tinha acabado.

Pan ergueu a balestra, correndo os olhos pelo espaço ao redor, tudo banhado na leitosa luz vermelha dos bastões sinalizadores. Além da caminhonete, havia talvez uma dúzia de carros, dois SUVs, um Corvette — que parecia já ter visto dias melhores —, um...

Do outro lado do estacionamento, ela avistou um Ford vermelho. Línguas de fogo lambiam o veículo, tão ferozes que haviam estilhaçado o para-brisa. Um dos pneus tinha murchado, depois explodido, e o carro balançava. Mas Pan estava de olho no capô, que parecia se soltar do restante do veículo. Uma fina faixa de metal subiu como uma espiral, seguida por outra, e mais outra, até que o volume de um corpo, como uma aranha camuflada, enfim começou a se revelar. A coisa se alongou, uma escultura viva de metal vermelho e peças de motor separando-se do resto do carro.

— Ali! — disse a garota.

— Pan, espere! – gritou Herc atrás dela, a voz perdida em meio ao estrondo dos disparos. Ela o ignorou, avançando para o Ford. A criatura deu o bote, aterrissando no chão, as pernas de metal se movendo depressa. Ela se alongou até sua altura máxima, ereta sobre as quatro patas. O metal se dobrava e se redobrava como se fosse papel, a mandíbula abrindo e fechando, exibindo uma linha de dentes afiados como bisturis. Não tinha olhos. Não precisava deles. Sabia exatamente onde encontrar sua presa.

— Proteja Forrest! – ela gritou para Herc, mas ele já estava ao lado do garoto, recarregando o rifle com mais um cartucho. O demônio abriu a boca como se fosse uma armadilha de urso e guinchou, um ruído que penetrou até a alma de Pan, fazendo-a sentir vontade de se deitar em posição fetal e chorar. Mas em vez disso ela correu, abrindo a trava de segurança da balestra. O demônio também se moveu, as pernas desajeitadas tomando forma, ganhando velocidade, acabando com a distância entre eles. Vinte metros, quinze, cinco. A criatura saltava, deixando buracos no piso de concreto.

Pan puxou o gatilho. O demônio podia ser de aço, mas a flecha disparada pelo arco havia sido forjada no cerne do Motor. Ela atingiu a fera como uma bola de demolição, selando seu fim. A criatura caiu no chão, amassada, reduzida à sua pele metálica. Teve tempo apenas de soltar um grito infernal antes que a flecha explodisse como uma granada, mandando pelos ares duas metades do demônio.

— Saia do caminho! – gritou o motorista, aproximando-se de Pan. As duas metades do demônio se contorciam, tentando se recompor. O motorista mirou na parte onde estava a cabeça e disparou, reduzindo-a a estilhaços de metal, que encheram o ar. Os movimentos da criatura foram diminuindo, os pequenos pedaços de metal se mexiam como feijões saltadores, tentando se agarrar à vida. O motorista disparou mais duas vezes. Então tudo se acalmou.

— Tem que... – disse ele, e sua boca se abriu em horror, soltando um grito que quase deixou Pan surda. Até ela entender o que acontecia, o motorista já cambaleava para trás, sem o pé esquerdo. O chão onde ele estivera tinha se aberto em uma boca, filamentos de metal triturado rangendo no ar, lambuzados com o sangue dele. O solo se partiu quando um novo demônio se libertou. Seu corpo era um pedaço de alvenaria, as linhas brancas da vaga do estacionamento ainda gravadas nele. A criatura tentava se equilibrar em cinco pernas de concreto atrofiadas.

Pan recuou, apoiando a balestra no chão para recarregá-la. A arma era poderosa, mas também a coisa mais esquisita que Ostheim poderia ter lhe dado. Enquanto a preparava, gritou:

— Alguém atire!

O motorista estava caído no chão, jatos de sangue jorrando do toco que era agora sua perna, os olhos revirando nas órbitas. Herc surgiu, apunhalando o tronco da criatura de concreto com a ponta do rifle e puxando o gatilho. Pan ergueu as mãos, sentindo fragmentos do chão se cravarem em seu rosto, a dor amortecida em meio à descarga de adrenalina. Ela preparou o arco, pegando uma flecha e colocando no encaixe. Herc, agitado, disparou mais uma vez, e foi o fim do demônio, que deixou apenas uma casca de concreto para trás.

— *Segure a on...* — disse Ostheim para Pan, as palavras entrecortadas. — *Eles j... braram... contrato. Cinco minu...*

Cinco minutos. Era uma eternidade. Ela examinou o estacionamento. Tanto o demônio de metal quanto o de concreto estavam liquidados, e uma pilha de destroços ao lado da caminhonete deixava claro que Herc tinha acabado com mais um. Mas o ar ainda estava repleto de enxofre. Pan quase podia ver a linha fina que separava este mundo e o deles se esticando, os incontáveis demônios se proliferando do outro lado, todos tentando atravessar. Todos tentando alcançá-la.

Mas onde diabos estava Forrest?

Herc praguejou, apontando para a rampa.

— O moleque inventou de correr! — rugiu ele. — Caramba! Forrest!

Idiota. Muito idiota. Não se podia correr deles. Não dava para se esconder deles. Pan abriu a boca para berrar o nome do garoto, mas era tarde demais. Algo se contorceu para se soltar da parede lateral da rampa, assumindo a forma de um cachorro, com pele de concreto e coluna de aço. Forrest nem viu. A criatura o atacou pelas costas, esmagando o garoto em um borrifo de sangue e substâncias gelatinosas. Mais alto até do que o uivo do demônio, Pan ouviu o grito de Forrest, um lamento dissonante, desesperado e sofrido que reverberou pelas paredes.

Vire para o outro lado, disse algo na cabeça de Pan. *Você não quer ver.*

Mas ela continuou olhando, assistindo ao chão sob o garoto morto amolecer, derreter como alcaçuz. O ar começou a cintilar, como acontece em um churrasco, e com um *puf* suave as roupas de Forrest pegaram fogo. A rampa toda foi ficando avermelhada, dissolvendo-se em calor, mas o garoto morto ainda uivava, enquanto seu cabelo pegava fogo, enquanto sua pele se enchia de bolhas.

Ela não desviou o olhar. Não piscou. Nem mesmo quando sentiu as mãos de Herc nela, tentando puxá-la. A cabeça do demônio deu o bote, como a de uma víbora, e a de Forrest explodiu, espalhando fragmentos de ossos e cérebro pelo piso semiderretido. Mas Pan ainda ouvia aqueles uivos conforme o corpo retorcido do garoto afundava no chão.

Ele gritaria por toda a eternidade.

Forrest foi desaparecendo devagar, como se caísse em um poço de piche. Então o demônio foi ao chão, como se sua bateria tivesse acabado. Através da fumaça e da neblina, Pan viu o solo cicatrizar, esfriando.

Mas não por muito tempo.

Olhou para o relógio. Em menos de um minuto ela também seria tragada pela linha direta para o inferno. Sentiu Herc tocá-la de novo, trazendo-a para perto.

– Vamos fazer o que pudermos, Pan – disse ele, a voz trêmula como uma folha. – Eu... vou tentar até o fim.

Ela ergueu os ombros para afastá-lo. Não precisava da piedade dele. Sabia no que estava se metendo. *Você entra no jogo e paga o preço.* Conferiu a balestra, sufocada por aquele cheiro de enxofre de revirar as tripas que se infiltrava por entre as fendas da realidade. Também havia outro odor; voltou o olhar para o Ford. A gasolina jorrava do tanque arrebentado, formando uma poça ao redor dos pneus.

Olhou para o relógio.

Cinco, quatro, três, dois, um...

O aparelho emitiu um bipe baixinho. De certa forma, não teve o impacto que ela esperava. Uma sirene de ataque aéreo teria sido mais apropriada. Ela ergueu a balestra, trêmula.

Aí vêm eles.

– A parede! – gritou Herc. Pan olhou para onde o cano da arma dele apontava e avistou uma silhueta surgindo de um pilar. A criatura, que era maior e tinha a forma parecida com a de um ser humano, explodiu realidade afora envolta em uma nuvem de poeira. O estacionamento inteiro grunhiu, rachaduras aparecendo no teto, o peso do edifício acima ameaçando ceder e enterrar todos eles vivos.

Herc levantou a arma e disparou; o demônio abriu caminho em meio à chuva de chumbo grosso. Antes que ele pudesse recarregar, no entanto, a coisa o acertou com um belo golpe, mandando-o pelos ares. Pan lutou contra o pânico, ergueu a balestra e atirou. A criatura se desviou no último segundo, a flecha se enterrando na parede atrás dela. Pan praguejou, apoiando a arma no chão e preparando-a novamente.

A coisa deu o bote, os dedos rasgando o colete da garota, tirando o ar de seus pulmões e a balestra de suas mãos. Herc apareceu ao lado de Pan, empurrando o demônio com o ombro, forçando-o a recuar. Depois, apontou a arma e fez vários disparos, acertando o inimigo várias vezes enquanto ele cambaleava pelo estacionamento. Pan percebeu tarde demais para onde estavam indo.

– Herc, não!

O demônio escorregou e caiu na poça de gasolina que tinha escorrido do tanque arrebentado do carro, e Herc disparou um último tiro. O mundo ficou branco, ardente como uma supernova, uma explosão silenciosa que ergueu Pan no ar e a jogou para trás. Quando ela foi ao chão, o barulho tinha aumentado, uma trovoada retumbante tão densa que era possível se afogar nela. Pan resistiu ao calor, à onda fervilhante de fumaça e sangue vaporizado, sentindo-se afogar.

– ...*zzzttt*... *tudo bem?* ...*ferno, Pan!*

Ela tentou se apoiar nos cotovelos, o corpo inteiro imerso em dor. Tudo estava vermelho, incandescente, e a garota percebeu que seus olhos estavam fechados. Pareceu se passar uma eternidade até se lembrar de como abri-los. O estacionamento era um lago de fogo. Tudo dançava no calor, nada parecia real. Era quase como se o fogo fosse algo vivo, rastejando em sua direção...

Ah, não.

O demônio em chamas era feito em parte de cadáver carbonizado, em parte de algo que um dia podia ter sido um banco de carro. Aquilo tudo era um inferno só, e não iria melhorar. Afinal, eram demônios. O fogo era como seda para eles. A criatura cambaleava por entre os destroços, seguindo na direção de Pan.

A garota grunhiu, ignorando a dor ao se levantar. Sua perna não estava em pleno funcionamento, e, quando olhou para baixo, viu um pedaço de osso saltando da canela. Ela cambaleou, trombando em uma pilastra. Onde diabos estava a balestra? O demônio estava a meio caminho quando outro carro estacionado explodiu, a força do impacto erguendo o Corvette até amassá-lo no teto. Pan se encolheu atrás da pilastra, sentindo a onda de choque passar sem atingi-la.

Cambaleou um pouco mais, flanqueando o demônio. A dez metros de distância, avistou sua arma. Arrastou-se de onde estava, mancando na direção da balestra, com o uivo do demônio em seu encalço. Sucumbiu já próximo da arma, pegando-a quase no mesmo instante em que a criatura a alcançou. O fio vibrou, e a flecha se enterrou no rosto sem olhos da besta. Aquela coisa teve tempo de grunhir, quase como se não acreditasse em seu destino, e depois explodiu até só restar pó.

Um disparo atrás de Pan. Herc dizendo alguma coisa que podia ser o nome dela. Pan se virou e o viu mancando em sua direção, uma nuvem de fumaça se avolumando ao redor dele. O rosto de Herc estava em péssimo estado, com manchas violentas de queimadura. Ela não via o alvo dos disparos dele, pois a caminhonete estava no caminho. Pelo menos uma *parte* dela.

Parte esta que se desdobrou até se transformar em um demônio do tamanho de um urso-pardo, que abriu a boca e rugiu.

Pan praguejou, empunhando a balestra, embora a arma estivesse descarregada. Uma das longas pernas do demônio enlaçou o peito dela. Pan ouviu uma costela se partir com a pressão e sentiu uma supernova de dor detonar em seu corpo. A balestra foi ao chão ruidosamente.

A arma de Herc rugiu mais uma vez, a cabeça da criatura tinindo como uma caixinha de música desafinada. Nuvens de tiro irromperam ao lado de Pan, fazendo sua pele arder. O demônio não deu a menor importância; levantando a outra perna, mirou o pé pontiagudo na direção dela. A cabeça da criatura era feita de um pedaço do para-choque e da placa, que dizia SKI UTAH!, os dentes de serra se projetando do metal. Embora não tivesse olhos, parecia olhar para Pan, e ela sabia exatamente o que a coisa estava pensando.

Finalmente, depois de todos esses anos, podemos fazer a cobrança.

Ela quase sentiu alívio, até se lembrar do que aconteceria depois.

– Pan! – gritou Herc, longe demais, devagar demais. A criatura a apertou de novo, estilhaçando seus ossos. Pan fechou os olhos, na expectativa de que não fosse tão ruim quanto lhe haviam dito, de que Ostheim estivesse enganado quando dissera que ela imploraria pela morte se um dia conseguissem pegá-la. Ela imploraria pela morte pelo resto da eternidade.

– Vá em frente – disse ela, cuspindo sangue entre as palavras. – Faça o pior que puder.

E foi o que a criatura fez.

A FUGA DO COVARDE

Primeiro ele tinha sido expulso. E agora o mundo estava acabando.

Aquilo é que era um dia infernal.

Outra explosão sacudiu a mercearia, intensa o bastante para chacoalhar os ossos de Marlow. Ele segurou a maçaneta, enchendo os pulmões de ar quente e fumacento. A espingarda era pesada, ameaçando cair da mão suada. Ele a agarrou com tanta força que seus dedos doeram.

Aonde estava indo?

As sirenes se sobrepuseram ao eco da explosão, lamentando-se como pessoas em luto num funeral. Havia no ar um cheiro diferente de tudo o que ele já tinha sentido, algo que era quase vulcânico. Marlow se perguntou se aquele não seria mesmo o fim do mundo, se sairia da loja e veria lava escorrendo pelas ruas de Mariners Harbor.

Mas ficar ali não era uma opção. O restante do teto estava prestes a cair, ameaçando esmagá-lo como tinha feito com o atendente.

Abriu a porta e semicerrou os olhos. Não havia lava, mas sim um monte de gente, todos em pânico. Alguns olharam para ele, demorando-se ao ver a espingarda retida com firmeza em sua mão. Os caras que antes estavam na frente da loja tinham se dispersado.

Marlow pensou em largar a arma, mas não fazia ideia do que estava acontecendo. Podia ter sido um ataque terrorista ou uma guerra entre gangues, e nesse caso precisaria de uma arma. Não que planejasse atirar em alguém, mas tê-la consigo poderia ajudá-lo a ganhar tempo para fugir. O ar na rua estava denso com a fumaça; gavinhas serpenteavam até seus pulmões, sufocando-o. Ele tossiu, tentando se livrar delas da melhor maneira possível, e pegou a bombinha no bolso com a mão livre. Inspirou algumas vezes, até a pressão no peito diminuir.

Onde estava? Não reconhecia nenhum dos prédios, e todas as janelas à vista estavam estilhaçadas. As explosões vinham de trás dele, o que significava que a melhor direção a seguir era para a frente.

Começou a trotar pela rua, mantendo a espingarda junto ao peito, esperando que a coisa não disparasse por conta própria e explodisse sua cabeça. Só tinha dado alguns passos quando viu adiante uma luz trêmula, uma viatura policial cantando pneu ao virar a esquina.

– Ei! – gritou ele, só então se dando conta de que descia a rua carregando uma arma letal. *Ótima ideia, Marlow.* Os policiais naquelas redondezas atiravam primeiro e nunca faziam perguntas. Virou-se e fugiu para o outro lado, na direção da fumaça e dos estrondos.

Você está louco?

Tudo o que importava era não ser pego. Ele já tinha problemas suficientes.

Quando passou pela loja, seus pulmões já chiavam, e avistou adiante o que parecia ser um hospital. Uma rampa levava a um estacionamento subterrâneo, uma nuvem de fumaça escapava de lá como se fosse uma cachoeira virada de cabeça para baixo. A fumaça subia para um céu escuro demais para aquela hora do dia, o sol apenas um borrão seboso. O ar estava repleto de algo penetrante, quase elétrico, a mesma carga que tinha deixado seu cabelo em pé, que tinha feito sua pele se arrepiar.

O motor de um carro acelerou com força atrás dele. Marlow se virou e avistou uma viatura da polícia se aproximando. Outra veio pela direita, enquanto alguns seguranças do hospital surgiam à esquerda. Ouviu pneus cantando atrás de si e o barulho de uma porta de carro sendo aberta. Abaixando a cabeça, seguiu na única direção que podia: direto para a rampa. Não importava o que estava acontecendo ali dentro, ele encontraria uma saída. Se o prendessem, só deus sabe do que o acusariam.

Correu, tropeçando no solo macio, a arma chacoalhando na mão. Os guardas berravam, abrindo caminho por entre a multidão de pessoas com roupas cirúrgicas ou aventais folgados que se dispersavam na porta do hospital. Marlow os ignorou, seguindo rumo à escuridão da rampa e fazendo tudo o que podia para manter o fôlego sob controle.

Deu uma olhada para baixo e não viu nada em meio à fumaça. Mas algo brilhava lá dentro, como o núcleo de um vulcão. *Pá-pá*, e então um grito que não parecia humano, que soava mais como metal se estilhaçando. Marlow tentou dar um passo à frente, mas seu corpo não obedeceu, atado ao chão em protesto. Talvez devesse se render, tentou explicar a si mesmo.

É, qual é a pena para posse de armas? Cinco anos? Dez?

Respirou o mais fundo que seus pobres pulmões permitiram e depois seguiu, impulsionando-se rampa abaixo. Agachou-se, mas a fumaça ainda assim o encontrava, enfiando as garras em sua garganta, sólidas como os dedos de um cadáver. Marlow tossiu uma, duas vezes, em cada uma parecendo que um dos pulmões seria lançado para fora. As brasas flamejantes à frente se tornaram mais intensas, e ele viu a passagem que levava ao primeiro piso do estacionamento. Dava a impressão de ter sido esculpida em argila por uma criança: o solo estava repleto de protuberâncias imensas, o teto inclinado. Ao redor do estacionamento havia uma moldura de fogo, e através da neblina cintilante ele avistou ao menos dois carros em chamas, um lago de labaredas no chão e uma tempestade de fumaça no teto.

O rugido de uma arma veio de algum lugar em meio ao caos, assustando Marlow. Ele semicerrou os olhos, tentando ver algo entre as chamas. Havia alguém ali? Um homem de preto, o cabelo chamuscado. Segurava um tipo de rifle, ou talvez uma espingarda, atirando na direção da ardência ondulante que saía de um dos carros explodidos. Marlow levantou a própria arma, muito mais pesada do que deveria ser. Aquele cara era um dos mocinhos ou um dos vilões? Será que deveria puxar o gatilho e acabar com ele? E se gritasse e o cara se virasse e atirasse antes que Marlow tivesse a chance de se defender?

Marlow tinha dado meia dúzia de passos no estacionamento quando ouviu um barulho atrás de si. Ao se virar, viu algo que só podia ser uma ilusão causada pelo calor, algo que não podia ser real.

A caminhonete blindada no fim da rampa ganhava vida.

Ganhava vida *literalmente*. Algo surgia do veículo, um corpo formado pela grade larga do para-choque e pela placa. Um dos pneus explodiu, e um relâmpago partiu do chão para o teto com tanta força que quase arrancou pedaços de concreto. O corpo prosseguia, parecendo um urso, as pernas feitas de longas faixas de metal, o volumoso tronco, metade motor, metade chassi, e o rosto, um amontoado retorcido feito da placa, com o emblema da Ford no lugar onde deveria estar um dos olhos.

Não é real, é uma ilusão de ótica, é uma miragem causada por algo tóxico que vem da fumaça, é...

A criatura se desprendeu da caminhonete e saltou no chão, balançando-se como um cachorro molhado e lançando faíscas pela garagem. Depois começou a correr nas quatro patas, os pés desajeitados escorregando, as garras arranhando o concreto como se o chão fosse feito de manteiga. Marlow ergueu a arma antes mesmo de perceber o que fazia, enganchando os dedos nos dois gatilhos enquanto a criatura se avolumava diante dele.

Nada aconteceu.

A criatura se lançou sobre ele, rápida e forte como uma caminhonete. Ele foi jogado para trás, rodopiando, e o impacto da queda foi tão grande que tirou de seus pulmões o que restava de oxigênio. Rolou até parar de costas, vendo a pesada estrutura de metal trotar pela fumaça, rumo a um pilar onde havia uma silhueta. E com certeza aquela devia ser outra alucinação, pois, embora Marlow não tivesse mais ar no peito, a garota que viu lá ainda conseguiu tirar seu fôlego. Ela era linda, apesar do sangue e dos ferimentos no rosto. Era um tipo de beleza agressiva, a testa estava franzida, os lábios, comprimidos em uma linha fina e sombria, os olhos, como duas pedras, totalmente focados, como se estivesse pronta para atravessar uma parede de pedra sem se importar nem um pouco com as consequências. Já o corpo dela...

Fala sério! Acorda, cara!

Balançou a cabeça em uma negativa. A garota carregava uma arma antiga de madeira – uma *balestra*? –, mas com certeza estava ferida, pois fazia um grande esforço para segurá-la. Um osso se projetava de uma de suas pernas. O cara com o rifle avançou, disparando sem parar, mas a coisa-caminhonete era implacável, amassando tudo enquanto avançava para onde a garota estava. A criatura estendeu um longo membro de metal e enlaçou o peito dela, erguendo-a do chão. Ela gritou, deixando a balestra cair.

Marlow se forçou a levantar, ignorando a dor enquanto procurava a espingarda no chão. Até conseguir alcançá-la, a criatura já tinha estendido outro membro, com uma perigosa ponta de aço. Ainda não sabia quem eram os mocinhos, mas entre um cara, uma garota e um monstro, imaginou que as chances estariam a seu favor. Correu na direção deles, dessa vez se lembrando de abrir a trava de segurança. Alcançou a garota no mesmo instante que o homem de preto. O cara o viu de relance – metade do rosto era uma cicatriz, a outra metade, uma carranca – e então levantou a arma e atirou.

Estavam a três metros da criatura, mas o disparo que partiu do rifle do homem era tão poderoso que fez a carne de metal daquela coisa se enrugar. Marlow cerrou os dentes e puxou os dois gatilhos da arma. Ela grunhiu, e o recuo foi tão violento que a espingarda se soltou de seus dedos. Uma fisgada de dor subiu de seus ombros até o pescoço, fazendo-o gritar. A criatura não reagiu, retraindo o membro como uma cauda de escorpião, a garota pendurada diante dele desferindo chutes pateticamente.

– Pan! – gritou o homem, recarregando e disparando de novo. Jogou a arma de lado e saltou, agarrando a criatura pelo pescoço, tentando retorcê-lo. Talvez noventa quilos de carne contra meia tonelada de metal. Não terminou bem, pois a criatura estendeu mais um de seus membros de metal e atirou o homem longe. Ele escorregou pelo chão, ensanguentado, gemendo e imóvel.

Marlow procurou a arma, tirando os cartuchos do bolso. Deixou os projéteis caírem e entrou em pânico, incapaz de respirar, o ar denso demais. A escuridão invadia sua visão periférica, mas não tinha nada a ver com a fumaça.

– Vá em frente. – Ouviu a garota dizer, as palavras destilando raiva. – Faça o pior que puder.

Um grito, talvez humano, talvez não, repleto de satisfação violenta preencheu o ar e fez Marlow cair com o traseiro no chão. Ele olhou para cima e viu o membro da criatura se retrair e depois se estender para a frente. Essa espécie de braço perfurou o peito da garota, atravessou seu coração e emergiu em suas costas em uma erupção de sangue e ossos.

O rosto dela se contorceu em agonia e desafio, os dentes rangeram, como se ela tentasse se esquivar da morte por simples força de vontade. Então tudo relaxou, as pernas dela penderam, os braços se esticaram para baixo, o rosto se abrandou, como se a carne tivesse se soltado do osso. Os olhos dela foram os últimos, se afastando da criatura e encontrando os de Marlow, detendo-se nele por um instante que poderia ter sido uma eternidade. Ele não conseguia se mexer, não conseguia respirar, mesmo que fosse fisicamente capaz disso. Só ficou ali, sentado no concreto, o calor do fogo na pele, até que o último vestígio de vida desaparecesse e o olhar dela fosse para algum ponto diferente do horizonte, um lugar que apenas os mortos podiam ver.

Não.

Ainda havia tempo para salvá-la. Pegou a arma, abriu-a e tirou dela os cartuchos usados. A criatura soltou a garota, o membro se movimentando com rapidez e espirrando sangue no fogo, mandando jatos de vapor rosado para o ar. Marlow enfiou os cartuchos no cano, fechou a arma, caminhou até a criatura, que estava de costas, e puxou um dos gatilhos. Dessa vez manteve o punho firme, apoiando a coronha no ombro e modulando o peso em resposta ao recuo. A força da explosão atingiu a parte de trás da cabeça daquela coisa, espalhando destroços letais. A criatura se afastou da garota e se virou. Marlow não esperou, apenas puxou o segundo gatilho, arrancando outro pedaço de metal do corpo dela.

Ela cambaleou, fraca, os membros de metal guinchando ao se agitarem. Marlow recuou e recarregou a arma, e cada tentativa de respirar era como erguer um peso morto do peito. Ele se agarrava a cada suspiro, o chiado no peito ainda mais alto do que o rugido do fogo, ainda mais alto do que o ruído metálico das patas da criatura ao avançar. Enfiou mais dois cartuchos na espingarda e se manteve em posição até a criatura se aproximar tanto que era possível tocá-la. Então puxou os dois gatilhos, abrindo um buraco bem no meio daquela coisa. Ela ficou parada por um instante, como se tentasse entender o que havia de errado, antes de tombar no chão.

Marlow levou as mãos ao bolso, o mundo de repente girando com a falta de oxigênio. Titubeou, afastando-se de uma pilastra e despencando como se pesasse uma tonelada. Então, com igual impacto, percebeu que morreria ali. Tentou respirar, a traqueia fina como um fio de cabelo se recusando a deixar qualquer coisa entrar ou sair. Debatendo-se, agarrou os bolsos, encontrando a bombinha e levando-a aos lábios. Onde raios estava o bocal daquela coisa?

Algo se avolumou diante dele, a fera-caminhonete com suas chagas grosseiras de cabos e estilhaços. Havia outro corpo ao lado, a visão de Marlow tão turva que quase se convenceu de que o que vira não era uma criatura viva feita de concreto, cuja boca era uma cicatriz de dentes serrilhados e pontiagudos indo de um lado a outro do corpo, grande o suficiente para engoli-lo inteiro. Os dentes dela se cerraram, sentindo o cheiro de seu medo, de seu sangue.

Marlow sugou a bombinha, apertando o dedo a esmo; nada. Ao levantar o objeto diante do rosto, viu que era um cartucho da espingarda, e seu coração pareceu desistir, assim como seus pulmões. Seu peito chiou, sem ar nem mesmo para tossir, e a mão tombou no chão. Pelo menos a asma o pegaria primeiro. Melhor morrer sufocado do que estraçalhado por... por aquelas criaturas, fossem o que fossem.

Elas se aproximaram dele quase com preguiça, aqueles rostos sem olhos de certa forma queimando o cerne da alma dele. Estavam tão perto que ele podia ver o modo como o metal se curvava feito plástico quando se moviam, o concreto tão maleável quanto massinha de modelar, mas as substâncias ainda rígidas o bastante para transformar seus ossos em pó. A criatura que parecia um rochedo se ergueu sobre os membros de trás, abrindo a enorme mandíbula.

– Pensou que tinha acabado comigo, não é? – disse uma voz.

Ouviu-se um som metálico, e uma flecha de metal acertou o que havia sobrado do pescoço da fera-caminhonete. Houve uma onda de luz resplandecente e uma explosão estrondosa, como uma granada de concussão, e a criatura foi reduzida a um monte de destroços. O que estava atrás dela era com certeza inacreditável. O peito da garota estava perfurado, a luz do fogo visível através do buraco onde antes ficava o coração. Mas o ferimento parecia estar se fechando, a carne se recompondo. Os rasgos horrorosos em seus braços, pescoço e rosto também se curvavam, como se o tempo estivesse andando para trás, uma fumaça branca saindo de sua pele. Ela cerrou os dentes para resistir à dor, gravada em cada linha de seu rosto, em cada tendão saliente de seu pescoço.

A criatura de concreto a viu e emitiu um ruído que poderia ter sido o de um prédio caindo, um rugido selvagem, industrial. Ela passou por Marlow, correndo em direção à garota. E, mais alto do que as trovoadas causadas pelas patas da criatura, ele ouviu a garota dizer:

— Estou inteira. Fim do contrato.

A fera deu o bote, tão pesada que Marlow sentiu um tremor quando ela saiu do chão. A garota ficou imóvel ao lado da balestra descarregada, os olhos escuros sem piscar. Então, como se tivesse atingido algum tipo de parede invisível, a criatura caiu, explodindo para virar pó. Ela se contorceu uma vez, depois ficou parada. A fera-caminhonete havia como que congelado. Mais um ruído metálico veio do outro lado da garagem. Marlow semicerrou os olhos para ver a figura formada de uma porta de incêndio e um pedaço de parede tombado no chão como uma árvore cortada. Então o silêncio se fez, para além do murmúrio de derrota das chamas e da respiração entrecortada e desesperada de Marlow.

Ele quase teve tempo de sentir alívio antes de se lembrar que agonizava.

Agarrou a garganta com uma das mãos e espalmou os bolsos vazios com a outra, a coluna arqueada. A garota esquadrinhou o estacionamento, um olhar de desprezo e tédio em seu lindo rosto. Só depois olhou para Marlow, sem um único sinal de gratidão ou bondade naqueles traços perfeitos. Seus ferimentos tinham cessado o processo de cura, e alguns cortes e arranhões ainda sangravam. Mas não havia nem sinal da perfuração no peito, só uma cicatriz grossa como couro. Seu uniforme, por outro lado, não fora capaz de se autorreparar. Estava aberto, revelando um sutiã preto.

Há maneiras piores de morrer, disse o cérebro de Marlow, e pela primeira vez na vida ele tinha que concordar.

A garota percebeu para onde ele olhava, mas não se esforçou para se cobrir, apenas abriu a boca e falou:

— Já terminou?

Marlow não podia responder, mesmo que soubesse o que ela estava perguntando. Seus pulmões estavam completamente vazios. Podia muito bem ter um tanque estacionado em cima dele. O garoto tentou fazer com que os lábios articulassem a palavra *bombinha*; tentou apontar o dedo para a garganta, gritando mentalmente: *Por favor, encontre a bombinha para mim, peça socorro.*

— Essa foi por muito pouco, Ostheim — disse a garota, e ele percebeu que ela conversava com outra pessoa. — Perdemos Forrest e Herc.

– Não exatamente – disse uma voz. Marlow viu o homem ao lado de quem tinha lutado mais cedo se aproximar, quase cada centímetro da pele dele encharcado de sangue e coberto de sujeira. Ele parou curvado ao lado da garota, arfando, mas ela nem percebeu sua presença. Ambos olhavam para Marlow.

– Não – disse a garota em resposta a alguma pergunta que não foi ouvida. – Sem outros sobreviventes.

O homem olhou para ela.

– E quanto a ele?

– O que tem ele? – respondeu ela com a voz mais fria que Marlow já tinha ouvido.

– Ele salvou sua vida.

– Não salvou, não. Foi o contrato. Lembre-se das regras, Herc. Ninguém sabe.

Marlow não conseguiu mais manter os olhos abertos e caiu na escuridão. Era quase capaz de ouvir os pulmões gritando, a coisa mais alta do mundo. Ele se contorcia no chão. Era a fuga de um covarde.

– Os Infernais não nascem em árvores. – Ouviu o homem dizer. – Precisamos de mais Engenheiros. Ele pode lutar.

– Olhe pra ele. Não consegue nem respirar.

– Pan.

Marlow distinguiu o ruído de passos, o som de alguém se afastando.

– Pan!

E foi isso. Uma última inspiração chiada, patética e sem ar. Marlow desejou que seu último pensamento tivesse sido a mãe, o irmão, as coisas que amava. Mas a última bolha de oxigênio que jamais respiraria foi gasta no desejo de mandar a garota cuja vida tinha acabado de salvar ir se ferrar.

RAINHA DO GELO

– Pan!

Ela se virou, em parte para procurar uma saída, em parte para Herc não ver seu rosto. Ficar de pé exigia cada resquício de força que ela ainda possuía, pois seu corpo era uma máquina quebrada prestes a parar. Tudo doía. *Tudo*. Principalmente o peito. Mas *doer* não era bem a palavra. Não era aquela sensação penetrante e horrível de ter ido longe demais. Seu coração pulsava fraco e úmido, suas vértebras estavam em atrito umas com as outras, nervos pinçados como se alguém a tivesse ferido repetidas vezes com um bisturi. Não conseguia respirar direito, porque um dos pulmões não tinha reinflado por completo. A quebra do contrato tinha dado certo, mas por pouco. Mais alguns segundos, talvez, e teriam se apossado dela.

O estacionamento subterrâneo era a versão do inferno na Terra, literalmente. Os restos dos demônios jaziam ao lado do cadáver do motorista, idênticos apenas na ausência de vida. A verdade era que ele não sabia a sorte que tinha por estar morto, por estar gelado. Havia lugares muito piores para onde os vivos podiam ir quando o coração parava de bater e o corpo começava a esfriar. Ela quase descobrira como eram abomináveis esses lugares.

Não havia tempo para aquilo. Não havia tempo para *e se?*. Em breve uma equipe da SWAT estaria ali, e Pan não queria estar presente quando começassem a atirar projéteis ou perguntas para ela. Não podia ir pela rampa de saída, pois o mundo inteiro estaria assistindo. Mas havia uma porta de acesso na parede da outra extremidade do local. Metade de uma porta, pelo menos, com um buraco do formato de um demônio em um dos lados, de onde algo tinha se desprendido. Estava com as dobradiças soltas, balançando ao sabor das correntes de calor que circulavam pelo estacionamento, acenando para ela como um dedo.

– *...mo... está?*

O fone de ouvido não tinha mais conserto; ela o tirou e o jogou no chão. Caminhou para a porta, indo o mais rápido que seu corpo detonado permitia. O calor opressivo da adrenalina em ponto de fusão arrefecia, até se tornar metal sólido em seus membros, a realidade da situação voltando a se configurar. Tinha morrido antes? Passou os dedos pela cicatriz no peito, a pele manchada totalmente entorpecida. O pensamento a assustou. Ou melhor, a *atemorizou*. Porque, por um instante, quando a lâmina do demônio tinha atravessado seu coração, ela sentira o mundo se dissolver, sentira algo tomar conta de sua alma, atando-a, por meio do tecido da realidade, ao que quer que a esperasse lá embaixo. Apenas por um instante, e então a quebra do contrato havia começado a valer. Mas fora por pouco.

Sempre era, quando você apostava alto. Quando negociava sua invulnerabilidade.

Passou por cima do motorista morto, o pé quase escorregando em uma poça de sangue. Não sabia o nome dele, embora tivessem trabalhado juntos por semanas; embora naquela manhã ela tivesse compartilhado com ele um sanduíche do Wendy's. *Não é um homem, não é um ser humano, é apenas um cadáver. É tudo que ele sempre foi.* Melhor pensar assim, melhor permanecer fria do que arder no fogo do arrependimento, da culpa e da vergonha.

Mas com Forrest era diferente. Ele não era um motorista ou um guarda-costas, como Herc. Era um Engenheiro, como ela. Pan ainda o via sendo tragado pelo chão derretido, aos berros, embora sua cabeça tivesse sido destruída. Ela ainda o ouvia. E o ouviria pelo resto da vida – a ele e a todos os outros. Apenas mais um nome no *Livro dos Engenheiros Mortos*.

Sinto muito, disse ela, mas depois se arrependeu. Não tinha sido sua culpa. Ele sabia dos riscos quando fizera o acordo. Sabia qual era o preço a pagar. Se ela assumisse a responsabilidade por ele, teria que assumir a responsabilidade por todos os outros, e seria soterrada pela culpa, a alma tão atormentada quanto a deles.

Mas Ostheim jamais devia ter deixado que chegassem tão perto do encerramento do contrato. Fora culpa dele.

Atrás de si, Pan ouviu um barulho, um gemido, um chiado patético, e não queria olhar para descobrir o que era. Contudo o fez, ao menos para olhar feio para Herc enquanto ele pegava um pedaço de plástico entre os dedos e o inseria na boca do moleque. Uma bombinha de asma. Pressionou-a algumas vezes e massageou o peito do garoto. Em seguida, colocou o corpo inconsciente sobre o ombro e fuzilou Pan com o olhar, como se dissesse: *O que vai fazer a respeito disso?*

Ele tinha razão. Precisavam de Engenheiros. Precisavam deles o tempo todo, como um açougueiro precisa de um pasto cheio de gado. O moleque, que tinha aparecido do nada, talvez – *talvez* – tivesse conseguido distrair um dos demônios por tempo suficiente para que a carne arruinada dela se curasse. Mas ainda assim era apenas um garoto, um garoto moribundo, no que dependesse de sua lamentável respiração.

Aquele sempre tinha sido o problema de Herc: seu enorme, estúpido e mole coração.

Pan alcançou a porta e a empurrou, revelando um lance de escada de concreto; uma névoa de fumaça fez seus olhos marejarem. Havia a opção de subir ou descer, mas a ideia de mergulhar ainda mais na terra após o que tinha acabado de vivenciar fez seu estômago querer saltar pela boca. Ela se pôs a subir correndo, até seu coração maltratado desacelerar o ritmo e ela voltar a andar.

– O lugar deve ser grande o suficiente para nos tornar invisíveis – resmungou Herc atrás dela. – A polícia vai cercar o perímetro; precisamos nos passar por civis. – Ele pigarreou. – Você devia se livrar da balestra.

– É? – Ela se virou para alcançar outro lance de escada, inspirando fundo enquanto subia. – Eu me livro da balestra, e você, de alguns dentes.

– Só estou dizendo – respondeu ele. – Nada chama tanto a atenção como uma poderosa arma do século XVII pendurada nas costas.

Ela o ignorou, chegando à porta que levava ao térreo. Percebeu que havia um alarme disparado e ouviu passos e gritos vindos do outro lado. Uma debandada. Perfeito. Ela entreabriu a porta e espiou: era um corredor, e pessoas saíam das enfermarias, pés descalços pisoteando o chão. Alguns plantonistas e seguranças faziam o melhor que podiam para levá-los para a parte de trás do hospital. Herc tinha razão, a balestra era um pouco demais para aquele ambiente. Mas não havia mais do que uma dúzia delas, e Ostheim só tinha três.

Ela pegou o colarinho do colete esfarrapado de Kevlar e puxou, abrindo o velcro. Tirou a peça e a usou para cobrir a arma, depois se debruçou sobre ela como se fosse uma bengala e ficou lá, usando nada além de um sutiã.

– Bem, isso vai desviar a atenção deles da balestra, se nada mais o fizer – disse Herc, o olhar percorrendo cada centímetro da escada, exceto ela. Mesmo com o sangue e a sujeira, ela percebeu que ele enrubescera.

– Pervertido – declarou ela, empurrando a porta em direção à multidão. Não demorou para que um dos seguranças a visse, arregalando os olhos ao se deter nela pela segunda vez. Pan não precisava de ajuda para parecer uma paciente, com um acesso de tosse violento ao seguir a maré. Havia outro segurança no fim do corredor, incitando todos a irem para a esquerda. Pan usou a balestra para se manter em pé, virou em determinado ponto, mancando, e avistou uma grande porta dupla adiante, banhada pela luz do sol. A visão quase encheu seus olhos de lágrimas. Provavelmente teria chorado se o calor do fogo não tivesse bloqueado seus dutos lacrimais.

Havia uma fileira de policiais do lado de fora, o olhar penetrante perscrutando todos que saíam do prédio. Pan se esforçou ao máximo para parecer uma pessoa normal que se vê diante da morte, retorcendo o rosto, cobrindo os olhos com a mão, curvando os ombros como se soluçasse de tanto chorar. Não foi uma atuação digna de um óscar, mas deve ter funcionado, pois as pessoas gesticularam para que se dirigisse a um pelotão de ambulâncias e socorristas a postos.

Pan se enfiou entre duas árvores na lateral da rua e passou por cima de uma grade baixa de metal que separava a frente do hospital da via. Folhas farfalharam, e Herc apareceu, tentando passar por cima dos espetos de ferro, o garoto ainda pendurado no ombro.

– Pode me dar uma ajudinha? – pediu.

– Seu novo namorado – retrucou Pan. – Se gosta tanto dele, carregue você.

– Você precisa ser sempre tão fria e escrota? – Ele tropeçou, quase caindo, e pôs o moleque no chão como um saco de batatas. Dois adolescentes passaram por eles com skates na mão, devorando Pan com os olhos, desatentos a tudo exceto ao sutiã à mostra. Ela puxou o colete que cobria a balestra, dando algo diferente para eles devorarem com os olhos e darem no pé. Estavam em uma rua secundária, com alguns carros estacionados perto do meio-fio. Não se podia dizer que eram velozes, mas serviriam. Foi até o carro mais próximo e usou a coronha da balestra para quebrar o vidro do motorista.

– Você precisa ser sempre tão idiota e miserável? – retrucou ela enquanto abria a porta, ouvindo o sistema de travamento central se soltar.

– Você precisa sempre de trinta segundos para pensar numa resposta?

Herc abriu a porta de trás e depositou o moleque no banco. Pan esperou o grandalhão se endireitar antes de balançar a cabeça para ele.

– Quanto esforço por um magricela como esse – disse ela. – Você devia ter deixado esse menino lá, com os paramédicos. Teria se livrado do problema.

– Ele viu a gente, Pan. Viu *eles*. Não podemos correr o risco de ele abrir a boca.

– Que o deixasse morrer, então – sugeriu. – Não seria o primeiro. Caramba, perdemos uma dúzia de Engenheiros no mesmo intervalo de meses; o que seria mais um cadáver para os faxineiros embalarem?

Herc semicerrou os olhos, o rosto se enrijecendo como pedra. Não respondeu, só a encarou. Ah, se um olhar pudesse matar! Ela teve que se virar, sentindo as bochechas esquentarem, envergonhada de repente. Soltou uma risada sem graça para disfarçar.

– Que bom que acha isso engraçado, Pan – disse Herc, passando por ela, seu desgosto sendo destilado em ondas. Encolheu o corpo para se ajeitar no banco do motorista, bateu a porta e começou a arrancar fios do painel. Ela ficou parada por mais um instante, digerindo o vapor de emoção que tinha subido do estômago, com vontade de dar um soco na cara de Herc, de gritar a plenos pulmões para o céu, de se enfiar debaixo do carro e chorar, chorar, chorar. E foi só porque não sabia dizer qual desses sentimentos a assustava mais que caminhou de maneira robótica até o outro lado, abriu a porta com um rangido e entrou.

Herc ligou o motor e pisou no acelerador.

– Você tinha que escolher a droga de um Honda? – retrucou ele, soando quase como um pedido de desculpas. – Vamos lá. Precisamos entrar em contato com Ostheim antes que ele mande o Ninho do Pombo inteiro atrás de você.

Pan não respondeu. Limitou-se a observar o mundo que começava a passar pelo para-brisa, feliz em ser fria, em ser durona, em ser feita de gelo.

VOCÊ CHAMA ISSO DE ESCOLHAS?

– Ele está acordando.

Marlow despertou de um sonho com demônios e coisas mortas, agarrando-se às vozes como se fossem um bote salva-vidas. Descolou as pálpebras, mas, ao sentir a luz brilhante atingir seu cérebro como um soco, fechou-as de novo. Quando inspirou, sentiu o familiar chiado dos pulmões. Abriu os olhos outra vez e viu duas formas embaçadas. Tentou sentar, mas percebeu que estava em uma estreita maca de hospital e que finas tiras de plástico prendiam seus pulsos a ela. Quase sentiu raiva, até se lembrar do último pensamento que tivera, de que jamais acordaria de novo.

– Que merda é essa? – perguntou ele, a boca seca, a língua grudando nos dentes. Piscou até as duas figuras entrarem em foco. Uma delas era o grandalhão do estacionamento, agora limpo, mas ainda cheio de ferimentos, arranhões, queimaduras e cicatrizes. Estava sentado em uma cadeira de metal ao lado da cama e se levantou ao ouvir Marlow falar, passando a mão pelo que restava do cabelo grisalho.

– Então – disse ele, a voz baixa – você acordou. Por um tempo fiquei em dúvida se iria conseguir. Como ele está?

– Bem – respondeu a outra figura, aproximando-se até ficar junto ao ombro do homem. Era uma mulher de sobretudo vermelho, na casa dos cinquenta anos, talvez, cabelo louro-platinado preso em um rabo de cavalo bem apertado. – Alguns hematomas e ferimentos. – Ela abaixou o prontuário e olhou para Marlow com um sorriso tranquilo. – Nada que não vá sarar.

– Talvez eu me curasse um pouquinho mais rápido se vocês me soltassem – respondeu ele, esforçando-se para levantar os braços.

– É só por precaução – disse o homem. – Você... – Ele parecia medir as palavras. – Você viu algumas coisas lá. Coisas que não queremos que compartilhe com ninguém.

Criaturas feitas de rocha, concreto, metal, carne morta. Uma garota que morreu, com um buraco no meio do peito.

Uma garota que voltou à vida.

Marlow olhou além do homem e da mulher e viu uma sala enorme, com pelo menos trinta metros de comprimento. Havia janelas nas quatro paredes, e o espaço era inundado de luz solar. Semicerrou os olhos, tentando ver alguma coisa através da névoa dourada. Aquele lá fora era o edifício *Chrysler*?

O homem viu para onde ele olhava e depois trocou um olhar com a mulher que Marlow não sabia quem era. Ela assentiu e se afastou. Havia outras pessoas lá, apenas algumas, movendo-se em meio às várias pilhas de caixas e aos equipamentos complexos. Uma coisa em particular chamou a atenção de Marlow, algo que parecia uma daquelas máquinas enormes usadas em hospitais, um tubo gigante dentro do qual você se enfiava. Um aparelho de ressonância magnética ou algo assim, que emitia um zunido alto. Estava do outro lado da sala, mas o garoto conseguia ver um par de pernas no aparelho, os dedos dos pés flexionados. Aquilo era uma cicatriz na canela? *Um acidente, osso saindo da carne.* Marlow sentiu o coração saltar como uma torrada quando percebeu quem era.

Dessa vez, quando viu para onde o garoto olhava, o homem sorriu. Foi o sorriso mais aterrorizante que Marlow já tinha visto, com os lábios rachados e queimados e um dos dentes de cima faltando.

— Moleque, nem pense nisso.

— Quem é ela? — perguntou Marlow, sem fôlego novamente. A máquina emitia luz enquanto fazia seu trabalho, embora as pernas nuas ainda se estendessem rumo à escuridão.

— O nome dela é Pan — respondeu o homem.

— Pan? — Marlow ergueu o pescoço, tentando ver melhor. — Que tipo de nome é esse?

— Pandora — continuou o homem. — Melhor não perguntar por quê. Eu sou Herc.

— Herc? — Marlow se esforçou para tirar os olhos daquelas pernas e se virar para o homem. — Que tipo de nome é esse? Diminutivo de Hércules?

— Não exatamente. Herman. Herman Cole. Quando comecei aqui, fui chamado de Herc uma vez por engano, e acabou pegando.

— Aqui — disse Marlow, demorando-se na palavra. — É um hospital, certo?

Só podia ser, não? Com aquela cama e todo o equipamento. Isso explicava muita coisa. Explicava por que tinha imaginado o mundo ganhando vida e tentando matá-lo. Explicava por que tinha visto alguém voltar da terra dos mortos. Forçou a mente a retroceder, tentando colocar ordem no caos de suas lembranças. A escola, a loja.

— É tudo real, antes que pergunte. O que você viu. Adoraria dizer o contrário, mas isso faria de mim um mentiroso. Pode falar o que quiser de mim, menos isso.

Real. Marlow balançou a cabeça.

— Não pode ser – disse ele. – Não pode ser. – Como se repetir fosse suficiente para tornar a coisa verdadeira. Puxou as faixas, resmungando de frustração, a boca ainda mais seca do que antes. – Será que eu poderia beber alguma coisa?

— Só um minuto – disse Herc. O grandalhão estremeceu, obviamente sentindo a dor de seus ferimentos. – Precisamos falar sobre algumas escolhas primeiro.

— Escolhas? – perguntou Marlow, franzindo o cenho, pois não gostou da expressão no rosto do homem.

— Vou simplificar. O que você viu lá não era para ser visto. Não por você. Nós seguimos um protocolo aqui. A primeira regra: o mundo não pode saber.

— Saber o quê? – perguntou Marlow, sentindo o pânico se alastrar por seus pulmões, a asma como uma garra em volta de sua garganta. Tossiu novamente, o peito chiando ao inspirar, e tentou descobrir onde estaria a bombinha.

— Bem, esse é exatamente o problema, não é? – disse Herc. – Não posso te contar, porque assim você saberia. Por que não começa com o que você *acha* que viu?

Marlow franziu o cenho, a mente voltando para o fogo, para o caos.

— Aquelas coisas... – disse ele. – Eram feitas de... Elas eram... O que eram?

Tarde demais percebeu que devia ter dito: *Não vi nada, foi tudo um borrão. Sofri um acidente de carro?*

— Quer dizer, não lembro – murmurou.

— Boa tentativa. – Herc se reclinou para trás e suspirou, a cadeira rangendo sob seu peso. – Tudo bem, então você as viu. Isso limita suas escolhas, embora já fossem limitadas de qualquer forma. Escolha a porta número um e terá que trabalhar pra gente.

— Trabalhar pra vocês? Fazendo o quê?

— Sendo um Engenheiro – respondeu Herc, resmungando ao ver a expressão de Marlow. – Um soldado, na verdade. Uma espécie de soldado. Bom trabalho, bom salário, e nós cuidamos da sua família também.

Quando você morrer. Ele não precisava dizer, estava explícito no modo como os olhos dele não desgrudavam do chão.

– Dispenso, obrigado – disse Marlow. – Seja lá o que vocês fizerem, fiquem à vontade. Não quero fazer parte disso.

O zumbido da máquina de ressonância magnética parou, mergulhando a sala em um silêncio mortal. Pan rolou para fora do aparelho, graciosa como um fluxo de água, de roupas íntimas, as mãos ajeitando o cabelo curto. Ainda havia uma cicatriz em cima do coração, mas parecia antiga, como se fosse algo de anos atrás. Ela o flagrou observando-a e fechou a cara, depois pegou um avental e marchou para trás de uma cortina.

– Certeza? – perguntou Herc, lembrando Marlow de que ele e Pan não eram as únicas pessoas no mundo. – *Ela* está atrás da porta número um.

– Pensei que tivesse dito para nem pensar nisso.

– Só estou dizendo – falou Herc. – Tem outras vantagens também.

– É? Tipo o quê?

– Qualquer coisa que quiser – disse Herc, abrindo outro sorriso macabro. – *Literalmente* qualquer coisa.

Marlow balançou a cabeça, tentando dar um mínimo de ordem aos pensamentos. Inspirou e sentiu o cheiro de fumaça que Herc emanava. E de repente estava lá mais uma vez, no calor do momento, os pulmões cheios de fogo, carne em chamas. Fechou os olhos, e tudo o que viu foi o mundo se despedaçando, uma criatura de metal e concreto surgindo atrás dele, pronta para pisoteá-lo.

– Não – respondeu ele antes que soubesse o que estava falando. – Sem chance. Porta número dois. É com ela que eu fico.

– Porta número dois – anunciou Herc quase com tristeza. – Com a porta número dois, você nunca vai saber. Com a porta número dois, você vai sempre se perguntar o que aconteceu. Esse é o problema dos segredos. São como um buraco na sua vida.

– É? Melhor um buraco na minha vida do que no meu coração.

Ele encolheu os braços sob as tiras de plástico, esperando Herc soltá-lo. Mas Herc não fez menção de se mexer.

– Você lutou bem, moleque. Veio do nada, mandando ver na espingarda. O que foi fazer lá, afinal de contas? Foi bastante heroico.

Ah!, Marlow sorriu, sem nenhum traço de humor. É, bem heroico. Pegar uma arma para se salvar, tentar fugir. Só estava lá porque os policiais o tinham encurralado. É, Marlow Green, um verdadeiro herói.

– Eu só... só pensei em ajudar – disse, olhando para o teto.

– Bem – comentou Herc –, isso é raro, moleque. E você nos salvou lá, não importa o que *ela* diga.

Marlow olhou para a cortina, desapontado por Pan ainda estar fora de seu campo de visão. Parou para digerir as palavras de Herc. Um soldado. Como Danny. Para que pudesse morrer, como Danny. Mas havia *algo* naqueles caras, algo que o incomodava.

– Quem são vocês, afinal?

– Se precisa saber – respondeu Herc, tamborilando os dedos na lateral do nariz –, escolha a primeira porta e descubra.

Aquela era *mesmo* uma coceirinha dentro de sua cabeça, a necessidade de saber. Afinal, não era todo dia que tudo o que você pensava sobre o mundo se revelava uma mentira.

Não. Melhor esquecer. Melhor fugir. Era o que fazia de melhor.

– Olha – disse ele –, foi só um acaso. Eu não estava raciocinando. Se pudesse fazer tudo de novo, correria para o outro lado, está bem? Só me tire dessas coisas e me deixe ir.

– Deixar você ir? – disse Herc.

– É, porta número dois, só quero ir para casa.

Herc negou com um gesto de cabeça.

– Sinto muito, moleque, queria que as coisas fossem simples assim. A porta número dois é... Como falei, você viu coisas. Coisas que o mundo não pode saber.

Marlow deixou a cabeça cair no travesseiro. Herc não precisava dizer mais nada. Estava claro aonde queria chegar.

– Então, porta número um, eu me junto a vocês, combato aquelas coisas, provavelmente acabo com minha cabeça arrancada. Porta número dois, nunca sairei deste prédio com vida, certo?

Herc deu de ombros. Marlow praguejou em silêncio.

– E você chama isso de escolhas?

É PRECISO RIR

Assim que Herc se afastou, um cara e uma garota tomaram seu lugar ao lado da cama. Eram jovens, talvez na casa dos vinte, e ambos vestiam coletes pretos de Kevlar e carregavam uma pistola preta de um lado do quadril e uma faca *bowie* do outro. A expressão deles era igualmente letal, o cenho franzido, o que fazia o grandalhão que saíra dali parecer o cara mais feliz do mundo. Marlow puxou e fez força, mas as tiras de plástico cumpriam seu papel.

— Esperem — disse ele. — O que vocês vão fazer?

Eles não responderam. O homem desabotoou a bainha e tirou dela a faca. A lâmina reluziu com o brilho cegante que vinha das janelas, acertando os olhos de Marlow com a luz do sol. Ele estremeceu, com vontade de fechar os olhos, mas ficou com medo de nunca mais ter a chance de abri-los novamente se fizesse isso.

— Esperem! — grunhiu com esforço, o corpo inteiro paralisado. Sua traqueia diminuía de tamanho depressa, e precisou inspirar com força, o ar tão escasso que quase não conseguiu articular as palavras. — Esperem, eu escolho a porta número um. A porta número um, caramba.

— Tarde demais — disse o rapaz. Ele tinha um rosto comprido que fez Marlow se lembrar de um alce. — Você teve a chance. Aqui não tem lugar para talvez, amigo. Segure ele.

A garota avançou, pressionando o peito e a cabeça dele. Ela era incrivelmente forte, e parecia que as costelas dele iriam se partir com a pressão dos dedos dela. Marlow rosnou, um barulho que veio do fundo da garganta. Era o som que um cachorro faria se estivesse encurralado, sabendo que estava prestes a morrer. O garoto praguejou, um xingamento atrás do outro. A faca se ergueu, parou no ar, depois desceu como a lâmina de uma guilhotina. Marlow estremeceu, todos os músculos tensos, esperando pela ardência. Mas a lâmina limitou-se a cortar a primeira tira de plástico.

– Peraí... *o que foi isso?* – perguntou Marlow, o peito chiando. O cara fez a mesma coisa com as outras tiras, e de repente a única coisa que o detinha eram mãos. O garoto inspirou o mais profundamente possível, a garganta do tamanho de um canudo. O sujeito guardou a faca e levantou o lençol que cobria o corpo de Marlow. Tinha tantos ferimentos e curativos que o garoto levou um segundo para perceber que usava apenas uma cueca boxer.

– Vai dificultar pra gente? – perguntou o cara da faca. Marlow negou com um gesto de cabeça. – Então levante-se. Devagar.

Os dois se afastaram para lhe dar espaço. Marlow inspirou um pouco de ar, esforçando-se para sentar, cada músculo rangendo. Saltou para o chão frio, flexionando as pernas, as articulações do pescoço e da coluna estalando como o ruído de alguém estourando plástico-bolha.

– E agora? – perguntou ele, ainda alerta. Herc tinha dado a impressão de que era entrar ou sair, *permanentemente*, mas o cara da faca apenas cutucou-o com gentileza, para que fosse até o centro da enorme sala.

– Agora vamos te mostrar a saída – disse ele. – E nunca mais vamos ver esse seu traseiro magricela de novo. Certo?

Marlow não respondeu. Não havia sinal de Herc ou de Pan, mas havia outras pessoas na sala, e elas o olhavam como se ele tivesse acabado de cuspir no café delas. O medo que sentira poucos segundos antes rapidamente se transformava em outra coisa, algo muito pior. Vergonha. Todos sabiam quem ele era. Podiam enxergar através de seu peito seu coração covarde. Marlow os odiava por isso.

Odiava a si mesmo ainda mais.

Enquanto andava, levou a mão ao rosto e mordiscou os nós dos dedos, mantendo o olhar baixo. *Que se danem.* O que diabos deveria ter feito? Devia ter se juntado a um bando de esquisitões para combater coisas que não podiam ser reais?

Havia um elevador com as portas abertas no centro da sala.

– Entre – ordenou a garota.

O sujeito com cara de alce o empurrou para a frente, e Marlow entrou cambaleando enquanto tudo girava. Ele se virou, tentando parecer bravo, durão, mas se sentindo uma ovelha que de repente se vê no meio de uma alcateia. A garota e o cara entraram e ficaram ao lado dele. O sujeito fechou a porta metálica externa, depois fez o mesmo com a porta interna. A garota ficou parada, os olhos subindo e descendo, fazendo Marlow se tornar mais do que nunca consciente do próprio corpo. Os nós dos dedos doíam onde ele havia mordido.

– Quando vou pegar minhas roupas de volta? – perguntou, tossindo e pigarreando um pouco. Cada inspiração era um tremendo esforço. – Minha bombinha.

Nenhum dos dois respondeu. O homem pressionou um dos grandes botões de metal, e o elevador iniciou uma lenta descida.

– Ei! – repetiu Marlow. – Roupas?

Eles não responderam, só se entreolharam. Marlow quase não viu o sutil movimento de cabeça de ambos. Mas aconteceu, e, quando os dois de repente investiram contra ele, Marlow estava pronto. Deu um passo para trás, esquivando-se das mãos que avançavam sobre ele. O cara tropeçou nos próprios pés, e Marlow lhe deu um empurrão poderoso, que o levou a colidir contra a parede. O elevador balançou, gemendo, e Marlow cambaleou. Assim que ele retomou o equilíbrio, a garota também investiu contra ele, com algo reluzente na mão.

Uma faca.

– Peraí!

Ela apontou a lâmina na direção de Marlow, e tudo que ele conseguiu fazer foi levantar a mão e dar um tapa no braço dela. A sensação foi a mesma de desviar de um taco de beisebol a toda velocidade. Ele avançou com o punho cerrado, mas a garota se abaixou, e ele só acertou o ar. A lâmina brilhou quando uma nova investida foi feita contra ele, rasgando sua pele. Ele soltou um grito e se afastou.

Alguma coisa o agarrou por trás, um abraço de urso que poderia ter quebrado sua caixa torácica. O cara e a garota fechavam o cerco, e Marlow tentou olhar para trás, a fim de ver quem o segurava.

Não havia ninguém.

O quê?

Os braços invisíveis o apertaram com mais força, tirando-o do chão até que atingisse o teto. Então sumiram, e ele caiu de costas no piso, onde começou a desferir chutes direcionados a ninguém, apenas tentando manter os dois longe. Ouviu-se um som de trituração de carne quando seu calcanhar direito acertou o rosto do sujeito, que gritou. Marlow se levantou, vendo-o de joelhos, as mãos no rosto, o sangue escorrendo pelos dedos como se alguém tivesse aberto uma torneira. A garota estava pálida, os dedos trêmulos agarrando a faca. Todos ficaram imóveis por um instante, retomando o fôlego, sem saber o que aconteceria, o elevador murmurando enquanto descia com firmeza.

– Não quero problemas – disse Marlow, a voz fina como papel. – Me deixem ir, está bem? Vocês nunca mais vão ver a minha cara, prometo. Não vou contar nada pra ninguém.

Nenhum dos dois respondeu; a garota olhava nervosa para o cara, que estava de joelhos, segurando o rosto ferido como se quisesse evitar que ele caísse. Marlow inspirou em vão, então tossiu, sentindo os pulmões cheios de água, como se estivesse se afogando. Não fazia sentido. Por que não o tinham matado logo enquanto estava amarrado como um peru? Por que haviam esperado até que pudesse reagir? O elevador fazia um barulhinho a cada andar: *ding, ding, ding*.

A mão do sujeito se estendeu para a frente, tão rápido que espirrou uma linha de sangue pela parede e pelo piso. Uma força invisível se conectou ao peito de Marlow, que colidiu com a lateral do elevador, o fôlego arrebatado de seus pulmões. O garoto tentou se desvencilhar, mas a força era enorme e o mantinha preso.

– Agora! – gritou o cara.

A garota se pôs em movimento, a lâmina reluzindo enquanto ela a enfiava no pescoço de Marlow. Ele se virou, mas ainda sentiu a faca perfurar sua carne, indolor, apenas causando-lhe uma ardência fria. O garoto gritou e se lançou em cima do sujeito, acertando o punho na cara dele, amassando os ossos de seu nariz. O cara de alce tombou como uma tonelada de tijolos, e a garota se afastou com as mãos para o alto.

Mãos *vazias*.

Marlow levantou o dedo trêmulo e sentiu algo despontando do pescoço. Arrancou aquela coisa, os olhos marejados, o elevador começando a girar a seu redor. Não era uma faca, afinal de contas. Era uma agulha hipodérmica vazia, a ponta úmida de sangue. Ele a jogou no chão. Tudo balançava de um lado para outro como se estivesse em um navio.

– Qu'cê fez cooomigo? – perguntou Marlow, tentando se lembrar de como formar uma frase. Apoiou-se na lateral do elevador para não cair. A garota não fez menção de se mexer; o cara se contorcia no chão, a mão no rosto.

O garoto ouviu a engrenagem desacelerar e sentiu um frio no estômago quando o elevador freou. Após um último *ding*, eles pararam, embora ainda parecesse que o elevador se movia em todas as direções ao mesmo tempo. Marlow teve que tatear o caminho para sair do elevador, incapaz de tirar as mãos das paredes, temendo dar de cara no chão. O tempo todo esperou por um disparo que viesse de trás, uma bala nas costas, ou a ação daquelas mãos fantasmas. Mas não se importava mais. Nem lembrava mais por que estava no elevador, para começo de conversa.

Alguma coisa a ver com monstros, pensou, e era tão absurdo que começou a rir enquanto se arrastava e se engalfinhava com as portas. Conseguiu abri-las, adentrando um pequeno vestíbulo todo em mármore e bronze. Estava vazio, e ele cambaleou como um bailarino à direita e à esquerda ao se encaminhar para a porta. Era como um brinquedo de parque de diversão, aquele em que o chão balança para a frente e para trás. Esse pensamento o fez rir ainda mais, provocando um ronco alto.

Marlow foi em direção à luz, oscilando rumo à porta, jogando-se nela até deparar com uma rua movimentada. Estava em um cânion de arranha-céus. As pessoas ao redor eram um borrão, berrando e se esquivando enquanto o garoto passava por elas aos tropeços. Viu-se de relance em uma janela – só de cueca – e começou a uivar de tanto rir. Virou-se, cambaleante, as buzinas dos carros retumbando para ele atravessar a rua. Bateu no capô de um táxi, soltando palavrões sem sentido. Então tropeçou nos próprios pés e se estatelou de cara no chão.

Ficou ali deitado, os lábios no asfalto quente, rindo, rindo, rindo.

OBSERVE A PARTIDA DELE

— Pelas barbas do profeta, o que aconteceu?

A voz de Herc ressoou como um trovão pelo espaço gigante. Pan virou a cabeça, uma flechada de dor dançando pelos tendões enquanto o observava caminhar a passos largos até o elevador. Alceu e Esperança estavam saindo de lá. Cambaleando talvez fosse um termo melhor. Os dois pareciam ter lutado contra um rinoceronte durante dez rounds. O rosto de Alceu – nunca uma bela visão, nem em seus melhores momentos – estava tingido de vermelho, o nariz retorcido em um ângulo engraçado. Esperança, tão pálida quanto Alceu estava ensanguentado, entrou mancando na sala.

— Onde ele está?

A voz gutural de Herc os paralisou. Ele foi para cima deles como um pai diante de duas crianças assustadas, e por um instante parecia que iria prender a cabeça de ambos com uma algema.

— Me digam que pelo menos conseguiram enfiar a seringa.

— Sim – disse Esperança. – Eu consegui.

— Graças a deus pela graça alcançada – resmungou Herc, balançando a cabeça. – Dois Engenheiros totalmente municiados contra uma criancinha ferida. A que ponto chegamos! Vão, vão se limpar.

Pan o seguiu pela sala, estremecendo toda vez que apoiava seu peso na perna quebrada. Os ferimentos tinham sarado, o osso havia voltado ao lugar certo, mas ela ainda sentia como se navalhas estivessem costuradas em sua carne. A ressonância mostrara que estava tudo bem. Seu coração tinha uma nova camada de tecido cicatricial – "As cicatrizes são a única coisa que o mantêm inteiro", brincara Betty –, e seu pulmão esquerdo talvez nunca voltasse a se inflar por completo. Mas ela estava viva. Ainda estava ali.

— Problemas? – perguntou ela ao se aproximar. Herc estava ao lado da janela, as mãos enormes apertadas às costas. Observava a rua, trinta andares abaixo. Pan resistiu à onda de vertigem que sentiu de repente e semicerrou os olhos ao ver que o trânsito havia parado. Uma multidão tinha se formado em torno de um vulto no estatelado no chão. Em meio ao mar de táxis amarelos, havia uma viatura azul e branca da polícia, as luzes ligadas. Dois policiais abriam caminho entre os espectadores. Com os olhos agora mais acostumados à luz resplandecente do sol, Pan percebeu que se tratava de Marlow, contorcendo-se na rua, braços e pernas se movendo como remos, como se tentasse nadar às avessas. Quase riu, mas se conteve a tempo.

– Olhe para esse garoto – disse ela. – Quanto deram para ele?

– O bastante – respondeu Herc. E acrescentou um instante depois: – Para derrubar a porcaria de um urso.

Ele bufou, e uma risada escapou por entre os lábios de Pan antes que ela pudesse cerrar os dentes. Os dois pigarrearam juntos, tentando disfarçar o riso. Cara, como era bom rir. Naquele tipo de trabalho, nunca se sabia qual piada seria a sua última. O pensamento a fez se lembrar de Forrest, que rira de uma piada sobre um pinguim na noite anterior à missão. Será que ele sabia que nunca riria de novo? Ela engoliu em seco ruidosamente.

– Sinto muito, Herc – murmurou ela, as palavras hesitantes. – Sobre ontem, sobre o que eu disse. Eu…

Eu o quê? Um pedido de desculpas não traria o garoto de volta à vida. Não traria nenhum deles de volta. Eles estavam lá embaixo, queimando no fogo eterno do inferno. Por acaso ela não os ouvia gritando?

– Guarde suas desculpas para você, Pan – respondeu ele, observando-a pelo canto do olho. – Não temos mais espaço para isso. Você faz o que faz, é o que é.

Uma criança, pensou ela, de repente consciente de sua idade, que não lhe permitia sequer beber, embora estivesse ali, à frente de eventos que poderiam mudar o mundo.

Ou conduzi-lo ao fim.

Já fazia quanto tempo? Quatro anos? Quase. Como as coisas poderiam ter sido diferentes se Ostheim não tivesse enviado Herc à cela dela naquele dia, se nunca tivesse lhe oferecido a chance de recomeçar! Ela estaria atrás das grades, por pelo menos trinta anos. Talvez estivesse até no corredor da morte.

Era o que acontecia quando você acabava com uma vida.

– Precisamos de você – disse Herc, vendo a expressão no rosto dela. – Não são muitas as pessoas que podem fazer o que você faz, lembre-se disso. Precisamos de você. *Eles* precisam de você. – Apontou para a janela. – As coisas estão esquentando, Pan. Os ataques do Círculo estão ficando mais ousados.

Eles não estão mais nem aí para as regras. Algo maior está a caminho. Então pare de se desculpar e volte para o seu cubo de gelo.

Herc tinha razão, as coisas estavam mesmo esquentando. E eles estavam pagando o preço. Onze Engenheiros mortos só naquele ano. Usou o punho para limpar o vapor da respiração no vidro. Os policiais tentavam tirar o garoto da rua, mas ele se contorcia, agitado como um peixe fora d'água. Todo mundo estava com o celular na mão, registrando o evento com alegria. Até mesmo no desfile de loucos que era Nova York, não era comum ver um cara seminu totalmente embriagado lutando contra a polícia.

– Isso vai bombar – disse ela. – Twitter, Instagram, pode escolher.

Herc deu de ombros, e ela o olhou.

– A primeira regra – recitou Pan. – O mundo não deve saber. Que jeito engraçado de seguir isso à risca.

– Tempos de desespero – disse Herc.

Ela olhou para baixo e viu os policiais conduzindo Marlow até a viatura, que então se afastou com as sirenes zunindo.

– Melhor chamar Ostheim pelo comunicador – sugeriu Herc quando a viatura saiu do campo de visão. – Vamos ter que agir logo.

– Não há descanso para os maus, não é? – disse ela, bufando com outra risada, dessa vez sem um pingo de humor.

– Não há descanso para eles nem da presença deles.

– E quanto aos outros Engenheiros?

– Caminhão e Rouxinol da Noite estão a caminho – disse Herc, olhando para o relógio. – O jatinho deve aterrissar em poucas horas. Esperança e Alceu têm mais dez dias de contrato, nada com que se preocupar.

A não ser que Ostheim deixe para o último segundo mais uma vez, pensou ela, mas não comentou nada.

– Preciso voltar para o Motor – disse ela, sentindo a coceira familiar nas vísceras, nos ossos, na alma. Era sempre assim. Uma vez que o Motor fosse apresentado a você, tornava-se um vício. Era impossível passar muito tempo longe dele, mesmo que lhe custasse quase tudo. Ela coçou a pele com força, a ponto de sentir dor, para tentar desviar a mente daquele desejo obsessivo. – Preciso fazer um novo contrato. Preciso ir até lá.

– Isso não é comigo, Pan. A decisão é do Ostheim.

E Ostheim era a última pessoa com quem queria falar. Ela havia falhado em sua missão mais recente, e a consequência tinha sido a destruição de um hospital. Depois de quebrar praticamente todas as regras, seu empregador não pegaria leve com ela.

— Não fique tão preocupada, menina – disse Herc. – A equipe que encobre as coisas já entrou com tudo. O mundo não vai saber. Ostheim já plantou evidências de que foi uma célula terrorista do Oriente Médio; o vídeo vai passar na CNN em uma hora.

— Você acha que o moleque vai abrir o bico? – perguntou Pan.

Herc se virou para ela, estalando os dedos. Seu rosto chamuscado e cheio de cicatrizes se contorceu até revelar algo que provavelmente era um sorriso.

— Tomara que sim – disse ele. – A operação toda está contando com isso.

Pan franziu o cenho.

— O quê?

— Nada. – Herc pigarreou, limpando um fragmento de poeira invisível no vidro.

— Que operação?

— Operação, hum, Isca Viva, acho que é a melhor forma de nomeá-la. – Ele deve ter visto o olhar que Pan lhe dirigiu, pois deu de ombros. – A ideia foi de Ostheim, não minha. Enfim, você não gostou do garoto mesmo.

Verdade, pensou Pan. Mas não gostar dele era uma coisa; atirá-lo aos lobos eram outros quinhentos.

0,37

– Minha nossa senhora, olha isso! Fora do normal.

O detetive tinha o resultado do bafômetro nas mãos, a cabeça balançando com tanta veemência que suas sobrancelhas grisalhas pareciam prestes a cair dela. Marlow estava tão exausto que mal conseguia manter a cabeça em pé, sentia-se como se tivesse mandado para dentro um engradado inteiro de Jim Beam. Já tinha vomitado três vezes; duas na parte de trás da viatura, aparentemente, e mais uma na cela. Não era capaz de se lembrar de como tinha ido parar ali. Algo a ver com um elevador, arranha-céus, e então ter ficado de cara no chão em cima da própria baba. Fora expulso da escola um pouco antes, mas tudo que havia entre esses dois eventos era como sal na água: embora impossível de ver, deixava um gosto horrível na boca.

– Moleque, você deve ser o maior beberrão que eu já vi. Teor alcoólico de 0,37 no sangue?

Eles estavam sentados em uma pequena sala de interrogatório, as mãos de Marlow algemadas à mesa, uma das paredes tomada por um espelho que na verdade era uma janela. Toda a sala estava envolta em uma névoa de álcool e cecê. O velho e corpulento detetive pôs o papel na mesa, voltando-se para uma policial uniformizada atrás dele. Ela estava na casa dos trinta, talvez. Bonitinha.

– Já viu alguém bêbado assim, policial? – perguntou a ela.

– Tirando no Dia de São Patrício, não – respondeu a policial.

O detetive se recostou, coçando o peito peludo através da abertura da camisa úmida de suor. Pigarreou, enfiou a mão no bolso como se fosse pegar um cigarro, então a levantou e a passou pelos lábios esbranquiçados. Marlow se ajeitou no assento, desconfortável no uniforme laranja que tinham lhe dado. Sua cabeça começava a latejar, uma bola de demolição balançando de um lado a outro do crânio.

— Desde quando... — o garoto começou a dizer, mas precisou tossir, numa tentativa de limpar a garganta. O paramédico que os acompanhara até a delegacia lhe dera uma bombinha quando ele pedira, mas sua traqueia não dava sinais de melhora. — Desde quando é ilegal ficar bêbado?

O detetive sorriu, mostrando uma fileira de dentes tortos e manchados de tabaco.

— Ah, não é ilegal ficar bêbado, moleque — disse ele. — Se fosse, eu seria preso toda sexta-feira à noite e só seria solto na terça de manhã. — Ele riu da própria piada. — Mas você... você estava bêbado *e* provocando desordem.

— Eu...

— Causou danos a um veículo do município — disse o detetive, enumerando os delitos com os dedos roliços.

— Ah, qual é...

— Agressão a um policial.

— Eu vomitei nele, não...

— Conspiração para implantar uma arma terrorista na cidade de Nova York.

A última acusação calou a boca de Marlow como um soco no estômago. Ele ficou imóvel, tão boquiaberto que o queixo quase bateu na mesa.

— Conspiração para *quê*?

— É isso que eu quero que me conte, moleque — disse o detetive, alongando-se o máximo que a barriga permitia. — Lá na viatura você tinha muita coisa para falar.

— Tinha? — retrucou Marlow, tentando recordar. Não se lembrava nem de ter estado na viatura. — Olha, eu não...

— "Se encostar em mim de novo" — disse o detetive, pegando outra folha de papel e lendo —, "eu te mato". E tem mais, mas não quero ler na frente da policial Settle. Você tem uma boca e tanto, moleque. — Ele pigarreou e passou os olhos pela página. — Ah, aqui está a parte que interessa: "Você quer repetir isso, seu *zum-zunido*? Vou despedaçar o seu *zum*-traseiro como fiz com aquelas coisas lá no hospital. Vou mandar bala no seu *zum-zunido* e fazer você comer, vou explodir seu carro, sua casa, seu cachorro. Já fiz isso hoje mesmo, e farei de novo. É só me aguardar, seu *zum-zunido* de merda".

O detetive pôs o papel na mesa com delicadeza e pigarreou mais uma vez.

— Tem bem mais coisas, tudo belamente transcrito pelos policiais que tiraram seu traseiro bêbado da rua. Mas a essência está bem clara. Você estava lá ontem.

— Ontem? — perguntou Marlow, a cabeça girando. Levantou as mãos para esfregar as têmporas, mas as algemas as apertaram e as deixaram bem presas à mesa. Praguejou em silêncio. O que sua mãe pensaria? Ela devia estar esperando por ele desde a noite anterior. Devia estar morta de preocupação.

— Isso me diz tudo o que preciso saber — disse o detetive. — O que surpreendeu você foi a data, não o "lá".

— O quê? — perguntou o garoto, tentando fazer o cérebro entender aquela conversa. — Onde?

— Eis a questão — retrucou o homem, indo cada vez mais fundo. Marlow abaixou a cabeça até que as mãos algemadas pudessem encostar nela e massageou as têmporas. Havia alguma coisa, parando agora para pensar melhor, um lugar repleto de fogo, gritos, tiros, carros explodindo, monstros. Mas aquilo não fazia sentido. Pressionou os punhos nos olhos até sua visão se tornar uma tempestade de neve colorida.

— O hospital, certo? — questionou ele após um instante, olhando para cima. — Staten Island. O estacionamento subterrâneo.

O detetive e a policial se entreolharam, a mão da mulher escorregando para a arma no coldre, como se conferisse se ela estava lá mesmo. Quando o homem voltou a olhar para Marlow, não havia nada de simpatia ou receptividade em sua expressão.

— Então você estava mesmo lá.

— Eu... — *Tenha cuidado com suas palavras, Marlow*, disse seu cérebro. — Tive um dia ruim. Estava tentando comprar alguma coisa para beber.

— Me conte algo que ainda não sei.

— Eu moro na ilha. Tinha... acabado de ser expulso da escola. Estava planejando afogar as mágoas, sabe? Aí ouvi a explosão.

— Você não estava lá quando tudo explodiu? — perguntou o detetive.

— Não — disse Marlow, os pensamentos clareando. — Não, eu estava numa loja. O atendente tinha uma espingarda, então eu a peguei. Pensei que fossem, sei lá, terroristas ou algo assim.

— E aí?

— E aí... — *E aí? Uma garota voltou do mundo dos mortos. As paredes e o chão se mexiam.* — Olha, vai parecer estranho. — Ele tossiu, e ambos os policiais se aproximaram. — O estacionamento subterrâneo estava cheio de... Tinha umas coisas lá. Elas estavam vivas, mas não... Olha, você tinha que estar lá para entender.

— Vamos começar a falar coisa com coisa, garoto?

— Eram... monstros — contou ele, e a palavra saiu de sua boca antes que pudesse contê-la. E, como um trem, puxou tudo o que veio depois. — Eram coisas feitas de paredes e carros. Mas pareciam... pareciam animais. Tinham garras e dentes. Lutei com um deles que era metade caminhonete, metade piso, talvez. E também tinha outras pessoas lá, vestidas de preto, como soldados. Acho que estavam mortos, a não ser por um deles, um cara velho e grande, muito feio. Ele tinha uma arma e estava atirando naquelas coisas. E tinha uma garota também, ela era… Ah, sabe como é, ela era uma graça, mas carregava uma balestra e estava…

Ele percebeu que o detetive tinha levantado a mão, e suas palavras foram perdendo o ritmo até parar. O homem soltou um suspiro repleto de perdigotos.

– Tá de sacanagem comigo?

– Não, tô dizendo a verdade. – Marlow se inclinou para a frente, as mãos se estendendo o máximo que podiam. – Sério, foi o que aconteceu.

– Senhor Green – disse o homem, e Marlow ficou chocado ao ouvir seu nome. Como sabiam disso se ele estava sem carteira ou celular? – Não vou mais ocupar seu tempo e agradeceria se não me fizesse perder o meu. Você já esteve conosco antes. – *Ah, então foi assim.* Ele já tinha sido preso duas vezes antes, nada sério, só por encher a cara e falar demais. – Ambas por fazer coisas malucas. Está criando maus hábitos.

– Eu juro! – implorou Marlow. – Não saí por aí enchendo a cara. Aquelas pessoas, elas me levaram. Foi lá que estive o dia todo. Quer dizer, os dois dias todos. Eles me injetaram alguma coisa, deve ter sido álcool. Foram *eles* que fizeram isso.

– É, e eu só bebo todas no fim de semana porque a policial Settle aqui fica colocando rum no meu café. Não é verdade, Settle?

– Sim, senhor.

– Engraçado que minha mulher também não acredita nessa história.

– Mas eu posso mostrar onde eles…

– Mas nada. – O detetive se levantou, alisando a camisa amarrotada. – Você estava bebendo, nisso eu acredito. Encontramos a loja, um cara morto, soterrado pelo teto que caiu. Então você viu o que estava acontecendo, um monte de gente testemunhou o hospital pegando fogo. Mas deixa eu te contar uma coisa, moleque. – Ele deu um tapa na mesa e aproximou dele o rosto ensebado, o hálito cheirando a café e cigarros. – Se a gente trouxer você aqui de novo, se fizer qualquer ameaça contra um dos meus agentes de novo, se vomitar a vinte metros da droga de uma viatura de novo, vai começar a usar uniforme pra valer, e não só porque deixou a calça em casa. Está entendido?

– Eu…

O detetive acertou a madeira com a palma das mãos, tão forte dessa vez que chegou a empurrar a mesa contra o peito de Marlow.

– Entendido?

– Sim – resmungou ele. – Sim, entendi. Parei de beber.

O detetive o encarou por mais um instante, depois se virou e bateu na porta. Um segundo depois um ferrolho do outro lado foi puxado e aberto, o ruído ecoando pela espinha de Marlow, lembrando-o dos gritos das criaturas. Balançou a cabeça para esquecer a lembrança e esperou que a policial viesse e tirasse suas algemas.

– Se quiser buscar seus pertences, vá até a recepção – disse ela enquanto ele massageava os punhos para fazer o sangue voltar a circular. – Mas, considerando que não usava nada além da cueca, acho que já pode ir. – Marlow se levantou e murmurou algo incompreensível em agradecimento. Ela olhou para a cueca dele e sorriu, e foi a primeira expressão simpática com a qual Marlow deparou desde que tudo havia começado. – Mas dê uma passadinha lá mesmo assim; talvez tenhamos algo melhor para você vestir.

QUEM DIABOS É STEELY DAN?

Não era exatamente o que Marlow descreveria como "melhor". Um bermudão verde. Uma camiseta branca três números maior do que o dele com o nome STEELY DAN estampado em letras garrafais vermelhas na frente. Ele não fazia ideia de quem ou o que era Steely Dan, mas tinha certeza de que não era o tipo de coisa com a qual queria ser visto. E, por último – ou em primeiro lugar –, o único calçado que tinham do número dele era um par de sandálias de couro tão desgastadas que tinham o formato dos pés de alguém gravado nelas. Eram surpreendentemente confortáveis, mas, *falando sério*, seria mais bem-aceito na rua voltando para casa só de cueca.

Onde eles arrumam essas coisas?, pensou ao sair da delegacia, descendo os degraus aos saltos, a mão levantada para proteger os olhos da luminosidade. Provavelmente guardavam as piores peças de roupas de bêbados e cadáveres só para poderem repassá-las a pessoas como Marlow.

Olhou para a esquerda e para a direita, sem saber onde estava. Em algum lugar na parte baixa de Manhattan, imaginou, onde as ruas confusas não tinham número e havia um monte de fachadas de loja com letreiros em chinês. A rua estava tranquila, levando em conta a hora do dia, só algumas pessoas dispersas, e todas pareciam preferir se refrescar diante do ar-condicionado de um apartamento ou escritório. Só uma delas cruzou o olhar com o dele – uma garota a cinquenta metros de distância –, e o coração de Marlow deu uma pirueta no peito. Ela lhe parecia familiar, da idade dele, e vestia um jeans e um moletom com um casaco por cima, contra todas as possibilidades. Só podia estar morrendo de calor com esse tanto de roupa.

Marlow se virou, tentando lembrar onde tinha visto a garota antes. Na escola, era bem provável. Então por que sentia algo estranho na barriga? Como se tivesse levado um chute. Olhou de novo. Ela estava lá, parada como uma pedra, os olhos vidrados nele, sem piscar.

A vinte metros.

Ela continuava imóvel, e de repente ele sentiu como se estivesse em um carrinho que tivesse chegado ao topo da montanha-russa, aquele instante de silêncio que precede a queda. Estendeu a mão até a árvore mais próxima para que o mundo parasse de rodar. Algo revirava suas tripas, o desconforto irradiando do centro de seu corpo, fazendo sua espinha formigar.

Ele fechou os olhos, e, quando voltou a abri-los, a garota tinha sumido.

Você está pirando, Marlow.

Afastou-se da árvore e começou a caminhar, sem saber para onde ia. O sol estava bem à sua frente, fustigando a cidade como um martelo sobre uma bigorna, e o garoto começou a suar após apenas meio quarteirão. Mas o ar – mais fresco do que nunca em Nova York – fazia-lhe bem, ajudando-o a clarear a mente. O mundo ainda girava, mas mais devagar. Marlow não sabia o que tinham injetado nele, mas devia ter sido algo bem forte. Espiou para trás por cima do ombro. Nem sinal da garota.

Esperou que um caminhão passasse com seu estrondo, seguido por alguns táxis buzinando, antes de cruzar uma esquina. Tudo parecia um sonho devido ao álcool; a neblina se desvanecendo como os últimos vestígios de um pesadelo. Ali, sob o sol, no caldeirão da cidade, cercado de pessoas indo às compras, ao trabalho, à escola, a ideia de monstros e soldados parecia ridícula, impossível.

Mas *ela* ainda estava lá. Pan. Ele a enxergou como se estivesse bem à sua frente, e não tinha certeza se o frio na barriga era porque gostava dela ou a detestava. Afinal, ela o havia largado lá para morrer. Tinha tratado Marlow como se ele não fosse nada. Mas tanto fazia, ela era gata.

Deixe isso pra lá, disse Danny. *Uma garota assim vai acabar com você, literalmente.*

– Você que o diga – murmurou. – Não se alistou na Marinha porque queria impressionar Marcie Jones?

Não..., disse o irmão. Danny nunca tinha sido bom em mentir, sua mãe lhe contara. *Eu me alistei para servir meu país. Marcie não teve nada a ver com isso. Além do mais, ela trabalhava no Walmart. Não corria por aí com uma balestra na mão, matando criaturas.*

– Bom argumento – respondeu Marlow, ganhando um olhar suspeito de algumas senhorinhas que passavam por ali. Fechou a boca e manteve os olhos no chão. Já parecia um vagabundo maluco, e falar sozinho não ajudaria em nada. Atravessou a rua e ganhou o próximo quarteirão, a luz do sol se refletindo nas janelas dos prédios de apartamento, tudo derretendo sob o calor líquido, tudo abafado mas perfeitamente claro daquele jeito estranho que só as coisas de verão podem ser. É, Pan era real, sem dúvida.

E, se ela era real, o restante também era.

Praguejou ao chegar ao fim do quarteirão. Havia muito verde adiante, um parque ou algo parecido, mas à direita tinha uma escada que dava no metrô. Marlow desceu correndo, feliz em sair do sol, mas não tão feliz por voltar ao subsolo. Ficou esperando que algo explodisse, que uma criatura se desprendesse inacreditavelmente das paredes e rastejasse em sua direção. Manteve a cabeça baixa, os punhos fechados, os ombros abrindo caminho em meio à pequena multidão perto das catracas. Estava sem dinheiro, mas isso nunca o impedira antes. Conferiu se a barra estava limpa antes de saltar a barreira e correr até a plataforma que levava ao centro.

O metrô mais parecia um trem de transporte de animais, apinhado de "espécimes" suarentos, e Marlow agarrou a barra de apoio enquanto a composição cortava a cidade pelo subsolo. Por mais quente que estivesse lá, era bom estar em movimento. Indo para longe da polícia, para longe do local onde tinha sido feito prisioneiro. Para longe de seus agressores, que tinham injetado veneno em suas veias. Afinal, era o que ele sabia fazer melhor. Fugir.

Agora que tomava certa distância dos fatos, até que faziam sentido. Eles o tinham dopado para que ninguém acreditasse em sua história. De qualquer maneira, era um papo de doido, mas fazer dele um doido embriagado tinha sua serventia. O que tinham dito mesmo? A primeira regra ou algo do tipo: que o mundo não podia saber.

– Steely Dan! – berrou uma voz bem em seu ouvido, quase fazendo-o saltar da própria pele.

Marlow olhou para cima e viu um cara com uma pança imensa e uma barba maior ainda quebrando a regra soberana do metrô – em nenhuma circunstância interaja com qualquer outro passageiro – para cumprimentá-lo com uma saudação de roqueiro. O garoto abriu um sorriso nervoso para o homem e foi se afastando dentro do vagão, detendo-se apenas quando o mesmo desconforto começou a revirar suas tripas, a vertigem fazendo o metrô inteiro parecer estar de cabeça para baixo.

Marlow agarrou a barra de apoio e fechou os olhos para controlar o mal-estar. Quando os abriu de novo e olhou para a multidão, podia jurar que tinha visto a mesma garota ali, aquela pontada de familiaridade. Seus olhares se cruzaram por um segundo antes que o metrô sacolejasse ao fazer uma curva e ela se perdesse em meio aos corpos que se curvavam.

Estou ficando louco, disse Marlow a si mesmo.

Com alguma sorte, o fato de que a polícia o liberara significava que não queriam mais nada com ele. Ninguém acreditaria em sua história, ninguém a investigaria. Ele podia seguir com sua vida. Soltou um suspiro alto. Sua vida incrível, plena, fantástica. O incômodo na barriga virou outra coisa, algo que podia ser desapontamento. Aquela situação o fazia se sentir vazio, como se uma parte dele estivesse faltando. *Segredos são como um buraco na sua vida*, dissera Herc. E com razão. Marlow teria que viver na ignorância pelo resto de seus dias.

Não importa, disse a si mesmo. *Esqueça e ponto.*

Fechou os olhos, sentindo o movimento do metrô, imaginando a cidade desaparecendo com rapidez atrás dele. Com as lembranças aconteceria o mesmo. Tinha que acontecer. Se continuasse em movimento, elas sumiriam com o tempo. É, era bom estar em movimento.

Quase sorriu, até lembrar para onde o metrô o levava. Ao terminal da balsa, ao sul. De volta a Staten Island. De volta ao pesadelo.

– Mãe?

Marlow subiu os degraus que davam na porta de sua casa arrastando os pés. Era um lugar bastante decente, onde tinha morado desde que nascera, embora já tivesse visto dias melhores. A pintura azul tinha passado por tudo, menos sido arrancada, como pele leprosa. As janelas imundas também, eram como olhos com catarata. A única coisa nova no prédio inteiro era a antena parabólica que alimentava a mãe dele com histórias dia após dia. Ele podia ouvir a TV, os aplausos entediantes de algum game show.

Entreabriu a porta, apenas alguns centímetros, o rosto se esgueirando pelo caminho obscuro. Tudo estava mergulhado na escuridão, como sempre, mesmo em um dia como aquele, quando o sol parecia tão quente que poderia queimar um quilômetro subsolo adentro. A mãe tinha fechado as cortinas no dia da vigília de Danny, e as sombras nunca haviam ido embora.

– E aí, mãe? Sou eu.

Ouviu o arranhar de garras, um uivo baixo, e então Donovan veio trotando. O velho vira-lata – meio dobermann, meio english sheepdog, talvez um pouco dálmata, ninguém sabia direito – escorregou e derrapou na madeira, sacudindo tanto a cauda que seu traseiro parecia jogar pingue-pongue com as paredes. Marlow agachou-se e acariciou o pelo do cachorro, aquela língua grande e úmida babando sua cara toda.

— Isso, isso — disse Marlow, segurando a enorme pata de Donovan. — Eu sei, também senti saudade, garoto. Cadê a mamãe?

Da cozinha vieram ruídos, o tilintar de um copo.

— Mãe?

— Marly? — O rosto da mãe surgiu, sorridente, e ele pôs os braços em volta dela, sentindo como se não pudesse dar um abraço apertado o bastante, sob o risco de quebrá-la. Ela era um saco de ossos envolto em uma jardineira de veludo, o cabelo despenteado, a pele flácida demais no rosto. Uma boneca malfeita. Mas ela correspondeu ao abraço com o máximo de força que tinha nos braços, derramando um pouco de cerveja do copo na camiseta dele. Quando ele enfim a soltou, ela sorria de novo.

— Eu estava preocupada, querido. Você não atendeu o telefone. Onde estava?

— Em lugar nenhum — disse ele, fazendo carinho no cachorro que mancava atrás dele. — Só saí com Charlie. Dormi na casa dele. E perdi o telefone.

— Você está mentindo — declarou ela, andando pela cozinha minúscula.

Havia garrafas na bancada, e ela precisou fazer algumas tentativas até encontrar uma que não estivesse vazia. Então encheu o copo. A bebedeira da mãe não era exatamente perceptível — ela nunca caía, nunca berrava, nem mesmo falava enrolado. Mas estava lá, silenciosa, paciente, como um parasita que controla o hospedeiro sem ser percebido.

— Não, mãe, eu...

— Charlie passou aqui ontem à noite — contou ela, debruçando-se na bancada e tomando um gole. Engoliu-o fazendo uma careta. — Disse que estava procurando você.

— É, hum... — Marlow tentou encontrar uma resposta em meio à tempestade em sua cabeça. — Bem, tinha um negócio da escola, era para a gente estar fazendo juntos, pesquisa e tal, e...

— E eu recebi uma ligação do seu diretor.

Puta merda.

— Mãe, não foi minha culpa.

— Não quero ouvir, Marlow — disse ela. — Você me prometeu.

— Ele estava de marcação comigo, eu poderia ter sido um aluno-modelo, e mesmo assim ele teria me expulsado.

— Então você não desenhou uma... uma coisa obscena no carro dele?

Marlow mordeu os nós dos dedos, remexendo-se desconfortavelmente. O cachorro choramingou, o rabo pendurado entre as pernas, os olhos grandes, úmidos e tristes. Marlow coçou sua orelha, mais para disfarçar a vergonha do que qualquer outra coisa.

– Era um foguete – murmurou, baixo demais para ela ouvir.

– Marlow, você tem quase dezesseis anos. Por que insiste em agir como uma criança? Essa era sua última chance. A *última*. Qual parte disso você não entendeu?

Ela tomou um golinho do copo e limpou uma lágrima, todo o pequeno corpo trêmulo.

– Não sei o que fazer, Marlow – disse ela. – Não sei o que fazer. Queria que Danny estivesse aqui, queria que seu irmão estivesse aqui. Ele saberia.

Foi como um tapa na cara, e Marlow não pôde evitar, virando-se para a foto na parede. Danny sorria para ele através dos óculos escuros, a pele grossa de sujeira, os dentes sendo a coisa mais brilhante da cozinha.

– Mãe, por favor, vai dar tudo certo, prometo – disse ele, a garganta inchando, mas não era a asma dessa vez, e sim lágrimas, prestes a irromper em uma explosão. Ele se conteve, sentindo os olhos coçarem. – Prometo.

– Promete? – retrucou ela, inclinando o copo e bebendo tudo de um gole só. – Promessas e mentiras, Marlow. Não suporto mais. Você está falando igualzinho a *ele*.

Ela não precisava dizer quem. Estava falando do pai dele, um homem que ele nunca tinha visto, mas com quem parecia compartilhar todos os defeitos. A acusação fez as lágrimas se transformarem em raiva.

– Eu falei que não foi culpa minha.

– É – disse a mãe, encarando-o com o olhar mais frio que ele poderia imaginar. – Ele também disse isso. Logo antes de fugir.

Marlow abriu a boca para responder, mas não encontrou nada a dizer. Então se virou, cerrando os dentes para conter a onda de tontura e náusea. De alguma forma conseguiu sair da sala e subir a escada em direção ao quarto. Estava mais claro lá, a luz melosa se infiltrando através do vidro sujo. Mas precisou de toda a força de vontade que tinha para não correr até a janela e se jogar na rua, onde não sentiria aquele peso insuportável nos ombros, como se toda a casa estivesse repousada neles, todo o grande, escuro e aflito mundo.

Em vez disso, tirou a roupa, vestiu uma camiseta limpa e uma calça e botou um par de tênis velhos. Pegou a bombinha reserva, depois passou pelo cachorro velho e triste em direção à porta.

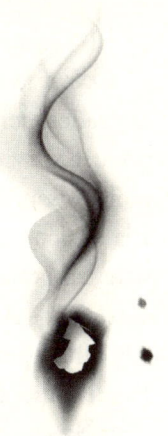

RETIRADA RÁPIDA

Eles saíram tão rápida e silenciosamente quanto tinham entrado. *Como a maré subindo*, pensou Pan, ondas tão pequenas e discretas que você nem as nota avançando pela areia até que seus pés estejam encharcados. Ninguém disse muita coisa enquanto se esgueiravam para sair do prédio. Não havia muito a dizer. Nada agradável, pelo menos. E era bom ter um pouco de paz e silêncio.

As portas do elevador tinha quase se fechado quando a mão cheia de cicatrizes de Herc se enfiou no pequeno espaço entre elas. O suspiro de alívio de Pan se tornou uma chuva frustrada de perdigotos enquanto ele entrava no elevador, fechando as grades atrás de si. Ele estava em cima de uma faixa de sangue desbotado que se alongava pelo chão, as botas chiando enquanto se virava para Pan.

– Como tem passado?

– Pior agora do que há um segundo – resmungou ela. As portas se fecharam, e o elevador deu um tranco, começando a descer. Ela suspirou de novo, sem muita disposição para aquela conversa. Levou a mão ao peito, à cicatriz que sentia por baixo da camiseta. Era como se um caroço de carvão quente tivesse sido costurado ali, o corpo tentando curar um ferimento que nem mesmo compreendia.

– Você falou com Ostheim? – perguntou Herc, sabendo muito bem qual era a resposta.

Pan sentiu o corpo inteiro pender para baixo. Fechou os olhos, ouvindo o lamento das engrenagens do elevador.

– Ele quer falar com você, Pan – disse Herc, e a onda de raiva que subiu pelas tripas de Pan era tão feroz que a assustou. Ela a conteve, prendendo a resposta entre os dentes, respirando fundo.

– Eu sei – sibilou ela.

O elevador roncou, chegando ao destino com um solavanco. Herc abriu as grades, permitindo que ela saísse primeiro. O prédio era um edifício corporativo vazio, abandonado por uma empreiteira falida quando estava pela metade – um da infindável lista de prédios que tinham usado naquele ano. Ela seguiu pelo salão vazio; só queria sair e sentir o sol, e deixar tudo aquilo para trás. *Continue andando, continue andando, continue andando.*

– Pan. – A voz de Herc era como uma coleira em seu pescoço, sufocando-a. Ela olhou para trás a tempo de ver o celular que ele jogava em sua direção. Pegou-o no ar, resistindo ao instinto de jogá-lo de volta como se fosse uma granada sem pino. Herc ficou imóvel sob a luz fluorescente e tremeluzente do elevador. Então encolheu os ombros enormes. – Ele está na linha.

Ela empurrou as portas rumo ao barulho e ao calor da rua, segurando o celular com tanta força que pensou que fosse estilhaçá-lo. *Não vou ter tanta sorte.* Abriu caminho entre as pessoas, xingando aquelas que não saíam da frente, e se enfiou no beco mais próximo. Por um segundo, ficou parada entre as sombras abafadas, inspirando o ar saturado algumas vezes. Quase podia sentir o chefe ali, a presença dele na extremidade de sua mão, e se perguntou se de alguma forma ele podia vê-la, se tinha hackeado a câmera do celular ou algum circuito interno por ali, ou até mesmo um satélite. Olhou para cima, para o céu branco-azulado, nervosa. Não havia muito que Ostheim não pudesse fazer. Levou o celular ao ouvido.

– Ostheim.

– Estava aqui pensando que você tinha ido embora sem dizer adeus – respondeu ele com aquele sotaque familiar que era em parte alemão, em parte de algum lugar ainda mais distante. Pan nunca soube dizer com exatidão de onde ele era, assim como nunca encontrara Ostheim pessoalmente; nem sequer vira uma foto do homem. Portanto, nenhuma pista de sua procedência. – Mas é bom ouvir sua voz, Pan. Por um segundo naquele dia, achei que tivéssemos perdido você.

– Por um segundo, perderam, sim.

– Foi o que ouvi. Como foi?

– A morte? – Pan engoliu, a garganta seca. Ainda podia senti-la, as mãos invisíveis entrando por sua pele, seus ossos e seus músculos, apoderando-se de algo ainda mais profundo, pronta para arrancar algo dela e arrastá-la para o lugar de onde viera. Pan cobriu a barriga com a mão livre, como para manter a alma no corpo, com receio de que estivesse solta e pudesse tão somente fugir dela. Era quase demais para suportar, e ela recostou as costas nos tijolos quentes, deslizando até uma pilha de jornais velhos.

– Pan?

Tinha quase esquecido que ele estava ali, e sua voz lhe causou um sobressalto.

– Estou bem – respondeu. – Não quero falar sobre isso.

– Um pedido justo – replicou ele, prático como sempre. – Mas sabe que estou aqui se precisar. A um telefonema de distância. Faço isso há bastante tempo, Pan, sei como é.

Sentir a própria essência quase ser arrancada de você? Duvido.

– Qualquer coisa de que precisar, é só dizer. Qualquer coisa mesmo.

– Que tal uma carta de referência para um novo emprego? – Ela riu sem graça da própria piada.

– Sabe que pode sair a qualquer hora. Tudo o que precisa fazer é dizer. Vou ajeitar tudo para você, e nunca mais vai ter que se preocupar com nada. É isso que quer?

É, e aí? Um emprego no McDonald's? Dividir um apartamento minúsculo com outra pessoa e um poodle chamado Herc? Não sabia se a ideia lhe dava vontade de rir de novo ou de chorar. Aquilo era tudo o que conhecia. E uma vida sem o Motor, sem as coisas que ele lhe dera... não era vida. Não, não voltaria atrás.

– Tudo que precisa fazer é...

– Cale a boca, Shep – disse ela. – Já falei, estou bem. Qual é o próximo passo?

Pan quase o ouviu sorrir, como se soubesse exatamente o que ela ia dizer. E provavelmente sabia, aquele idiota presunçoso. Ostheim sabia de tudo.

– O próximo passo é me contar o que deu errado.

– Herc não contou?

– Contou, mas quero ouvir de você.

Ótimo. Pan se levantou e deu alguns passos rumo à escuridão do fundo do beco. Atrás, ouvia buzinas de carros e gritos de criança, alguém gargalhando tão alto que as paredes reverberavam. Tentou se desligar de tudo aquilo, reunindo lembranças anteriores ao prédio, ao hospital, à caminhonete correndo pela via expressa, até a manhã do dia anterior.

– Deu errado – disse ela, sabendo mesmo enquanto falava que era a afirmação mais sem sentido da história das afirmações. – O alvo não estava lá.

O objetivo deles era simples: infiltrar-se na casa de um suspeito chamado Patrick Rebarre. Ele era um Engenheiro que trabalhava para o outro lado, um esquisitão cujo único propósito era provocar o fim do mundo. Ele merecia morrer, e ela estava mais do que disposta a providenciar isso. Era essa a função de um soldado, certo? Eliminar o inimigo.

O único problema era que ele não estava lá.
– A gente invadiu a casa, Ostheim – contou.
– E...
– E alguém tinha chegado antes da gente. A equipe de segurança dele tinha sido aniquilada, três guarda-costas jogados no chão como... como comida de cachorro.

Ela podia vê-los. Não só mortos, mas revirados de dentro para fora. *Literalmente.*

– Você encontrou o corpo dele? – perguntou Ostheim.
– De Rebarre? – Pan balançou a cabeça. – Não, ele tinha dado o fora. Sem cadáver, sem pistas, sem nada.
– Acha que alguém o avisou?
– Acho... – Ela engoliu com força para manter o conteúdo ácido do estômago longe da boca. – Acho que *ele* o avisou.

Mammon, disse seu cérebro antes que ela tivesse chance de impedi-lo. Olhou para trás, só para garantir que o pensamento não era de alguma maneira capaz de conjurá-lo. Afinal, as coisas mais estranhas podiam fazer parte da realidade. Mas ali só havia o beco e, mais à frente, o mundo, que ignorava os monstros que andavam em meio às pessoas. Passou a mão na barriga, que revirava, obrigando-se a continuar:

– Foi uma armadilha. Eu sabia que tinha alguma coisa errada no instante em que a gente invadiu a casa. Havia algo no ar, algo que não deveria estar lá. Você já esteve perto da Pentarquia, Ostheim, conhece o rastro fedorento que eles deixam.

A Pentarquia. Os Cinco. Seriam considerados deuses se já não fossem demônios.

– Mas você não o viu? – perguntou Ostheim.
– Não precisava. Ele esteve lá.
– Então vamos presumir que ele tenha seguido você – sugeriu Ostheim.
– Ou pelo menos que a tenha rastreado. Não havia sinal dele no hospital?
– Não. Acho que o perdemos.
– Não perderam – falou Ostheim. – Só fique atenta. Não preciso lhe dizer quanto esse aí é perigoso. De todos, é o pior. Pode estraçalhar sua alma com muito mais eficiência do que os demônios.

Ela envolveu o corpo trêmulo com a mão livre, abraçando-o o mais forte que pôde. Precisava estar inteira de novo, precisava ser protegida, ser imortal.

– Preciso do Motor, Ostheim – disse ela. – Me mande de volta.
– Tudo a seu tempo – respondeu ele. – Aproveite a chance de se recuperar. Vou mandar Rouxinol da Noite e Caminhão para a sua localização.

– Não vai ser suficiente – falou Pan. – Não se *ele* aparecer. Por favor, Ostheim, eu preciso disso.

– E eu preciso que encontre Rebarre. Não posso deixá-lo vivo. Não com as coisas que ele sabe. Não preciso lembrá-la do que está em jogo aqui. Se o Circulus Inferni descobrir a localização do nosso Motor, acabou, fim da história.

Eufemismo do século, pensou ela. É por isso que eles tinham aquele nome, o motivo pelo qual o mantinham havia milhares de anos. *Circulus Inferni*, o Círculo do Inferno. Se vencessem a guerra, seria o inferno na Terra.

E não era uma metáfora.

– Pan?

– É, eu sei, eu sei. Vamos encontrá-lo.

Ela ouviu Ostheim inspirar profundamente, como se estivesse absorto em pensamentos.

– Ótimo. Cuide disso, então. E nossa isca?

– O garoto? Shep, não faço ideia do que está planejando, mas...

– É o que precisamos fazer, Pan. Temos que atraí-los de alguma maneira e posicioná-los onde possamos alcançá-los. Quer um jeito melhor de fazer isso?

– Eles vão matá-lo – disse ela.

– E eu achando que você nunca teve um coração – comentou ele, rindo. – Estaremos lá. Chegaremos antes que o peguem.

Aham, sei.

– E, Pan...

– O quê?

– É sério o que eu falei. Se sentir Mammon, se o sentir no ar, se tiver qualquer tipo de calafrio ou arrepio na espinha, comece a correr. Está bem?

– Shep, vou ficar bem.

– O que ele fará com você é pior do que uma eternidade no inferno, ouviu? Escute minhas palavras. Se o sentir, corra. Corra sem olhar para trás.

E com isso desligou. Pan ouviu a linha muda por um instante, escutando o eco de suas palavras na estática sibilante.

Corra.

É, como se ela tivesse outra escolha.

FANTASMAS

Marlow estava do lado de fora do Colégio de Ensino Médio Victor G. Rosemount sob o calor escaldante, tentando entender por que se sentia tão perdido.

Porque você não tem para onde ir, disse seu cérebro. *Ninguém quer você*.

As palavras eram doloridas porque eram verdadeiras. Aquele lugar o tinha escorraçado, e sua mãe ficaria feliz em trocá-lo pelo filho que perdera dez anos antes. Danny podia estar morto, mas Marlow era o fantasma. Mesmo ali as pessoas passavam por ele como se não pudessem vê-lo, e ninguém nem sequer percebia sua presença.

Menos uma pessoa… o mero vislumbre de um rosto familiar, a mesma garota perdida na multidão, que sumira antes que Marlow pudesse se dar conta.

Segure as pontas, cara, disse a si mesmo.

Queria encontrar Charlie, pelo menos para provar a si mesmo que ainda existia. Precisava de alguém com quem conversar, para tentar entender tudo o que tinha acontecido. As coisas podiam estar péssimas, mas Charlie faria uma piada, e eles ririam, e enfim Marlow se sentiria alguém real de novo. Além disso, por pior que fosse sua vida, a de Charlie tinha sido ainda mais desastrosa, e não havia nada como ver as coisas em perspectiva para se sentir um pouco melhor.

Mas, sem celular, precisava ir atrás dele pessoalmente. Pegou a bombinha do bolso e a pressionou duas vezes na boca, fazendo uma careta ao sentir o gosto amargo. Os pulmões estalaram, e ele passou a mão pelo peito até sentir uma sensação de alívio. Então atravessou a rua e chegou aos portões trancados. Pôs o dedo no botão do interfone. Segundos depois, a recepcionista da escola atendeu.

– É, hum… Estou atrasado, desculpe, preciso entrar.

– Nome?

– Mar… – começou, e depois: – Charlie Alvarez.

Fez-se uma pausa, e em seguida os portões zuniram e Marlow se lançou escola adentro. Decidiu não ir pelo salão, cortando caminho pela lateral do prédio principal. Entrou pela porta de incêndio, que nunca fechava direito, subiu a escada e percorreu um corredor vazio. Teve que espiar pela porta de três salas de aula até encontrar a certa. Charlie estava sentado no meio da classe, absorto, a caneta entre os dentes. Marlow bateu devagar, depois abriu a porta. Todo mundo se virou para ele, e os olhos de Charlie quase saltaram das órbitas.

A professora – Marlow não lembrava o nome dela – cruzou os braços.

– Você não devia estar aqui – disse ela.

– É – respondeu ele, coçando a cabeça. – Sobre isso, não precisa se preocupar, já está tudo acertado. O senhor Caputo me pediu desculpas e até me incumbiu de decorar o restante do carro dele.

– Muito engraçado – disse ela. – Agora vá embora. Você sabe o que acontece com quem aparece na escola sem permissão.

Até ela terminar de falar, Charlie já tinha se levantado e estava a meio caminho de Marlow.

– É melhor eu ver qual é o problema – sugeriu ele ao se aproximar da porta.

A professora protestou mais um pouco, mas Charlie se limitou a abrir um sorriso e fechar a porta.

– Mas que *merda*, cara – disse ele, puxando o braço de Marlow pelo corredor. – Por onde você andou?

– Não ia acreditar se eu contasse – respondeu o garoto, bem perto do amigo e com a voz baixa. Charlie se afastou um pouco, balançando a mão na frente do rosto.

– Não ia acreditar? Meu deus, Marlow, dá para sentir o *cheiro*. Você poderia abastecer a droga de uma frota de caminhões com esse bafo.

– Não é... – Marlow tapou a boca, constrangido. – Não é o que parece, Charlie. Eu fui drogado.

– *O quê?*

– Por uns caras. Eles injetaram álcool em mim. – Ele balançou a cabeça, tentando clarear as ideias. Nada fazia sentido, e os últimos dias pareciam ter sido uma tempestade onírica de semilembranças. As sobrancelhas de Charlie quase fugiram para o topo da cabeça.

– Eles injetaram... *uísque* em você? Você está bem? Eles...?

Marlow se deu conta do que o amigo estava perguntando.

– Não! De jeito nenhum, cara. É porque eu vi uma coisa. Eu estava lá, no hospital.

– Aquele que os terroristas explodiram? – perguntou Charlie.

– O quê? – retrucou Marlow.

– A CNN só fala disso, cara. A polícia chegou lá antes que pudessem causar um estrago maior. Algum doido está assumindo a responsabilidade. Tá dizendo que os terroristas embebedaram você?

– Não, peraí. – Marlow se lembrou dos demônios se desprendendo das paredes, da garota com um buraco no coração. – Não foi isso que aconteceu. Não eram terroristas.

Ele ouviu uma porta se abrir, o ressoar distante de passos no chão.

– Tinha umas pessoas e umas... não sei, criaturas, talvez.

– Criaturas? – Charlie deu um passo para trás. – Escuta, Marlow, não sei o que andou usando, mas...

– Não andei usando nada – retrucou.

Charlie soltou um suspiro profundo.

– Olha, eu entendo, Marlow. É assim que você lida com as coisas. Você toca o terror e depois cai fora. Mas precisa tomar as rédeas da sua vida, cara. Estou falando sério, você está parecendo um maluco.

– Não estou maluco – começou, e teria mais a dizer se o intercomunicador da escola não tivesse sido ligado.

– Por favor, escutem com atenção – disse uma voz que Marlow logo reconheceu como sendo do diretor. – A escola acaba de ser fechada. Pedimos que todos os alunos permaneçam nas salas. Pessoal de apoio, código laranja. Por favor, certifiquem-se de que todas as portas estejam trancadas.

– O que está rolando? – perguntou Marlow. – O que é código laranja?

– Não faço ideia – respondeu Charlie. – Mas acho que é por sua causa.

– Por *minha* causa?

O som de passos ficou mais alto, e a porta no fim do corredor foi escancarada, o corpo gigante de Zé Colmeia avançou o mais rápido que suas pernas roliças lhe permitiam. Só precisou de um segundo para ver onde Marlow estava e, assim que o viu, levou a mão até a arma de choque no cinto.

– É – disse Charlie. – Com certeza é por sua causa.

– Pare! – rugiu Zé Colmeia, tirando a arma do coldre. A outra mão segurava um rádio. – Ele está na ala leste, nível dois. Sem arma à vista.

– Arma? – repetiu Marlow, franzindo o cenho. Zé Colmeia começou a correr na direção dele, a carne toda balançando. – Do que ele está falando?

– Não faço ideia – respondeu Charlie se afastando. – Mas, se eu fosse você, começaria a correr.

Ele não precisou dizer duas vezes. Marlow partiu atrás de Charlie rumo à outra extremidade do corredor. Eles irromperam pelas portas duplas, derrapando ao virar para a escada. Caputo devia ter visto Marlow entrando pelos portões e provavelmente achou que se tratava de uma vingança. Não o culpava. O colégio Victor G. Rosemount era o tipo de lugar onde a vingança podia ser brutal.

— Aonde está indo? — perguntou a Charlie, sentindo o familiar monstro enlaçar sua garganta. — E por que *você* está correndo?

Charlie sorriu em resposta.

— Mais emocionante que aula de geografia, não é?

Eles empurraram as portas próximo à base da escada e seguiram para o corredor principal da escola. Zé Colmeia ainda estava no encalço deles, rugindo como um urso ferido. Marlow tomou a dianteira, cortando pela direita rumo à saída. Então se jogou contra as portas de incêndio que davam no saguão de entrada, o sol tão forte quanto uma granada de luz explodindo bem na sua cara. O garoto topou com algo grande e foi lançado para trás, quase perdendo o fôlego.

Dois guardas da escola estavam entre ele e a saída. Não eram grandes como Zé Colmeia — *ninguém* era grande como Zé Colmeia —, mas tinham armas de choque na mão e sangue nos olhos. Marlow congelou, levando as mãos à cabeça em sinal de rendição. Charlie parou a seu lado, os tênis chiando. Zé Colmeia apareceu atrás deles, praticamente rosnando, na mesma hora em que Caputo surgiu à porta de sua sala.

— Você não devia ter voltado, Marlow — disse o diretor, abrigando-se atrás de um dos guardas. — Você acaba de violar seu acordo com a escola e infringir a lei. A polícia foi notificada.

— Calma lá — respondeu Marlow, pigarreando e expectorando um pouco. — Não precisa ter um aneurisma por causa disso; só vim ver ele. — E apontou Charlie com a cabeça.

— Sim, claro — zombou o homem. Seus lábios se moviam enquanto ele falava, mas Marlow não ouvia, sua cabeça de repente repleta de ruídos. Era um barulho como o de porcelana se quebrando, como se alguém caminhasse sobre cacos de vidro. Ele levou as mãos às orelhas, cerrando os dentes para se proteger.

O que é isso?, perguntou ele, ou talvez não tenha perguntado. O rosto de Caputo estava ficando vermelho, e o diretor levantava o dedo para ele, as palavras soterradas por aquele ruído infernal. Atrás dele, as portas da escola se abriram. Marlow olhou para aquele ponto, semicerrando os olhos para se proteger da dor, da luz, e viu a garota entrar — aquela que ele tinha visto fora da delegacia, que o tinha seguido até ali. Uma garota que ele ainda não conhecia, mas que parecia tão familiar.

— Oi, Marlow — disse ela, abrindo um sorriso.

E então o inferno inteiro veio à tona.

IDIOTA DE TÃO LOUCA

— Temos oscilações definitivas no *continuum* da realidade.

Pan suspirou, olhando para Herc por cima do ombro. Ele estava sentado ao lado de uma bancada de computadores nos fundos da van, a testa cheia de cicatrizes franzida enquanto se concentrava no fluxo de informações que passavam em um dos monitores. Ela colocou as mãos atrás da cabeça, esforçando-se para ficar de olhos abertos diante da luz dourada que se derramava das janelas.

— Sabe, Herc — disse ela —, o fato de dizer coisas como essas é um dos motivos de as pessoas não gostarem de você.

— Achei que todo mundo gostasse de mim — comentou ele, fazendo beicinho. — Sou a vida e a alma do rolê.

— Você não poderia ser a vida e a alma de um rolê nem se fosse um rolê cheio de demônios — disse ela. Então continuou, já que ele não respondeu: — Você sabe, porque os demônios não têm vida nem alma.

— Pan, se tiver que explicar, não é uma piada — respondeu ele, deixando a impressão da palma da mão na tela, como se tentasse mudar o que estava ali. — Mas, falando sério, pegamos alguma coisa. O que você acha?

Pan se levantou com relutância e foi para os fundos da van. Sentou-se perto de Herc para observar as linhas de código, tentando não ficar vesga. Foi em vão. Ela sabia ler hieróglifos do Egito Antigo com mais eficiência do que decodificar as informações que os Advogados lançavam.

— Não faço a menor ideia, Herc — disse ela.

Porém, Pan sabia o que ele tinha encontrado. Minúsculas inconsistências na tessitura do mundo — *fendas no código*, era como os Advogados sempre as descreviam —, um sinal de que um Engenheiro estava por perto. Quando você usava o Motor, ele basicamente dava uma marretada na física, abrindo um buraco enorme na realidade. Esses buracos eram como uma baliza sinalizadora, se você soubesse procurar.

– Quantos? – perguntou ela.

– Não sei dizer – respondeu Herc. – A informação está incompleta. Dois, talvez. Possivelmente mais.

Ótimo. Pelo menos dois Engenheiros inimigos. Aquilo poderia ficar feio. O problema era que nunca se sabia quais poderes eles teriam até vê-los – ou *não* vê-los, se tivesse sido isso que haviam negociado. Invisibilidade sempre era a mais popular. Não havia como saber se você ia deparar com superforça, velocidade supersônica, habilidade de cuspir fogo pelo traseiro. Ou a maior de todas, claro: a invulnerabilidade. Mas esse contrato era um inferno para quebrar, então só os idiotas e os loucos caíam nessa.

É, e qual dos dois você é?

– Cale a boca – disse ela ao próprio cérebro.

– O quê? – perguntou Herc, fazendo beicinho outra vez.

– Nada. – Ela se levantou e bocejou enquanto andava de um lado para outro da van. Sentia que seria capaz de dormir por uma semana, e com certeza faria isso se alguém pudesse garantir que não teria pesadelos. – Mas continua sendo uma má ideia. Por que a gente deveria se importar com ele?

– Marlow? Porque ele nos viu. Porque eles acham que ele pode levá-los até Ostheim, que pode dar alguma informação com a qual trabalhar.

Pan soltou um suspiro. Ostheim era esperto demais para isso. Eles estavam sempre em movimento, sempre se escondendo. Aquela guerra já se estendia por décadas, e nunca tinham sido encontrados. Marlow podia contar tudo o que sabia, tudo o que tinha visto, e não iria ajudar em nada o Circulus Inferni. Tudo o que encontrariam era um arranha-céu vazio em Manhattan.

– E por que *nós* estamos aqui mesmo? – perguntou ela, examinando a unha imunda.

– Para ver se conseguimos fazer alguns deles cair em uma armadilha, causar algumas baixas entre os inimigos, equilibrar um pouco as coisas.

Olho por olho, como sempre. Você mata alguns dos inimigos, os inimigos matam alguns dos seus, e os demônios só ficam lá, esperando uma chance de arrastar todo mundo para o inferno. Talvez ela devesse ter aceitado a oferta de retirada que Ostheim lhe fizera.

– Eles nunca sabem quem vai aparecer – disse ela. – O garoto não é um alvo tão importante assim.

As palavras mal tinham saído de sua boca quando o rádio zuniu e a voz de Caminhão ressoou. Ele e Rouxinol da Noite estavam três ruas adiante, em vigilância.

– *Temos movimento aqui. Perto da escola.*

– É? – disse Pan. – Estão recebendo oscilações no *continuum* da realidade das suas tripas?

– *Não é brincadeira, Pan, estou com um pressentimento ruim. Acho que algo grande está prestes a rolar.*

Seu traseiro gordo, ela quis falar, mas antes que pudesse fazer isso um chiado sibilante de estática vazou pelos alto-falantes. Ela tapou os ouvidos com as mãos enquanto Herc abaixava o volume.

– Caminhão? Está na escuta?

Somente estática.

– Mas que merda!

Herc voou para o banco do motorista e ligou o motor. Pan só teve tempo de se segurar na lateral da van antes que o veículo saísse rugindo pela rua.

– Só vamos observar dessa vez, Pan. Está ouvindo? – disse Herc.

Era um bom conselho. Sem contrato, ela estaria totalmente vulnerável lá. Um Engenheiro poderia abrir uma fenda nela apenas com o pensamento.

– Estou falando sério. *Não* faça nenhuma loucura ou idiotice.

Ela levou a mão livre para trás, sentindo a balestra, rezando para não precisar usá-la, mas sabendo que a usaria. *Loucura ou idiotice, Pan?*, perguntou a si mesma enquanto cantavam pneu ao cruzar uma esquina, acelerando rápido.

Provavelmente, as duas opções.

QUANDO O INFERNO INTEIRO SE LIBERTA

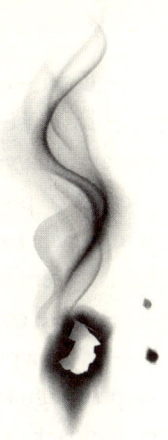

A garota sorriu novamente, e Marlow quase soltou um grito. Era um sorriso amável, como se eles fossem velhos amigos, como se fossem as únicas duas pessoas ali. Mas havia algo logo abaixo, algo pontiagudo e perigoso, como uma lâmina escondida sob açúcar de confeiteiro em um bolo. Ela estava envolta em um enorme casaco, o cabelo loiro caindo em cachos. Mesmo à luz ofuscante do salão, os olhos dela pareciam brilhar, grandes demais, claros demais.

O estômago de Marlow se apertou, aquela mesma onda de náusea que subia de suas profundezas. Algo parecia errado.

Algo parecia *muito* errado.

A garota começou a andar pelo salão, abrindo caminho pelos guardas e pelo diretor como se eles não existissem. Caputo olhou feio para ela.

– Com licença, aonde pensa que vai?

Ela não respondeu, aqueles olhos grandes e reluzentes como a lua fixados em Marlow. Caputo estendeu a mão e a pegou pelo casaco.

– Você não tem direito, estou pedindo que...

As palavras saíam dos lábios dele em porções compactas, os olhos estavam arregalados, como se algo em seu crânio os empurrasse para fora das órbitas. Ele puxou o colarinho com o dedo, como se estivesse dentro de uma fornalha.

– Você – disse Caputo, engolindo em seco. Ele tremia, parecendo à beira de uma convulsão. – Você você você...

– Ei, Vince – chamou Zé Colmeia –, tudo bem aí?

Caputo não respondeu, só se apoiou na parede, trêmulo como uma máquina com mau funcionamento, repetindo aquela palavra sem parar. Zé Colmeia e os outros guardas se aproximaram dele, um pedindo ajuda pelo rádio. A garota os ignorou, ainda sorrindo para Marlow. As tripas dele reviravam a cada passo que ela dava, como se ela as torcesse e as usasse como um tapete vermelho. Charlie também devia estar sentindo alguma coisa, porque agarrou o braço de Marlow.

– Cara – ele sussurrou. – Que bizarro.

– Eu disse "oi", Marlow – repetiu a garota. Ela deu mais um passo à frente, e o ar à sua volta pareceu tremeluzir, dando a ilusão de que os pés dela não tocavam o piso. Só podia ser o calor, certo? Mas será que era possível culpar o tempo pela forma como suas palavras pareciam ricochetear pelo espaço como balas, fazendo os ouvidos dele zunirem?

– Eu te conheço? – perguntou ele.

– Estava procurando você – ela respondeu, o olhar fixo enquanto caminhava pelo saguão, seu sorriso ainda mais largo. Seus dentes pareciam pequenos e afiados. Era o sorriso de um tubarão.

– Moça, você vai precisar falar com a minha secretária – retrucou ele, dando um passo para trás e batendo na parede.

Não vai doer, disse ela, e suas palavras zumbiram nos ouvidos dele como se uma vespa tivesse ficado presa ali dentro.

– O que não vai doer? – perguntou Marlow.

Ela se aproximou ainda mais, movendo-se sem de fato caminhar. Seus olhos se ampliaram, tal como o sorriso, tornando-se grandes e luminosos como faróis. A cabeça de Marlow doía mais e mais a cada minuto, pés como agulhas pisoteando a carne de seu cérebro. Sua boca foi envolvida pelo gosto de cobre.

– Marlow? – disse Charlie, a voz muito baixa, como se falasse do outro lado da escola, ou como se Marlow tivesse bolas de algodão nos ouvidos. – Cara, seu *nariz*.

Marlow levou os dedos ao rosto, e eles saíram vermelhos, o sangue pingando na camiseta, nos tênis.

Relaxe, disse a garota, ou não disse. *Só vou abrir você, ver o que tem dentro. Você tem algo de que precisamos.* Ela estava a uns dez metros de distância, ainda deslizando pelo piso. Suas mãos estavam flexionadas diante do corpo, e cada vez que mexia um dos dedos Marlow sentia como se um explosivo tivesse sido detonado dentro de sua cabeça. As visões surgiam a cada explosão, claras demais, reais demais – o estacionamento do hospital, os demônios e *ela*, Pan. Marlow gemeu, colocando a mão na cabeça, sentindo como se sua mente estivesse prestes a escorrer pelo nariz junto com o sangue.

– Ei! – gritou um dos guardas. – O que diabos está acontecendo? Afaste-se dele!

Marlow sentiu os dedos de Charlie apertarem seu braço, puxando-o. Ele se deixou levar, dando um passo em direção às portas de incêndio.

Aonde está indo, Marlow?, perguntou a garota. Ela se aproximou e o agarrou pela camiseta, trazendo-o para perto, aqueles olhos queimando-o com mais intensidade do que o sol. Ele resistiu, ouvindo os guardas exigirem saber o que estava acontecendo, ouvindo Charlie berrar seu nome. Mas tudo foi silenciado pela voz da garota em sua cabeça, aqueles murmúrios tão potentes a ponto de quebrar os ossos. *Não tenha medo, Marlow, a dor já vai acabar, tudo já vai acabar.*

As lembranças brotavam sem pedir permissão, como se Marlow assistisse a um filme dentro da própria cabeça. Viu coisas das quais nem se recordava mais: sair cambaleando do prédio, tão bêbado que não conseguia se manter ereto; olhar para a janela na qual quase podia ver Pan observando-o se afastar; vomitar na viatura enquanto tentavam enfiá-lo no veículo. Os olhos da garota iam de um lado para outro como se ela também assistisse a tudo, como se lesse a mente dele. Era demais, mais do que dava conta.

– Não! – berrou Marlow, reagindo e afastando a garota de seus pensamentos. Ela soltou um gemido, e as visões na cabeça dele desapareceram tão depressa que por um segundo ele não viu nada. Algo na expressão dela se soltou como uma máscara, os olhos de repente normais, o sorriso límpido.

– Basta! – gritou Zé Colmeia, avançando na direção da garota. – O que você está fazendo aqui?

A garota fechou os olhos, o cenho franzido, e levou os dedos às têmporas, como se tentasse lembrar onde tinha deixado suas chaves.

– É melhor dar o fora daqui – disse Zé Colmeia, tentando pegar a garota com sua mão roliça.

Então Caputo começou a gritar.

Marlow nunca tinha ouvido algo assim; um som tão agudo e penetrante, selvagem e brutal, que reverberou por todo o salão. Todos se viraram para o diretor enquanto ele se afastava da parede com movimentos bruscos. Gritou mais uma vez, borrifando perdigotos no ar, e se apressou na direção de Zé Colmeia.

– Ei... – Foi tudo que o grandalhão teve a chance de dizer antes que Caputo pulasse em cima dele, os braços enlaçando sua cabeça grande e careca, as pernas envolvendo sua barriga. Zé Colmeia cambaleou, tentando se livrar do homem, mas Caputo parecia possuído. Ele deu um soco na lateral da cabeça de Zé Colmeia. O ruído foi o de alguém dando um tiro em um melão, um estampido gorgolejante que ecoou pelas paredes. Caputo desferiu outro soco, e dessa vez os nós de seus dedos saíram vermelhos.

– Meu deus! – gritou um dos outros guardas, entrando na briga. Zé Colmeia e Caputo pareciam envolvidos em uma espécie de dança, até que as pernas do grandalhão cederam e os dois caíram no chão. Caputo não parou de dar socos, acertando várias vezes a lateral da cabeça de Zé Colmeia, espalhando sangue e fragmentos de ossos pelo saguão. Ele sorria como um louco, soltando gritinhos de alegria ao se inclinar e tirar um naco da ferida aberta. Marlow ouviu o estalido de dentes batendo em ossos e quase soltou um grito também. Um dos guardas disparou a arma de choque, e todo o corpo do diretor estremeceu, o sangue jorrando de sua boca. Ele caiu no piso frio, contorcendo-se todo. O outro guarda tentava berrar alguma coisa pelo rádio.

Quase lá, disse a garota, e Marlow sentiu como se ela estivesse escavando a carne macia do cérebro dele com uma colher de sorvete. *Só mais um pouquinho.*

– Que se dane! – gritou Charlie, e de repente a garota cambaleou para trás, a mão no nariz. Charlie se recompôs, o pequeno punho ainda fechado. Avançou para dar outro soco, mas a garota abriu a boca e gritou:

– Patrick! Preciso de você!

O lugar inteiro estremeceu, como se atingido por um terremoto. As janelas implodiram, e uma rachadura abriu caminho por uma das paredes. Uma nuvem de poeira desceu do teto, deixando a luz do sol se espalhar e o ar se transformar em ondas de um oceano dourado. Marlow se segurou em Charlie para não cair. O salão estremeceu outra vez. O lugar foi inundado por tanta poeira que Marlow precisou de um segundo até perceber que havia outra pessoa no salão.

Um cara estava ao lado da garota; no fim da adolescência talvez, cabelo loiro, todo vestido de preto. O terceiro guarda apontou a arma de choque para o sujeito e puxou o gatilho, os dois fios eletrificados afundaram no pescoço do menino, soltaram faíscas, mas o cara nem pareceu sentir. Os fios brilharam, vermelhos, e um raio de eletricidade serpenteou até a mão do guarda, mandando-o pelos ares até que colidisse contra a parede. A arma de choque caiu no chão e começou a pegar fogo, o plástico borbulhando. A fumaça subia em curvas, e de repente a escola foi invadida pelo barulho do alarme de incêndio.

Marlow fez menção de correr, mas não conseguia se mexer. A poeira e a fumaça tomavam seus pulmões, fazendo cada respiração se tornar um chiado longo e aterrorizante. Sentiu Charlie puxando-o pelo braço, mas nada em seu corpo respondia como deveria.

Ainda não terminei, disse a voz da garota em seu crânio. Ela estendeu a mão, e ele sentiu os dedos dela mergulhando em suas memórias, enchendo seus pensamentos de dor. Ele tentou detê-la, mas estava aparafusado ao piso, como se fosse uma marionete e ela manipulasse as cordas. Tudo o que lhe restara fazer era observar enquanto o cara de preto levantava a mão. O guarda desapareceu com um estrondo contundente, e o salão inteiro tremeu com o impacto.

O guarda no chão voltou a se levantar para dar um soco no garoto. Fez-se um *puf*, e o moleque sumiu. O soco do policial só atingiu o ar, e o homem cambaleou e tropeçou no corpo de Zé Colmeia, caindo de cara no chão com uma pancada forte. Então lá estava Patrick de novo, voltando à existência em um piscar de olhos. Ele retorceu os dedos, e o corpo do homem agitado no piso explodiu em um clarão de cegar os olhos.

Onde estão se escondendo?, perguntou a garota, atraindo a atenção de Marlow de volta para ela. Seus olhos estavam enormes e brilhantes outra vez. *Me diga.*

– Não sei do que você está falando – respondeu Marlow, sentindo o corpo amarrado por cordas invisíveis, os pulmões cheios de serragem. – Não sei de nada.

A porta do outro lado do salão se abriu, e um monte de estudantes em debandada começou a jorrar em direção às portas de incêndio. Aqueles que estavam na frente deram de cara com todo aquele caos e tentaram voltar para trás. A garota titubeou, a atenção dispersa enquanto observava o que estava acontecendo. Marlow sentiu as cordas se afrouxarem, só um pouco, mas o suficiente para permitir que se movesse. Libertou a mente de uma vez, virando-se para começar a correr. Suas pernas estavam como gelatina, como se fosse a primeira vez que as usava, e ele quase caiu, mas Charlie estava a seu lado, apoiando-o pelo caminho.

Não!, veio a voz da garota, e ele sentiu os dedos dela em sua cabeça novamente, o corpo começando a falhar. Então eles mergulharam na multidão, afundando em um rio de braços e pernas. Mesmo em meio aos gritos, Marlow podia ouvi-la.

– Patrick, não podemos perdê-lo!

Ouviu-se um *bum!*, um canal de ar quente fluindo por cima deles, e gritos. O fluxo de pessoas mudou de rota, todas tentando voltar por onde tinham vindo, arrastando Marlow com elas. O garoto perdeu Charlie de vista, berrando seu nome, mas tudo o que ouviu em resposta foi a garota.

Marlow, disse ela, a voz distante como uma rádio mal sintonizada. *Marlow, não ouse sair correndo...*

E então sumiu. Marlow passou por uma porta aberta e se arrastou com a multidão até se enfiar em uma sala de aula. Havia meia dúzia de alunos mais jovens ali, encolhidos em um canto. Alguém tinha aberto uma janela e estava com a metade do corpo para fora, lançando um olhar nervoso para trás antes de desaparecer.

– Caiam fora! – gritou Marlow para os demais, fazendo todos se dispersarem.

Depois olhou de volta para a multidão que passava com tudo pela porta. Charlie estava entre eles, abrindo caminho aos socos e empurrões, até se aproximar o suficiente para estender a mão. Marlow a agarrou, puxando-o como se o resgatasse da areia movediça. Eles entraram cambaleando na sala de aula, Charlie arfando e Marlow arquejando.

– Mas que droga está acontecendo aqui, Marlow? – perguntou Charlie. A sala tremeu, um tremor secundário forte o bastante para tirar cadeiras e mesas do lugar. – Sério, cara, que droga é essa?

– Eu falei, aconteceram umas coisas bizarras ontem – respondeu Marlow. Pegou a bombinha, apertou-a quatro vezes e sentiu o pânico diminuir enquanto o ar abafado e empoeirado era canalizado até os pulmões. O alívio não durou. A sala balançou de novo, dessa vez estilhaçando as janelas. Marlow protegeu a cabeça com os braços, sentindo lâminas de vidro perfurarem sua pele.

– Marlow!

Quando abriu os olhos, o garoto chamado Patrick estava bem diante dele, envolvendo sua garganta com a mão enluvada. Ele se inclinou, vociferando.

– Minha irmã interroga as pessoas de um jeito – disse ele. – E eu, de outro.

Patrick gemeu de dor quando uma cadeira explodiu em suas costas. Em seguida, os braços magricelas de Charlie estavam ao redor do pescoço do sujeito, afastando-o. Marlow não hesitou e desferiu um soco. Mas mirou mal, resvalando apenas a bochecha de Patrick. Deu outro, dessa vez acertando o nariz do rapaz. Ouviu o ruído de algo rachando, e Patrick arquejou de dor. Charlie desferiu golpes de cima para baixo, na cabeça e no pescoço dele, tentando jogá-lo no chão.

– Corra! – gritou para Marlow. – Eu dou conta d...

Ouviu-se outra explosão, e Charlie sumiu, a poeira desenhando círculos ensandecidos enquanto o ar ocupava o espaço onde antes ele estava.

– Não! – exclamou Marlow, apenas um lamento abafado. – Charlie? *Charlie!*

Patrick ajeitou o casaco, o rosto sujo de sangue enquanto se aproximava sem pressa de Marlow.

– Cadê ele? – perguntou Marlow, dando passos para trás até esbarrar em uma mesa. – O que você fez com ele? Juro por deus que se tiver machucado ele...

– Você vai fazer o quê? – retrucou Patrick, avançando. – Vai correr pra mamãe?

O sorriso de Patrick ficou ainda mais largo. Seu sorriso também era de tubarão, e Marlow de repente viu a semelhança com a garota, irmã dele. Só podiam ser gêmeos.

– Eu vou... – começou, mas a mão de víbora de Patrick deu o bote, os dedos apertando com força a garganta de Marlow.

— Já basta! — vociferou ele. — Hora de abrir o bico.

Algo do lado de fora pareceu chamar sua atenção, e ele praguejou. Fez-se um clarão cegante de trevas, uma explosão estelar às avessas. Marlow mais uma vez se sentiu em uma montanha-russa, o estômago quase saindo pela garganta. Fechou os olhos para se proteger daquela força nauseante, apavorado demais até para gritar. Então o mundo voltou a se formar em volta dele, o corpo pesado demais, como se tivesse consciência de cada osso, de cada músculo.

Abriu os olhos e viu Patrick. O rosto do garoto estava retorcido e enrugado, os olhos pálidos, como se tivesse envelhecido cinquenta anos em um piscar de olhos. Atrás dele estava o céu imenso e azul, nem sinal da sala de aula. Marlow deu uma olhada à esquerda, depois à direita, e percebeu que estava no telhado da escola. E, quando espiou por cima do ombro, não havia nada além de ar entre ele e o estacionamento, trinta e seis metros abaixo. A vertigem o atingiu como um soco no plexo solar, e ele arfou em busca de ar como um peixe fora d'água. Somente a mão de Patrick em volta de seu pescoço o impedia de cair, e ele agarrou os braços do garoto, segurando-se com firmeza.

— Última chance — disse Patrick, o vento despenteando o cabelo loiro. — Conte o que você sabe.

— Sobre o quê? — perguntou Marlow.

— Sobre *eles*.

— Eu não sei de nada — respondeu, e Patrick esticou o braço, afastando Marlow para além da beirada. — Não sei, juro, eles me deram alguma coisa, não me lembro de nada.

— Então você não tem serventia nenhuma para mim — declarou Patrick.

— Não, espere! — berrou Marlow.

Uma porta se abriu, e um tiro foi disparado. Patrick havia sumido, e Marlow estava caindo.

SEM PROTEÇÃO

A van derrapou com tanta violência ao parar que Pan quase saiu voando pelo para-brisa. Do lado de fora, o caos reinava na escola: uma centena de adolescentes, ou mais, se acotovelavam para sair do prédio, atropelando-se em busca de mais segurança. Mesmo na van, Pan podia ouvir um alarme, mais alto do que os gritos de pânico. Também havia fumaça saindo da porta principal.

– Com certeza tem dois Engenheiros lá dentro, e são poderosos – disse Herc, os olhos ainda grudados nos monitores. – Onde diabos está Caminhão?

– Deve estar tirando um cochilo – respondeu ela.

Alguma coisa bateu na van, e Pan abriu a porta. Um rosto rechonchudo a olhava, radiante.

– Caminhão, que bom que você apareceu – disse ela.

– Quisera eu dizer o mesmo – resmungou ele, espremendo sua estrutura corpulenta para entrar na van, e o veículo inteiro se inclinou com o peso. – Herc, temos dois agentes tocando o terror lá dentro. A gente deve se envolver?

– Se envolver – repetiu Herc, assentindo. – É claro que vocês devem se envolver, seu idiota. Temos uma chance de dar um chute no traseiro do Círculo aqui. Tente trazer um deles com vida, está bem?

Caminhão fez que sim com a cabeça, a papada balançando, depois se arrastou para fora com tanta força que fez a suspensão da van protestar. Pan o observava. Ninguém daria muita coisa por ele, isso era certo, mas ela quase podia sentia o poder do Motor nele – sangue e ferro, tempo e poder. Devia ter ido lá atrás de força, como sempre fazia com um novo contrato. Era uma aposta segura; os Advogados tinham trabalhado com esse tipo de contrato tantas vezes que podiam quebrá-lo de olhos fechados.

O grandalhão chegou aos portões, e os adolescentes se afastavam dele como se sentissem algo diferente, algo *errado*. Um pequeno vulto apareceu dançando ao lado dele, lançando um olhar nervoso para trás e levantando a mão para cumprimentar Pan. *Rouxinol da Noite*. Pan não acenou em resposta, apenas assentiu. Noite devia ter escolhido outra coisa, talvez velocidade. Era impossível dizer até que Pan a visse em ação.

Sentou-se, depois se forçou a levantar, zanzando de um lado para outro como um animal enjaulado. Meu deus, ela odiava estar sem contrato, ser *humana*. A palavra entalou na garganta, e ela se sentiu prestes a sufocar. Quando humana, era fraca, frágil, patética. O Motor a fazia se sentir inteira, real. Com o Motor, ela não era nem um pouco humana, era algo muito superior.

Mas ser humana não significava que tinha que ficar ali parada como uma pedra.

— Não — disse Herc, lançando um olhar desconfiado para ela.

— Não o quê?

— Não faça essa coisa que está pensando em fazer — respondeu ele. — Deixe Caminhão e Noite tomarem conta disso, menina. Você vai ser como um patinho de tiro ao alvo lá dentro. Um patinho sem patas nem asas, nem... superpoderes.

— Essa deve ser a pior analogia que eu já ouvi — resmungou ela, tirando a balestra da aljava em suas costas. Tinha perdido três flechas no estacionamento do hospital, mas ainda havia outras duas, ambas forjadas no Motor. Eram projetadas para deter os demônios em seu caminho, mas até que eram úteis para abrir bons buracos em Engenheiros também.

— Pan, estou falando sério, Ostheim não quer que você vá até lá.

— Ostheim que se exploda — disse ela. — Se quiser derrotar o inimigo, é preciso mais do que um grandalhão e sua sombra. Me dê isso aí.

Ela fez um gesto com a cabeça em direção à pistola no coldre na cintura de Herc. Ele fez que não, mais em resignação do que em negação, porque abriu o coldre e entregou a arma.

— Estamos sem proteção — disse ele.

— É assim que eu gosto — respondeu Pan com um sorriso. Então, antes que ele pudesse dizer outra coisa, ela saiu da van. O sol queimava forte, batendo em seu crânio enquanto a garota corria pela rua. As pessoas se empurravam pelo caminho, mas ela as ignorou, atravessando o estacionamento, a pistola engatilhada na mão direita e a balestra mantida com firmeza na esquerda. Houve uma pequena explosão, e algumas janelas à esquerda detonaram até virarem estilhaços. Pan correu para aquele local, vendo uma sala de aula imersa em sombras. Estava tão escuro lá dentro que ela só enxergava o contorno de uma pessoa. Não, o contorno de *duas* pessoas, uma perto da outra.

– Já basta! – Ela ouviu uma delas dizer. – Hora de abrir o bico.

Ela levantou a arma, dedo no gatilho. O homem que tinha falado a viu – os olhos dele reluziram no escuro –, e, um segundo depois, os dois vultos desapareceram, uma onda de choque de calor e ar se propagando em uma explosão. Pan praguejou e acionou o rádio no colarinho.

– Contato, temos um 'Portador. É Patrick Rebarre. Eu o perdi.

Ela olhou para a direita e para a esquerda, esperando que reaparecessem. Teletransportadores nunca iam muito longe, era desgastante demais, principalmente quando levavam um passageiro. De cima veio outro *vup*, e ela se afastou, olhando para a enorme torre de tijolos que se erguia em um dos cantos da escola. No topo, acima do relógio, um vulto estava precariamente suspenso na beirada. Pan praguejou de novo e subiu na janela para entrar na escola, piscando algumas vezes para eliminar os vestígios da luz solar. Seguiu com rapidez até o corredor. À direita estava o saguão, e ela ouviu gritos vindo dali, a voz de Caminhão ressoando. Ela o ignorou – o grandalhão poderia se virar sozinho – e saltou alguns degraus, depois mais outros. As salas estavam desertas, o alarme de incêndio ainda berrando. Chegou ao último andar, o coração lesionado batendo como o de um beija-flor.

– Vamos lá, vamos lá! – vociferou ela, correndo em uma direção, depois voltando, até que encontrou uma porta onde estava escrito RELÓGIO em estêncil. Estava trancada, mas ela mirou com a pistola e disparou quatro vezes, fazendo fragmentos de madeira voarem. Deu um chute certeiro para abri-la e subiu correndo mais três lances de escada, avançando pela porta lá no topo.

Patrick e Marlow estavam ali, silhuetas escuras em meio à luz do dia. Ela apertou o gatilho, e a pistola deu um coice em sua mão. Devagar demais. Patrick sumiu em um piscar de olhos com outro estrondo contundente, deixando Marlow pendurado, agitando os braços como um louco, a boca aberta em uma expressão de terror, enquanto a gravidade chegava e o arrebatava.

Deixe-o, disse o cérebro de Pan. *Esse cara é encrenca na certa, ele sabe coisas demais.*

Mas, antes mesmo que pudesse entender o que a cabeça dizia, Pan já estava na metade do caminho, mergulhando no ar enquanto o garoto tombava para o lado. Ela derrapou de barriga, esticando-se ao máximo, achando que o tivesse perdido, até que a mão dele agarrou a dela. Ele parecia uma âncora, o peso puxando-a para baixo. Pan segurou-se como pôde, as unhas da outra mão escavando a poeira e a sujeira do telhado, tateando tijolos que por fim a retiveram.

Ela gritou, o garoto pendurado no braço dela, tão pesado que o braço poderia ser arrancado da articulação como a coxa de um peru no Dia de Ação de

Graças. Abaixo deles, as pessoas se amontoavam como insetos, muito distantes. Marlow se movimentava, balançando para a frente e para trás, raspando os tênis nos tijolos enquanto tentava alcançar um ponto de apoio e se içar. Ela não conseguiria segurá-lo por muito mais tempo, de jeito nenhum. *Idiota idiota idiota*, disse a si mesma, sabendo que, se não o soltasse, ele levaria ambos para a morte. Mas as mãos dele estavam agarradas à dela como cracas. Ele parecia estar com dificuldade para respirar, o rosto ficando roxo.

– Solte – grunhiu ela.

– De jeito nenhum! – exclamou Marlow em resposta. – Me puxe pra cima!

Ela tentou, os dedos da mão esquerda escorregando no telhado, o corpo deslizando para mais perto da beirada.

– Não *consigo*, você precisa soltar.

Pop, uma corrente de ar quente. Pan olhou para trás e viu Patrick reaparecer no telhado. Ele colocou uma mecha do longo cabelo loiro atrás da orelha e sorriu para Pan.

– Que burrice, Pan – disse ele.

A garota tentou se desvencilhar da mão de Marlow, mas os dedos dele eram como um torno apertando seu punho. Pan esquadrinhou o chão. A balestra estava ao lado da porta que levava à escada, a pistola estava um pouco mais perto, mas ela não tinha uma mão extra para pegá-la. Patrick também sabia disso e se aproximava sem tirar os olhos dela.

– A ironia é que queríamos pegar ele... – disse Patrick, apontando para Marlow com a cabeça – ...para chegar até você. Pensamos que ele pudesse nos levar até seu esconderijo. Vocês são ótimos em se esconder.

Ele se agachou perto dela, pegando a pistola e examinando-a como se fosse a primeira vez que se deparava com uma.

– Mas aqui está você, caindo bem na palma da minha mão. – Ele soltou um suspiro. – E está até sem contrato. Matar um gatinho não poderia ser mais fácil do que isso.

– Você é quem está dizendo – retrucou Pan, grandes gotas de suor escorrendo de sua testa e entrando em seus olhos. Mas ela nem piscou; não queria dar a ele a satisfação de ver que estava com medo. – O que está esperando? Não tem colhões para puxar o gatilho?

– Ah, não quero você morta – disse ele, apontando a arma para a barriga dela. – Seria um desperdício de ativo. Sei a quantidade de informações que você tem nessa sua cabecinha.

Aquilo não era nada bom. *Melhor morrer do que deixar que eles te peguem*, disse ela a si mesma. *Eles vão te torturar e depois te matar de qualquer jeito. Só se solte. Três segundos, quatro no máximo, e tudo estará terminado.* Ela estava sem contrato. Se morresse ali, os demônios não poderiam pegá-la.

Mas Pan tinha estado perto da morte vezes demais, e aquela ausência escancarada a assustava quase tanto quanto o inferno. Segurou os tijolos com ainda mais firmeza, a dor penetrando os dedos contraídos.

– Onde está Ostheim? – perguntou Patrick, pressionando o cano da pistola nas costelas dela.

– Com a sua mãe – disse ela.

O garoto riu, mas não havia humor em seus olhos azuis e frios. Ele apertou a arma ainda mais, o dedo no gatilho.

– Essa resposta não é suficiente – disse ele.

– É, foi isso que Ostheim falou.

– Última chance, Pan.

Ela riu. Não porque fosse engraçado, mas porque não poderia dizer, mesmo se soubesse. Porém, não fazia ideia de onde Ostheim estava. Ninguém sabia. Nem mesmo o próprio Ostheim sabia sua localização durante boa parte do tempo. Ele viajava em uma unidade remota, sem nunca parar por mais de uma hora, sem nunca transmitir suas coordenadas. As coisas eram assim desde que ela tinha se tornado uma Infernal. Nunca se encontrara com ele. Nem ela, nem nenhum outro Engenheiro. Quer jeito melhor de proteger o chefão do que manter toda a operação às escuras?

– Está bem – disse o garoto, sem nenhum vestígio de sorriso no rosto. – Você não merece viver mesmo. Um verme a menos no mundo. Apenas lembre, você...

Um raio de luz passou, e a cabeça de Patrick se lançou para trás com um *crack*. Ele deu com o traseiro no chão, cuspindo sangue, a arma indo parar longe. Mais um ruído de coisa se quebrando foi ouvido quando algo atingiu Patrick na boca. O borrão derrapou antes de parar, assumindo a forma esguia de Rouxinol da Noite. Ela arfava, o que não era de surpreender, já que tinha corrido rápido demais para os olhos verem. O garoto gemia, rangendo os dentes quebrados. Ele levantou a mão, e Pan sentiu o ar se retorcer e borbulhar enquanto ele se preparava para teletransportar Noite – provavelmente até o meio de uma árvore, ou a cem metros no ar.

– Noite! – gritou Pan, e a garota se tornou um borrão novamente, correndo em círculos pelo telhado e levantando um redemoinho de poeira.

Com um olhar de pura fúria, Patrick sumiu da existência. Noite ressurgiu assim que parou de correr, atordoada, parecendo por um instante que iria passar mal. Depois caminhou até a beirada do telhado, pegou o braço de Pan e o puxou com força. Pan fez uma careta e tentou içar Marlow. O garoto se esforçou para subir, mas foi malsucedido, conseguindo, no entanto, na segunda tentativa.

Ela quase não teve forças para se erguer, mas o braço magricela de Noite a ajudou. Pan arrastou o corpo até os tijolos e ficou deitada por um momento, sentindo tudo doer, como se tivesse sido esticada em um cavalete de tortura.

– Tudo *bien*? – perguntou Noite com seu sotaque espanhol carregado.

– Sim, tô bem – disse Pan, levantando-se com braços que pareciam papel de seda. – Obrigada.

– De nada – respondeu Noite, trocando o peso de um pé para o outro. A garota não conseguia ficar parada por mais do que um milissegundo. – Aonde foi o *hijo* de puta? Os 'Portadores são sempre uns covardes.

– Alguém se importa em me dizer o que está acontecendo? – perguntou Marlow. Ele estava sentado no chão, parecendo ter lutado dez rounds com Caminhão, o rosto ensopado de suor, o corpo todo tremendo. Ele tinha a bombinha em uma das mãos e a apertava vez após outra na boca. – Você me dopou, não foi? Isso aqui... isso aqui é só uma pegadinha.

– Ha, ha, ha! É, adivinhou. Tão engraçado! – respondeu ela, impassível. Então se virou para Rouxinol da Noite. – Onde está Caminhão?

– Lá embaixo; a outra é uma Leitora, mas ele a nocauteou.

Uma Leitora de Mentes. Eram brutais se quisessem, capazes de controlar seus pensamentos, de fazer você estrangular a própria mãe e depois entrar na frente de um ônibus. Pan se dirigiu para a escada, pegando a balestra no caminho.

– Aquele idiota deve ter se 'portado até lá embaixo, melhor irmos ajudar. – Ela apertou o microfone. – Ei, Caminhão, está na escuta? Acho que o 'Portador está indo atrás de você.

A estática assobiou em seu ouvido, e depois veio a voz de Caminhão, quase perdida em meio ao estrondo de uma explosão:

– *Você acha?*

Pan sentiu o impacto nos pés, como se toda a escola estivesse prestes a colapsar. Então começou a correr.

– Ei, e eu? – gritou Marlow atrás dela.

– Fique aqui se quiser! – gritou por cima do ombro. – Mas, se está planejando sobreviver a este dia, sugiro que me siga.

BRIGA! BRIGA! BRIGA!

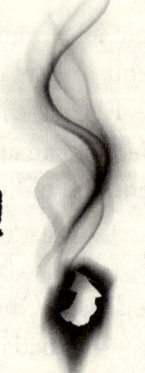

Marlow se levantou com esforço, perguntando-se por um instante se seus pulmões tinham escapado do corpo enquanto ele estava dependurado na beira do telhado. Havia apertado a bombinha sete vezes, mas ainda tinha dificuldade para respirar. Algumas situações eram tão ruins que nem mesmo o Ventolin ajudava. *É, como ser jogado da torre da escola por um cara que pode se teletransportar e ser salvo por uma garota que acabou de voltar do mundo dos mortos.* Sua cabeça também devia ter se desprendido do corpo, porque ele tinha certeza de que a perdera.

Mas ele não estava louco a ponto de ficar ali sozinho. A garota parecia querer vê-lo morto, mas tinha arriscado a vida para salvá-lo. O cara chamado Patrick quase assassinara seu traseiro.

Então foi atrás da garota – *garotas*, embora a menor delas parecesse ter sumido de novo. Cambaleou até a escada, agarrando o corrimão com força porque não confiava na firmeza das pernas. Quando chegou ao corredor deserto no térreo, ouviu ruídos vindo do saguão, gritos e algo que poderia ser um tiro ou uma explosão. Virou-se, pronto para fugir, apenas para esbarrar em alguém que corria na direção contrária.

– Ei! – gritou ele, em pânico, até que reconheceu o rosto de Charlie.

O alívio em vê-lo com vida era quase grande demais, e, antes que soubesse o que estava fazendo, jogou-se no garoto e o abraçou com força.

– O que aconteceu? – perguntou Marlow assim que Charlie se desvencilhou do abraço. – Você sumiu.

– Não faço ideia – respondeu ele. – Num minuto eu estava enchendo de chutes aquele cara e no outro estava lá em cima, na sala de artes. Cara, eu apaguei ou algo do tipo?

– Algo do tipo – respondeu Marlow.

Com um estrondo poderoso, as portas do saguão foram arrancadas das dobradiças, arrebentando uma fileira de armários e fazendo piruetas corredor abaixo. Marlow mergulhou no chão para sair do caminho, olhando para cima a fim de ver o que diabos tinha acontecido ali. O saguão parecia ter sido incendiado, as chamas lambendo as paredes e um fluxo de fumaça grossa e preta subindo. Havia silhuetas em meio ao caos, vultos que iam para a frente e para trás de forma tão rápida e errática que poderiam ser feitos de sombras e fumaça.

– Vamos – disse Charlie. – Precisamos dar o fora daqui.

Um lampejo estrondou no corredor, e de repente Patrick estava lá, a apenas alguns metros, envolvido em uma bola de fogo. Teve tempo de limpar o casaco antes que um vulto borrado viesse correndo do saguão e trombasse nele. Os dois colidiram contra a parede com tanta força que o gesso rachou. Em meio à poeira, Marlow enxergou a garota do telhado sentada no peito do cara, os punhos se movendo tão depressa quanto uma furadeira. Patrick conseguiu levantar a mão, mas a garota era rápida demais e sumiu numa efervescente silhueta luminosa. A parede atrás dela desapareceu, como se alguém a tivesse arrancado da realidade. Com um lamento de uma baleia moribunda, o teto rachou e despencou, as janelas explodindo numa saraivada de cacos de vidro.

Patrick se levantou com esforço, mal notando a presença de Marlow. Saiu correndo em direção ao buraco na parede, mas a garota surgiu na frente dele, fazendo-o tropeçar e cair. Em seguida estava em cima das costas dele, batendo o rosto do rapaz contra o piso. Patrick vociferou e sumiu, reaparecendo um instante depois atrás da garota. Parecia exausto, mas teve forças para agarrar o pescoço dela, sufocando seus gritos. Ela deu um passo para trás e conduziu os dois pelos ares, até outra fileira de armários, criando um buraco no metal. Mas ele não a soltou, apertando tão forte que o rosto dela estava ficando azul.

– Ei! – gritou Marlow. – Larga ela!

Patrick não lhe deu a mínima atenção. Marlow fez menção de se aproximar deles, sem ter certeza do que planejava fazer, mas sabendo que tinha que fazer alguma coisa. A fumaça do salão envolvia seus pulmões como se fossem dedos.

– Marlow – disse Charlie atrás dele –, está louco? Vamos embora!

Ouviu-se outra explosão no salão, e Marlow se virou a tempo de ver um homem abrir caminho por entre as chamas. Ele era imenso, maior do que Zé Colmeia, e seu rosto era como o de um buldogue que tivesse engolido um punhado de abelhas. Ele veio pelo corredor, ganhando velocidade a cada passo. O grandalhão estendeu o punho fechado, que tinha o tamanho de uma luva de beisebol, e atingiu o rosto de Patrick, lançando-o pelos ares. O cara foi projetado como se fosse uma boneca de pano, com tanta força que atravessou as portas do outro lado do corredor. Então o grandalhão se agachou ao lado da garota, que retomava o fôlego.

– Tudo bem com você, Noite? – perguntou em uma voz que mais parecia um trovão. Ela fez que sim e deixou que ele a ajudasse a se levantar. Tanto o cara quanto a garota se viraram e olharam para Marlow, dispensando-o de um jeito que o fez se sentir aliviado e desapontado ao mesmo tempo. – Vou pegar Patrick – disse o cara. – Vá ver se Pan está bem.

Eles se dividiram, mas apenas por um segundo. Depois de alguns passos, o grandalhão parou de andar e colocou a mão na cabeça como se estivesse sentindo dor. Cambaleou e apoiou-se na parede. Depois se virou, dando meia-volta. Havia algo diferente em seu rosto, a boca caída, os olhos sem foco. E a forma como caminhava fez Marlow se lembrar dos filmes antigos de zumbi. Era quase cômico, até que ele chegou perto de Noite e a envolveu com seus braços grossos como troncos de árvore em um abraço de urso. Ela gritou, tentando se desvencilhar, enquanto ele a erguia do chão.

– Caminhão! Pare! O que está fazendo?

– Não... – protestou ele, o nariz sangrando. – Não... sou eu...

A garota se contorcia com tanta rapidez que se tornou apenas um borrão de novo, como se o cara estivesse agarrando uma miragem. Os olhos de Marlow doíam só de olhar. Deu um passo para trás, sentindo as mãos de Charlie em seu braço, segurando-o.

A garota loira surgiu no salão. Seu rosto estava ferido, mas os olhos eram frios e estavam mais fixos do que nunca. Ela entrelaçava os dedos à sua frente, os braços estendidos como antes, sussurrando alguma coisa bem baixinho. O que Pan tinha dito lá no telhado? Que a garota era uma *Leitora*? Cada movimento de suas mãos mexia uma corda invisível, como se ela fosse uma mestra de marionetes e o grandalhão, seu brinquedinho. Ela apertou as mãos com força, e algo dentro de Noite estalou como um tiro.

– Mate ela – disse a garota. – Mate ela mate ela mate ela.

Marlow soltou Charlie e agarrou a primeira coisa que viu – um extintor de incêndio. Soltou o pino do cabo, como se fosse uma granada, e depois o acionou. Uma névoa branca de dióxido de carbono esguichou da ponta e encheu o corredor. Ele tentou não respirar, mas não havia nada que pudesse fazer, o gosto acre preenchendo sua boca, invadindo seus pulmões castigados. Acionou o extintor mais uma vez, avançando e direcionando o jato para a garota.

Ela tossiu, usando o ombro para secar os olhos marejados. Mas as mãos ainda continuavam seu trabalho, manipulando as cordas de Caminhão.

Marlow ergueu o extintor de incêndio acima da cabeça e avançou na direção dela, pronto para nocauteá-la e tirá-la da equação.

Mas não teve chance.

De repente a garota gritou, caindo sobre um dos joelhos. Ela levou os dedos ao ombro, e Marlow viu uma espécie de flecha ensopada de sangue fincada em sua roupa. Pan avançou salão adentro, recarregando a balestra no caminho.

– Caminhão, você está bem? – perguntou ela enquanto andava, levantando a balestra e mirando na cabeça loira da garota. Caminhão olhava as próprias mãos como se não confiasse mais nelas, e a garota chamada Noite estava encolhida em um amontoado de membros trêmulos aos pés dele.

– Sim – disse Caminhão. – Sinto muito.

A irmã de Patrick tentava se levantar, uma das mãos para cima, tremendo como se pertencesse a uma velha. Marlow sentiu uma pontada de angústia atravessar a parte frontal de sua cabeça e percebeu que cambaleava pelo corredor em direção a Pan, outra pessoa no controle.

Não!, ordenou seu cérebro em um ganido, e sentiu a posse telepática da garota hesitar – não muito, mas o suficiente para lhe permitir livrar-se dela. Ele atirou o extintor. Foi um golpe de sorte, que a atingiu na têmpora e a levou ao chão. Ela ficou deitada, imóvel, apenas o leve movimento do peito indicando a Marlow que ele ainda não havia se tornado um assassino.

Sua arma atingiu o chão com um estrondo, e ele pegou a bombinha, agitando-a. Não tinha sobrado muita coisa. Outro acesso de vertigem o tomou, e teve que sentar no parapeito da janela para impedir que o mundo desse piruetas. Charlie surgiu a seu lado, o rosto uma máscara de choque e descrédito, como se tivesse acabado de sofrer um acidente de carro. Marlow imaginou que seu rosto devia estar igual. Só que não era um acidente de carro, e sim um acidente de realidade.

Pan aproximou-se da garota e encostou a bota nela para averiguar se estava mesmo inconsciente. Pegou a flecha e a arrancou, espirrando um jato de sangue no ar. Limpou-a na calça e a deslizou na aljava, e só então estendeu a mão para Noite.

– Tudo bem com você? – perguntou, ajudando a garota a se levantar.

– Tudo – sussurrou Noite, e sua voz era um murmúrio de uma velha. Tossiu e olhou para o grandalhão. – Não é a primeira vez que ele avança o limite da intimidade, não é, Caminhão?

– Ei – disse ele, encolhendo os ombros, envergonhado. – O que posso dizer? Gosto de abraçar. – Olhou para trás, para o fim do corredor. – Ainda temos um à solta, e ele vai estar... É, imaginei.

Todos os olhares se voltaram para assistir ao retorno de um Patrick cambaleante porta adentro. Parecia ter sido atropelado por um trem, um dos braços pendendo na lateral do corpo – solto demais, provavelmente deslocado –, o outro tateando o caminho ao longo da parede. Pan deu um passo à frente do grupo, mirando a balestra nele. Seria um bom disparo de onde estava; uns vinte metros os separavam.

– Deixe Brianna em paz – disse Patrick, cuspindo algo que poderia ser um dente. – Não se atreva...

– Não se atreva a quê? – retrucou Pan, balançando a balestra para trás até que estivesse mirando a cabeça da garota. – Matá-la? Por que não? Você ia me matar, nos matar.

Patrick cambaleou mais alguns passos, fazendo uma careta. A mão que não estava machucada se dobrou, mas a magia que possuía antes, fosse qual fosse, parecia tê-lo deixado exaurido. Parou a meio caminho no corredor.

– Ela é minha irmã – disse ele, quase implorando. – Me devolva ela e nós iremos embora, prometo.

– Tarde demais – respondeu Pan. – Se você está no jogo, então aceite as consequências. Você pode ir. Mas ela fica com a gente.

– Por favor – pediu ele.

Pan inclinou a cabeça para o lado, como se algo zumbisse em sua orelha. Ela levou a mão livre até lá. Marlow também sentiu, um murmúrio baixo e profundo no crânio, como quando você ouve o metrô vibrando através das grades. Balançou a cabeça, tentando ignorar a sensação de algo rastejando em seu cérebro.

– Você tem três segundos – disse Pan. – Saia da minha frente, ou juro por quem construiu os Motores que vou enfiar uma flecha bem no meio da cabeça dela. Um.

Patrick deve ter visto algo na expressão dela, porque seu corpo se enrijeceu, os olhos tão tomados de ódio que não pareciam humanos. Ele apontou o dedo para Pan, que balançou a cabeça em advertência.

– Não – disse ela, a cabeça ainda tensa com o desconforto. – Dois.

– Brianna, vou voltar para buscar você, prometo – disse ele, quase chorando. Depois falou para Pan: – E você vai pagar por isso.

Ela soltou uma risada amarga.

– É, todos vamos pagar por isso. Meu deus, o que *está acontecendo*?

A sensação estava ficando mais forte, um tremor que parecia tomar conta de todo o corredor. O que tinha sobrado de vidro nas janelas chacoalhava, o tremor no piso dando a impressão de ser um rio de gelo. Aquilo parecia mais do que nunca o metrô, como se houvesse um trem rugindo na direção deles. Só que o que estava a caminho era pior que um trem. Marlow sentiu nas vísceras; um mal-estar que brotava do medo, um instinto primitivo que lhe pedia para correr, correr e nunca mais parar. Os outros pareciam estar sentindo também, fosse lá o que fosse. Pan e os amigos se entreolharam, nervosos. Marlow se voltou para Charlie, mas ele tinha um olhar distante, perdido no horror dos últimos vinte minutos.

Patrick começou a se afastar, então suas mãos foram rápido até a cabeça, agarrando-a como se tentasse impedir que ela saltasse dos ombros. Parecia estar ficando três tons mais pálido na mesma quantidade de segundos.

– Não não não – murmurou, cambaleando para trás. – Não não por favor não não ainda não não não.

Ele olhou de novo para Pan, e dessa vez sua expressão era de puro horror.

– Tire minha irmã daqui, *por favor*! – gritou. Virou-se tão depressa que quase tropeçou nos próprios pés, abrindo caminho porta afora, seus gritos agudos ecoando pelo corredor e chegando até eles. – Ele está a caminho. Ele está a caminho. *Ele está a caminho!*

Seu medo era contagiante, e a pele de Marlow foi gelando, o couro cabeludo se esticando. Ele olhou para Pan. Ela balançava a cabeça, e, quando voltou a encará-lo, seus olhos estavam arregalados e repletos de medo.

– Herc – disse ela, falando para o rádio em seu colarinho. – Por favor, me diga que ele está enganado.

Ela ouviu a resposta e se apoiou na fileira de armários destruídos. Toda a escola parecia vibrar, como se um rolo compressor estivesse prestes a estraçalhar o prédio. O zumbido no crânio de Marlow estava mais forte, como se mil moscas-varejeiras fizessem um banquete em seu cérebro.

– O que está acontecendo? – perguntou. – Pan?

Ela se afastou dos armários, os passos trôpegos, sem nunca tirar os olhos de Marlow.

– Ele está a caminho – disse ela, a voz como a de uma criança que escuta um barulho embaixo da cama no meio da noite. Parecia ter a metade da idade que tinha, uma menininha perdida. – Ai, meu deus, ele está a caminho.

– Quem? – indagou Marlow. O teto rachou ali perto, enchendo o corredor de nuvens ondulantes de poeira, como se também precisasse encontrar uma saída rápida. – Pan, quem?

– *Ele* – disse ela, a palavra não mais do que um soluço. – *Mammon*.

MAMMON

Pan nunca tinha se sentido assim. Nem mesmo na primeira vez que estivera no Motor, afundando na escuridão infernal do abismo, sem saber se sairia dali com vida. Nem na primeira vez que *a* vira, a criatura que vivia na máquina, aquela que ansiava por sua alma. Nem na primeira vez que vira os demônios, toda a sua magnitude esgueirando-se dos destroços do mundo que haviam possuído. Nem mesmo quando era criança, observando os pais brigarem, vendo o pai bêbado levantar o punho fechado e descarregar sua fúria nela e na mãe.

O medo era outra coisa, algo tão pouco familiar que era quase de outro mundo. Era uma coisa física, uma ardência fria na barriga, cócegas dolorosas como se os dedos sujos de alguém se enfiassem por entre suas vértebras. Sua cabeça era uma profusão de ruídos brancos.

Ele estava a caminho.

Ela se forçou a colocar um pé depois do outro, mas até isso era difícil. Seu corpo – sua mente – estava à beira do colapso total. Tudo o que queria era deitar e morrer, porque qualquer coisa – literalmente qualquer coisa – era melhor do que ficar diante *dele*. Sua visão escureceu, alucinações de carne em decomposição passando em flashes pelas ruínas do corredor.

Tentou ignorá-las. Ostheim a alertara de que seria assim, se um dia ela ficasse perto de um dos Cinco. Os membros da Pentarquia eram aberrações, monstros que tinham usado o Motor por vezes demais. Não eram humanos, não mais. Não eram Engenheiros nem demônios. Eram alguma coisa horrenda no meio do caminho. E Mammon era o pior, uma força da mais completa maldade que corrompia tudo que tocava. Tudo que ele precisava fazer era sorrir para você, dissera Ostheim, e sua alma apodreceria.

Mammon.

O simples ato de pensar no nome dele já fazia o corredor tremer com mais violência; o piso vibrava tanto que ela quase sentia que os pés não tinham mais onde pisar. Pan se apoiou na parede, gritando quando sentiu algo macio e úmido ali, algo que se *movia*. O reboco se desfazia, e, por baixo, uma massa sólida de vermes se contorcia, como se o prédio fosse feito deles. Ela recuou, observando enquanto mais partes da fachada caíam, libertando uma torrente de insetos e aranhas que se derramavam no chão. Outros caíram do teto, tamborilando em sua cabeça como enormes gotas de chuva. Algo desceu se enroscando por dentro de sua roupa, e ela quase engasgou. Não podia ser real, mas era – os Cincos debochavam das leis da física.

– Pan? – chamou uma voz atrás dela, mas a garota estava amedrontada demais para se importar com quem era. Herc berrava em seu ouvido, mas a linha estava abafada pela estática. Ela correu, esmagando aranhas com a bota. O piso ficava cada vez mais macio, como se derretesse sob o peso de tantos corpos em movimento. Os pés de Pan começaram a grudar, e ela teve a terrível sensação de que estava presa em um pesadelo, de que em breve estaria inteiramente paralisada.

– Por aqui! – Uma mão sob seu braço a puxou com tanta força que ela foi tirada do chão, sendo balançada até a janela. Era Caminhão, levando Brianna inconsciente sobre o ombro. Uma gota de sangue escorria da ferida no olho dele. – Vamos, Pan!

Ele lhe deu um empurrão que quase a catapultou através dos cacos de vidro. Ela se lançou na grama moribunda. Estava muito quente ali, a tinta da moldura das janelas se enchendo de bolhas.

Alguém berrava ali perto, um grito agudo, insuportável e infindável. Ela não o culpava, fosse quem fosse. O mundo estava literalmente se despedaçando, desmoronando. O prédio da escola caía aos pedaços ao redor deles, os tijolos desabando da torre, as paredes se dissolvendo como papelão em uma tempestade. A terra estava mudando, criaturas que podiam ser minhocas ou sanguessugas rastejavam pela grama, pelo solo, mais ainda pelo concreto, contorcendo-se em movimentos patéticos enquanto viravam churrasco.

Pan.

Algo disse seu nome, e a força dessa coisa quase a fez cair de joelhos. A palavra conjurou mais visões de coisas mortas, cadáveres com os dedos esqueléticos em riste apontando na direção dela. Pan reconheceu seus mortos, os que tinha matado ou deixado para morrer, e cobriu o rosto com as mãos. Aquilo era demais, demais.

Uma mão em suas costas a guiava. Ela abriu os olhos e viu Marlow e seu amigo. Eles corriam também, corpos moles acumulando purulência a seus pés. Viraram em um canto da escola – nada além de uma coluna de tijolos desabando – e viram Herc, que acenava para eles como um maníaco ao lado da van.

– Querem morrer? – berrou ele, e havia uma insanidade em seu olhar, um horror lunático que de alguma forma era pior do que o medo que ela sentia.

Por que está correndo, Pan? A voz dele, de Mammon, foi injetada em seus ouvidos por uma agulha longa e fina. A voz se desmembrava, assumindo o tom de um adulto e o de uma criança, de um homem e de uma mulher, como se uma centena de pessoas falassem com ela. *Temos tantas coisas para conversar, eu e você.*

– Não – disse ela, apertando os dedos nas têmporas. A dor era algo bom. Melhor ter uma cabeça repleta de agonia do que uma repleta *dele*.

– Ignore – disse Herc, correndo até onde ela estava. Ele e Marlow a colocaram na van, e ela se jogou no banco. O veículo dava solavancos, a rua inteira vibrando. – Entrem *agora*! – berrou Herc, esperando os outros entrarem para então fechar a porta. Enfiou o pé no acelerador, e o veículo deu um salto, os pneus gritando no asfalto.

A van não saiu do lugar.

Não precisa correr, disse a voz, mais alta, como se fosse um sussurro no ouvido dela. Pan teve que se virar no banco para se assegurar de que Mammon não estava atrás dela. Sentia-se quase aliviada, até que olhou pela janela traseira.

A rua que levava à escola estava mudando, *se alargando*, como se uma força invisível empurrasse os prédios para o lado. Não, não uma força invisível. Ela podia ver algo no centro, uma bola de escuridão cegante que lentamente se estabelecia rua acima. Havia uma silhueta dentro da bola, o vago formato de um homem. E, embora o rosto dele estivesse obscurecido pela luminosidade inconcebível, ainda assim ela o via, queimando suas retinas – um rosto cruel, um sorriso de coringa e dois olhos pretos lunáticos transbordando como potes de tinta tombados.

Não há para onde correr, disse ele com uma voz que parecia sair de um disco tocado na velocidade errada. *Venha até mim, tenho tanto a te oferecer.*

– Herc – disse ela, sentindo gosto de sangue na boca. – Precisamos ir. *Agora.*

– Abaixe o freio de mão! – gritou Caminhão, a van vibrando, mas ainda bem presa ao solo enquanto os pneus giravam.

– Já abaixei! – berrou Herc. Ele gritava, afundando o pé no acelerador, como se tentasse abrir um buraco no piso da van. Praguejou, esmurrando o volante.

Pan olhou para trás. Nuvens de poeira escura subiam dos pneus quentes, mas a garota ainda enxergava Mammon através delas, tão perto, arrastando-se pela rua como um leviatã. Os prédios pareciam sair do caminho dele, como se preferissem se implodir a bloquear a passagem dele. Janelas se estilhaçaram, tijolos explodiram como se estivessem sendo forçados a ceder, a calçada se agitou até virar poeira, ondulando como se fosse água. A visão fez Pan pensar em um quebra-gelo abrindo caminho realidade adentro.

Não há nada que eu não possa fazer, disse ele, e havia sons na cabeça de Pan, alguém lambendo os lábios, um ataque de riso insano, gritos, choro de bebê, tudo ao mesmo tempo, como uma trilha sonora sádica ameaçando ensurdecê-la. *Não precisa correr.*

— Herc, por favor, tire esta van do lugar — pediu ela.

O motor rugia, ameaçando explodir. Mammon se aproximava da traseira do carro, aquele orbe de luz tomando conta da rua inteira. Alguém passou correndo pela van, trombando nela, depois cambaleou até sumir na nuvem de poeira. Pan viu que ele não tinha olhos, só dois buracos na cabeça, de onde os órgãos tinham sido extraídos. Ela correu o olhar pela van e viu horror dentro dela: Marlow e o outro garoto apertavam o rosto com as mãos, tentando tirar Mammon da cabeça. Noite estava encolhida como uma bola debaixo de um dos bancos, soluçando. Caminhão parecia prestes a ter um aneurisma rompido, os olhos inchados e vertendo sangue.

— Herc, por favor! — pediu ela. Porque, se não começassem a se mexer, Mammon os alcançaria, e seria o fim. Ostheim tinha razão, ele podia rasgar a alma com um simples toque, mandar todos eles para as partes mais profundas e obscuras do inferno. Em comparação com ele, os demônios eram velhos amigos, quase gentis em sua estupidez. Mammon era o mal puro, sem diluição. Pan percebeu que chorava. — Por favor, Herc. Não consigo mais suportar.

Eu sou seu salvador, Pan. Você pode não saber ainda, mas vai saber. Você virá até mim.

— Não! Não! — gritava ela, as mãos segurando o rosto, desejando desejando desejando que pudessem sair dali. Ouviu passos, sentiu algo puxar a parte de trás de seu colete. Quando abriu os olhos, viu Marlow mexendo na balestra. Ele se esgueirou até passar por Pan e usou a coronha para abrir um buraco no vidro traseiro. Depois enfiou a balestra na abertura e mirou.

Mirava muito baixo, a flecha ia cair antes da hora.

Pan estendeu a mão e deu um tapa no braço de Marlow assim que ele efetuou o disparo. A flecha subiu muito, e por um segundo pareceu que ia parar longe. Mas então ela perfurou a bolha de Mammon. Só uma lasca de ferro, do tamanho de uma caneta. Mas o metal tinha sido extraído do próprio Motor e era poderoso. De repente fez-se um clarão de luz negativa, tudo escurecendo, como se o sol tivesse virado de ponta-cabeça.

A van deu um solavanco para a frente, arremessando Pan contra Marlow no banco, ambos amontoados em um canto. A aceleração tirou o fôlego da garota, que se segurou em Marlow enquanto derrapavam em uma curva, depois em outra, a van rugindo ao se desviar de veículos menores pelo caminho.

Você não pode correr para sempre, disse Mammon, uma centena de vozes gritando de um hospício. *Vou te encontrar.*

Dobraram mais uma esquina e a voz foi sumindo, carbonizada por uma explosão de estática.

Vou te encontrar, e você vai queimar...

Ela enterrou o rosto no peito de Marlow, sentindo os braços dele apertados em volta de seu corpo. Arquejou, ambos soluçando enquanto deixavam a insanidade para trás, aquela voz apenas um eco insuportável sussurrado bem no meio de seu cérebro.

Você vai queimar...

FRESH KILLS

Marlow não sabia quanto tempo tinha se passado até que a van freasse. Podiam ter sido minutos, mas pareciam dias. Levantou a cabeça, o mundo aos poucos entrando em foco. Pan estava deitada a seu lado, descansando a cabeça no peito dele, e ela também se mexeu, piscando algumas vezes como se tivesse acabado de acordar. Só demorou alguns segundos para que fechasse a cara e o empurrasse. Ela parecia em choque, o corpo todo trêmulo, e o ranger de dentes era o ruído mais alto em meio àquele silêncio repentino.

Marlow se levantou com esforço, gemendo. Era como se tivesse acabado de correr uma maratona; cada músculo doía. Virou a cabeça para a esquerda, depois para a direita, os tendões tão rígidos que poderiam se romper. Não enxergava muito bem o que havia do lado de fora, mas viu o céu azul e ouviu gaivotas, bem como o suave movimento das ondas. O ar quente e azedo se infiltrou na van pelas janelas quebradas, e Marlow inspirou fundo, imitando com maestria uma gaita de fole. Pegou a bombinha e a pressionou até a tensão começar a se dissipar. Quantas doses ainda tinha? Dez, vinte, na melhor das hipóteses.

— Todo mundo bem? — perguntou Herc em um tom de voz baixo, como se não quisesse assustar ninguém. Ele olhou de um lado para outro, o rosto pálido captando a luz que penetrava pelo para-brisa.

— Aham — retrucou Pan. — Estou ótima, nada a reclamar.

Ela abriu caminho por entre os outros, pegou a maçaneta e puxou com força. A van devia ter batido durante a viagem, porque a porta estava emperrada.

— Caminhão? — disse Pan. — Que tal se fazer de útil um pouquinho, pra variar?

O grandalhão não respondeu; limitou-se a ficar olhando alguma coisa que só ele podia ver. Seus olhos tinham uma crosta de sangue seco, dando a impressão de que estava com maquiagem de palhaço. Pan o chutou, sem gentileza nenhuma.

— Ei, *Caminhão*, estou falando com você.

Ele saiu do transe, mas pareceu precisar de mais um instante até entender onde estava. Levantou-se com esforço, abaixando-se para impedir que a cabeça atravessasse o teto. Resmungando, deu um empurrão na porta, que se soltou como se fosse feita de compensado, indo parar no meio do asfalto. Pan saltou para fora e se deteve um pouco para sentir o sol, a brisa despenteando o cabelo curto.

— De nada, Caminhão — disse Caminhão em um *falsetto* que era ainda mais grave que a maioria das vozes masculinas. — Não sei o que faria sem você, Caminhão. Cara, você é tão forte. Você é meu herói, Caminhão.

A suspensão da van deu um solavanco quando ele desceu. Noite foi a próxima, pegando a mão estendida de Caminhão enquanto dava um salto ágil até o chão. Marlow também queria sair — a van fedia a fumaça e suor, lembrando-o do que tinha visto fora da escola.

Pois é, disse sua cabeça, *o que foi aquilo?*

Parecia o fim do mundo. Algo inimaginável — literalmente, mesmo agora, sabendo o que tinha visto, não era capaz de formar uma imagem do que era aquilo. Tudo que vinha à mente quando tentava lembrar era um buraco negro em sua memória, como se alguém tivesse recortado a lembrança. Apertou os dentes em um dos nós dos dedos bem sujo, mastigando-o, grato por ter a dor como distração.

— Aquilo foi... impressionante — disse Charlie atrás dele. Quando Marlow se virou para o amigo, mal o reconheceu. O rosto de Charlie estava deformado e abatido, os olhos tão injetados que não pareciam humanos. — Por favor, digam-me que eu estava doidão.

Marlow teria rido se lembrasse como. Herc se debruçou sobre a parte de trás do banco, analisando a garota da escola — ainda apagada — e depois os outros. Suas sobrancelhas cercadas por cicatrizes se juntaram até formar uma careta.

— Por favor, me digam que eu *ainda* estou doidão — disse Charlie.

— Você está com tudo no lugar? — perguntou Herc a Marlow, que não soube o que dizer, então só assentiu. Como uma reflexão tardia, apalpou as pernas, o peito, a virilha, só para confirmar. Tudo parecia estar onde deveria. Herc pigarreou, limpando a boca com o punho. — Você conhece esse cara.

— Quem, Charlie? — disse Marlow. — Conheço, claro. É meu amigo.

— Que vergonha — respondeu Herc.

— Hã? — perguntaram Marlow e Charlie ao mesmo tempo.

— Nada. Vamos. — Herc coçou a nuca, resmungando, então abriu a porta do motorista e saiu. Marlow o ouviu falar sobre um helicóptero enquanto caminhava pelo estacionamento.

Marlow continuou imóvel, rangendo os dentes para conter a dor. Não tinha ido muito longe antes que o braço de Charlie se estendesse e agarrasse seu punho. À meia-luz da van, seus olhos pareciam enormes.

– Marlow – foi tudo que falou, mas havia uma pergunta ali. Marlow pôs a mão sobre a do amigo e apertou-a com firmeza.

– Está tudo bem – disse ele, depois acrescentou: – Na verdade, não está tudo bem. Nem um pouco. Não posso explicar, mas esses caras podem.

Ele ajudou Charlie a se levantar, e eles se arrastaram pela van até saltarem no pequeno estacionamento. Seu nariz lhe contou que lugar era aquele antes mesmo de seus olhos, o aroma agridoce do aterro Fresh Kills reconhecível de imediato. A van estava estacionada ao lado do rio, protegida por um pelotão de escavadeiras e depois por uma montanha de dejetos. Do outro lado da água estavam as colinas, as árvores e as flores selvagens de Island of Meadows, e só de olhar para elas Marlow sentiu o peito um pouco mais leve, como se estivesse no campo, e não no fim do mundo que era Staten Island. Inspirou fundo, retendo o ar, depois soltou-o pela boca – algo que sua mãe o ensinara a fazer quando sentisse que uma crise chegava, quando precisasse se acalmar. Soava um pouco como se estivesse tocando flauta.

Todos se espalharam pelo local, andando meio sem destino, a tensão se esvaindo coletivamente. Pan estava à beira da doca, mãos no quadril, contemplando o horizonte, e, mesmo depois do que tinha visto, apesar de tudo que achava que sabia estar desmoronando, ele não resistiu e admirou a vista.

– É, agora eu sei como você se enfiou nessa confusão – disse Charlie. O menor dos sorrisos dançou ao redor de sua boca, uma borboleta tentando pousar. Marlow sentiu as bochechas esquentarem e balançou as mãos, ignorando as palavras do amigo. Charlie inspirou para conter uma risada. – Sempre falei que correr atrás de rabo de saia ia te causar problemas, só não imaginei que seria assim.

– Nem me fale – disse Marlow.

– Achei que você tivesse dito que não estava interessado – disse Herc. Ele se inclinou sobre a van, parecendo ainda mais velho do que quando Marlow o conhecera. Ali fora, debaixo do sol, cada uma das cicatrizes dele parecia reluzir. Havia tantas que era como se tivesse sido costurado com retalhos de pele de outras pessoas. – Na porta número um.

– Por favor, me explique do que ele está falando – pediu Charlie.

– Por que você não explica? – perguntou Marlow. – Pra gente, quero dizer. Acho que merecemos. Salvamos a pele de vocês hoje.

Herc assentiu, relutante.

– Ei, Pan – chamou ele. Ela não respondeu, e ele gritou o nome dela de novo, três vezes, até que ela se virou e o olhou feio.

– *Que foi?*

– Acho que precisamos conversar.

– É? – perguntou Pan, marchando na direção deles. Seu rosto estava tão tomado de raiva que Marlow recuou sutilmente, protegendo-se atrás de Charlie. – Sobre o quê? Sobre o fato de que *ele* estava lá? Sobre o fato de que ele quase nos pegou? Meu deus, Herc, que raios Ostheim estava pensando? Ele nos colocou no olho do furacão para que pudéssemos usar esse idiota magricela como isca só porque havia uma pequena chance de conseguirmos pegar um peixe.

– Peraí, *o quê?* – retrucou Marlow.

Ela o ignorou, apontando o dedo para Herc.

– Ele não tinha o direito de fazer isso. Você sabe o que teria acontecido. Mais cinco segundos e seria nosso fim. Estaríamos piores do que mortos, Herc.

Ela enxugou os olhos com a mão, as lágrimas deixando uma trilha no rosto coberto de poeira.

– Mais cinco segundos. Primeiro Forrest, agora isso. Ele está ficando ousado, Herc. Ostheim está arriscando tudo. Ele vai mandar todos nós para o inferno.

Herc suspirou de novo, cutucando a poeira com a bota.

– Quem era ele? – perguntou Marlow. – Quer dizer, o quê. Ou quem. Não sei.

– Ah – disse Pan, disparando-lhe um olhar que poderia ter deixado um orifício de saída do tamanho de um punho na parte de trás do crânio dele. – De repente decidiu que quer participar? A última coisa de que lembro é você amarelando porta afora como um covarde.

– É? – retrucou Marlow. – A última coisa de que lembro é usar uma balestra surrada do Warcraft para atirar numa aberração de olhos de inseto em uma bolha do mal enorme.

Eles se encararam por um momento, a raiva fervilhando nas vísceras de Marlow. Suas mãos doíam, e ele notou que seus punhos estavam tão cerrados que as unhas tinham se afundado nas palmas. Não tinha certeza se queria dar um soco ou um beijo na garota.

– Nada disso – disse ela. – Você estava prestes a dar uma flechada no próprio pé. Sorte que eu estava lá.

Um soco, sem sombra de dúvida.

– Por que sinto que não estou entendendo a piada? – falou Charlie. – O que aconteceu com vocês?

– Não – disse Marlow, balançando as mãos como um maestro. – Comecem pelo começo. Me contem as coisas que esqueceram de mencionar naquele dia. Preciso saber.

Herc e Pan se entreolharam.

– Tem certeza de que está pronto? – perguntou Herc. – Você não vai acreditar.

Marlow riu, mas sem nenhum senso de humor. Depois do que tinha visto nas últimas quarenta e oito horas, mais ou menos, era impossível saber no que acreditar. Herc olhou para Pan com expectativa. Ela parecia prestes a argumentar, mas deu de ombros e voltou a olhar para o horizonte. Levou uma eternidade até que começasse a falar:

– O que vocês diriam se eu contasse que existe uma máquina capaz de realizar qualquer desejo?

– Eu diria para esperar um pouco enquanto eu ligo para a divisão de narcóticos da polícia – respondeu Charlie. – Porque é evidente que vocês fumaram alguma coisa muito estragada.

Ninguém riu. Pan nem mesmo deu atenção ao comentário.

– Uma máquina que pode fazer qualquer coisa – continuou. – Que pode fazer de você... um super-humano.

– Ah, qual é! – exclamou Charlie. – Isso é idioti...

– Caminhão! – gritou Pan para o outro lado do estacionamento. O grandalhão estava debruçado sobre uma escavadeira, bebendo água de uma garrafa. – Mostre a eles. Como se já não tivessem visto...

Caminhão engoliu, recolocou a tampa na garrafa, depois pegou a escavadeira pela esteira e a levantou. O veículo se inclinou em um ângulo de quarenta e cinco graus, a estrutura protestando, indignada. O grandalhão o manteve assim por alguns segundos, depois o soltou. A escavadeira caiu pesadamente, oscilando para a frente e para trás como uma cadeira de balanço. Caminhão nem transpirou; só pegou a garrafa de volta.

– Esse cara não tem senso de aventura – comentou Pan. – Toda vez a mesma negociação. Ei, Noite – chamou a garota sentada na doca. – Tem um segundo?

Noite fez que sim com a cabeça. Então, em um repentino borrão de movimento, ela estava ao lado deles. Charlie deixou escapar um gemido, cambaleando para trás, em choque. Embora tivesse visto esse truque na escola, Marlow precisou fechar a boca com a mão para impedir que o maxilar chegasse a seus pés. Ali, em plena luz do dia, longe do pânico e da violência, aquilo era uma loucura. O que presenciava era impossível. Ninguém podia se movimentar daquela forma, pois a mera força de aceleração quebraria seu pescoço como se fosse um graveto.

– Que foi? – perguntou Noite, arfando um pouco.

– Nada – respondeu Pan. Noite franziu o cenho e movimentou os lábios em um *afff*, mas sem emitir som. Depois correu de volta até a beira do rio, um borrão colorido que fez Marlow pensar em um martim-pescador que vira na televisão certa vez.

– Isso não pode ser… *não pode* ser real, Marlow – disse Charlie. Ele não parecia mais chocado, nem mesmo surpreso. Só parecia triste, como alguém que tivesse descoberto que o universo vinha tirando uma com a cara deles.

– É real – afirmou Pan. Ela foi até a van, deu uma olhada na garota e pegou uma garrafa de água em uma bolsa de viagem. Jogou o objeto para Marlow, que o pegou no ar, desenroscou a tampa e sorveu um grande gole. Só então ele percebeu como estava com sede, a boca praticamente uma lixa, tão seca que quase trincou enquanto a água a preenchia. Ele virou três quartos da garrafa antes de se lembrar de Charlie, então lhe passou o restante. O amigo pegou, mas não bebeu; só deixou a garrafa pendurada junto à lateral do corpo enquanto Pan se juntava a eles.

– Mas como? – perguntou Marlow, com a sensação de que suas baterias tinham sido recarregadas, a água tornando tudo menos confuso.

– A verdade é que não temos certeza – disse Pan. – Tudo que sabemos é que essa máquina, o Motor, é algo muito antigo, uma coisa que… que não pertence a este mundo. Foi descoberta durante a guerra, no subterrâneo das ruas da antiga Europa. Ninguém sabe quem a construiu. Para ser sincera, ninguém sabe nem como alguém *poderia* tê-la construído. Até hoje contamos mais de oitocentos milhões de partes móveis, e há partes das quais nem chegamos perto ainda.

– Uma máquina? – perguntou Marlow. – Não entendo.

– Então que tal me deixar terminar? – retrucou Pan. Marlow levantou as mãos em rendição.

– O Motor… É difícil descrever, você precisa ver com os próprios olhos. Tem tantas partes móveis que é mais como uma… uma criatura, e não uma máquina. É quase inteligente. – Ela estremeceu, e Marlow viu o arrepio vir à tona nos braços dela. Pan esfregou os membros para disfarçar, ainda olhando para o nada. – Ela pode te dar qualquer coisa. Tudo que você precisa fazer é desejar. Força, como Caminhão, ou a capacidade de correr mais rápido que a velocidade do som, como a Rouxinol da Noite. Eu já fui invisível, já tive a capacidade de ler mentes, de *controlar* mentes. Já fui capaz de voar. – Ela sorriu, claramente se lembrando de algo bom.

– Você voltou do mundo dos mortos – disse Marlow, e o sorriso dela sumiu como um rato ao ver a sombra de um gavião. Ela o encarou como se fosse culpa dele, depois confirmou com um gesto de cabeça.

– É, ela pode fazer isso também. Pode fazer praticamente qualquer coisa.

– Mas como? – perguntou Charlie. – Como é possível?

– É porque não é uma coisa humana – respondeu Pan.

– Alienígena? – sugeriu Charlie.

Pan fez que não com a cabeça.

– Não. Não que a gente saiba. Não é alienígena.

– Então é o quê? – perguntou Marlow.

– Algo pior – retrucou ela. – Já ouviu falar de *Fausto*?

O nome não lhe era estranho, mas Marlow não se lembrava de onde o conhecia.

– Parece o nome de um jogador – disse Charlie.

Pan balançou a cabeça de desgosto.

– É uma história – explicou ela. – Sobre um cara que faz um trato com Satã.

– E o que isso tem a ver com… – começou Marlow, e em seguida franziu o cenho. Sentiu como se algo escuro e frio tivesse explodido em sua barriga. – Espere, o que está dizendo?

Pan chutou a poeira, esfregando o nariz com o dorso das mãos. Seus olhos captaram a luz do sol, e parecia haver lágrimas ali.

– É o que o Motor faz – contou ela. – Permite que você faça um trato com o Diabo.

ELA ESTÁ PARA EXPIRAR

Por um momento, os únicos sons que se ouviram foram o ronco distante do trânsito da via expressa e a correnteza preguiçosa do Rio Fresh Kills. Então o amigo de Marlow, o garoto chamado Charlie, riu. Foi uma risada aguda e desesperada, que depois ganhou um tom lunático. Pan conhecia esse som, era o mesmo que emitira quando haviam lhe contado sobre o Motor pela primeira vez. Ela também mandou Herc se ferrar, assim como vários membros da família dele, e em seguida lhe deu um tapa na cara por fazê-la desperdiçar seu tempo. Lançou um olhar para o velho e abriu um sorriso caloroso. Parecia uma eternidade desde que ele entrara na cela dela e lhe contara que ela tinha outras opções.

Mas não era fácil ouvir, disso ela sabia. Marlow e Charlie a encaravam com uma expressão vaga. Ela sabia exatamente o que estavam pensando. Teria sentido pena deles se seu coração ainda estivesse inteiro.

– Com o Diabo? – perguntou Marlow.

– Não é... – Como foi que Herc tinha explicado para ela tantos anos antes? – Não é o Diabo, não da forma que você pensa. Não é algo que você encontra na Bíblia. É algo ainda mais ancestral, que ninguém entende de verdade. Diabo é só um nome. Tudo o que sabemos é que você faz um trato com o Motor. Você pede o que quiser, e ele concede seu desejo. Mas não é para sempre. Você tem vinte e sete dias e mais um pouquinho.

– Vinte e sete dias – repetiu Charlie. – Que aleatório.

– Seiscentas e sessenta e seis horas, para ser exata – disse ela.

– E depois? – perguntou Marlow. – Você perde seus... seus poderes?

Ah, se fosse tão simples.

– Não, você não perde os poderes, você continua com eles até o fim. Não que eles sirvam para muita coisa. Não, você firma um contrato com a máquina, uma contrato assinado com sangue. Você realiza o desejo do seu coração por seiscentas e sessenta e seis horas. Depois, quando o contrato expira, você tem que pagar.

– Pagar? – perguntaram Marlow e Charlie juntos.

– Com sua vida – respondeu ela. – E... e com uma outra coisa também.

– Existe algo pior do que perder a vida? – retrucou Marlow.

– Aham – respondeu Pan, virando-se e olhando para o rio, e depois para a ilha do outro lado. Parecia um paraíso, com flores, árvores e grama alta. Mas ela sabia que por baixo havia meio século de lixo, destroços e ruínas. *Assim como meu mundo*, pensou ela. *Tudo parece estar bem, mas é só raspar a superfície para aparecerem os horrores, coisas que você nunca imaginou.* Mais uma vez pensou em Mammon, levitando pela rua, grande demais, poderoso demais para caber neste universo.

– O que é pior que isso? – perguntou Charlie.

– A máquina se apossa da sua alma – explicou ela por fim, sabendo como parecia idiota, embora quase tenha perdido a sua tantas vezes. Charlie riu de novo, e até Marlow sorriu. Um clarão solar de raiva explodiu em seu cabeça, mas ela o reprimiu com força. – O que é tão difícil de acreditar? Você já os viu, os demônios. Você os viu com seus próprios olhos.

– As criaturas no estacionamento – disse Marlow –, elas eram *demônios*?

– É apenas uma palavra para nomeá-las – comentou Pan. – Não sabemos o que são. Tudo o que sabemos é que você não vai querer que seu contrato expire, porque é quando elas vêm. Elas não podem existir neste mundo, só podem se apropriar das coisas.

– Como no *Exorcista*? – indagou Marlow.

– Mais ou menos – disse ela. – Mas também parece o contrário. Eles não podem possuir nada que tenha vida. Não podem entrar em você ou em outro ser humano, ou mesmo um animal. Nem mesmo em uma planta.

– É, pude ver – disse Marlow. – Eles estavam saindo das paredes, dos carros.

– Não estavam saindo deles, eram *feitos* deles. – Pan fechou os olhos e os viu lá, as garras abrindo caminho, despontando do chão, de mesas e cadeiras, de caminhões, de qualquer coisa e de todas as coisas. – Eles só podem se apropriar de objetos inanimados, coisas que não têm alma. Mas isso é pior, é muito pior, porque você não consegue se esconder deles. Não há lugar nenhum na Terra onde esteja em segurança.

– Mas você pode matá-los, certo? – perguntou Marlow. – Eu vi.

– Não – disse ela, balançando a cabeça. – Quando seu contrato expira, é o seu fim. Você tem poderes até o instante em que morre, então pode lutar contra eles por um tempo. Mas só por um tempo, pois nenhum poder é capaz de mantê-los a distância para sempre. Quando eles levam tiros, ficam mais lentos, mas você precisa mandar para o inferno qualquer coisa de que tiverem tomado posse, *literalmente* mandar para o inferno. Eles precisam de muita energia para tomar forma neste mundo, neste plano. São fortes, mas não mais do que o material de que se apropriam. Se você destruir o hospedeiro, destrói o parasita, mas só até o demônio ter tempo de juntar energia para tomar posse de outra coisa. Você consegue detê-los por um tempo, mas só está adiando o inevitável. Se seu tempo acabar, eles *vão* levar você.

– Levar você pra onde? – perguntou Marlow. Pan deu de ombros. Tinha feito a mesma pergunta a Herc. E a Ostheim. A verdade era que ninguém sabia, mas ela fazia uma ideia razoável. Já vira muitas vezes os demônios arrastando pessoas para a terra derretida, para o fogo. Também havia sentido isso no outro dia, quando pensara que sua hora tinha chegado. Um vazio imenso, escancarado, ardente, o peso da eternidade em seus ombros.

– Para um lugar onde você não vai querer ficar – respondeu ela.

Fez-se um momento de silêncio, quebrado apenas por um peido encorpado vindo de onde estava Caminhão. Não adiantou muito para aliviar a tensão.

– E como é que você ainda está aqui? – perguntou Marlow. – Como foi que os demônios não te levaram naquele dia? Você sobreviveu.

– Eu sobrevivi porque meu contrato foi quebrado – contou ela.

– Quebrado?

Essa parte era sempre a mais difícil de explicar. Pan respirou fundo.

– O Motor é uma máquina, que negocia um contrato. Anos, séculos atrás, quando a máquina foi construída, os contratos eram inquebráveis. Quer dizer, havia tantas partes móveis, tantas variáveis que ninguém teria sido capaz de quebrar o trato. Mas as coisas mudaram. A tecnologia foi aprimorada. Catalogamos a máquina, fizemos mapas digitais de cada seção... bem, das seções que usamos. Temos uma compreensão bem maior de como ela funciona, e uma equipe de Advogados trabalha sem parar para quebrar o contrato antes que ele expire.

– Advogados? – perguntou Charlie.

– Alguém mais está ouvindo eco aqui? – retrucou ela. – Sim, Advogados. Mas não é advogado de porta de cadeia, de terno. São mais como... São em essência matemáticos quânticos. Os caras mais inteligentes do mundo, provavelmente. Nós os chamamos de Advogados só para irritá-los.

– E eles fazem o quê? Levam o Motor para o tribunal, conseguem uma medida restritiva? – perguntou Marlow.

Ele desviou o olhar, e ela segurou a resposta na garganta. Discutir não ajudaria ninguém.

– Você viu – ela respondeu. – Se quer a verdade, apenas *pense*. De que outra maneira qualquer coisa dessas seria possível?

– E aquela coisa que nos perseguiu na rua? – indagou Marlow. – Aquilo é um demônio também?

Pan suspirou.

– Não, não exatamente. Mammon é outra coisa, algo...

– Ei! – gritou Herc da van. Ele bateu as palmas enormes uma contra a outra. – Acabou a socialização, nossa convidada está acordando.

Pan correu até lá, espiando em meio à escuridão, e viu Brianna começar a se mexer. Seu cabelo loiro estava uma bagunça, as roupas imundas e rasgadas. Ela se sentou, piscando algumas vezes para afastar a sonolência, e Pan presenciou o momento de feliz ignorância que ela vivenciou antes que sua memória se situasse. A garota tentou se afastar, mas bateu nos fundos da van. Franziu o cenho, e Pan sentiu uma pontada de dor na parte esquerda do cérebro. Herc também deve ter sentido, porque tirou a pistola do coldre e a apontou para a cabeça de Brianna.

– Nem pense nisso – disse ele, engatilhando a arma. – Eu me senti sob inquérito lá naquele lugar, e eu vou ler a *sua* mente quando estiver tirando os pedaços do seu cérebro da van com um jato de água, tá entendido?

A dor na cabeça de Pan desapareceu enquanto a garota assentia.

– Brianna – disse Pan. A garota olhou para ela, parecia um coelho sob os faróis de um carro. Caminhão apareceu, bloqueando a luz. Noite também estava lá. Pan pegou outra garrafa de água na bolsa de viagem e a ofereceu à menina. – Sede? – Brianna negou com um gesto de cabeça, como se tivessem lhe oferecido uma garrafa de veneno.

– Ela é nova – disse Noite. – Nova demais para lutar por *eles*.

– Tenho dezessete anos – retrucou a garota, sem mostrar um pingo da autoconfiança com que se portara na escola. – Acabei de fazer.

– Bem, então, infeliz aniversário – zombou Herc. – Você deve saber o que vai acontecer agora.

– Vocês vão me fazer perguntas – disse ela, voltando a ter um pouco da agressividade anterior. – E eu vou mentir.

– E aí a gente vai parar de perguntar com delicadeza – retrucou Pan. – Onde fica seu Motor?

– Você deveria saber – respondeu a garota. – Fica no seu traseiro.

– Onde está Mammon?

– Está vindo pegar vocês – disse ela, seus olhos encontrando os de Pan, sem piscar. – Ele sabe tudo sobre você, tudo. Ele vai acabar com você.

– Ah, é? – perguntou Pan. – Pelo que vi lá atrás, ele não conseguiu nem mover o traseiro gordo pela rua.

Mas algo em sua expressão deve ter revelado o medo que sentia, porque Brianna sorriu.

– Ele vai devorar você viva – declarou ela. – Só queria estar lá pra ver.

– E por que não estaria? – perguntou Herc. – Tem férias planejadas?

Ela só deu de ombros de um jeito triste e olhou para o relógio. Devia estar quebrado, porque ela o sacudiu, depois levantou a cabeça e perguntou:

– Alguém sabe que horas são?

– Sim – disse Herc. – É hora de acordar, menina. Mammon tem os planos dele, mas você não precisa fazer parte disso. Há outro jeito de fazer as coisas.

– Tipo, *seu* jeito? – retrucou ela, olhando para Herc como se ele fosse um cocô de cachorro que ela estivesse limpando do sapato. – Prefiro a morte.

– Ah, é? – falou Pan, resistindo à vontade de pegar a balestra e realizar o desejo da garota. – Vocês me enojam. Têm todo o poder do mundo e mesmo assim vivem desse jeito, nesse desperdício.

Caos, derramamento de sangue, putrefação e ruína. Só isso importava para o Círculo.

– Tudo que você tem que fazer é nos dar a localização – afirmou Herc. – Última chance.

– Ela nunca vai fazer isso – disse Pan. – No fim, não vai importar. Ela pode nos dizer exatamente onde a máquina está, com latitude e longitude, e mesmo assim não vamos encontrá-la. Quantas vezes precisamos ensaiar essa coreografia? Fale sobre Mammon. Como podemos encontrá-lo e como podemos matá-lo?

– Você não precisa encontrá-lo – respondeu ela. – Ele vai encontrar você. Como falei, ele vai encontrar seu Motor, e, quando isso acontecer, tudo vai acabar. Por favor, alguém sabe que horas são?

O pavio da paciência de Pan queimou, e a fúria explodiu em suas vísceras. Ela arrancou a pistola da mão suada de Herc antes que ele percebesse o que estava acontecendo, entrou na van e pressionou a arma contra a têmpora da garota. Ela protestou com um gemido, mas o olhar que lançou para Pan não mostrava nenhum sinal de fraqueza.

– Mammon – afirmou Pan. – Agora.

– Pan! – exclamou Herc, mas ela o ignorou. Ter um dos inimigos ali, à mercê deles, era uma raridade. Tinham que aproveitar ao máximo.

– Vá em frente – disse a garota. – Atire.

— Está disposta a morrer por ele? – perguntou Pan.

— Eu faria qualquer coisa por ele – disparou Brianna. – Qualquer coisa para impedir vocês, impedir Ostheim de conseguir o que ele quer. Agora, *por favor*, alguém pode me dizer que horas são?

De repente Pan entendeu o motivo de a garota estar tão desesperada para saber as horas.

— Merda – disse Pan, abaixando a arma e saindo da van com um salto. – Ela está para expirar.

— *Agora?* – perguntou Herc, praguejando, e começou a recuar. – Não na *porcaria* da van.

Pan ficou ao lado da porta, recusando-se a acreditar. Não tinha a menor chance de o Circulus Inferni deixá-la expirar, não daquele jeito. A leitura de mentes era um contrato fácil de quebrar, um dos mais fáceis. Os Advogados do Círculo não teriam problema com isso. Mammon era um imbecil maldoso, mas com certeza não abriria mão de um dos seus assim de graça. Brianna levantou o queixo, os olhos tomados por uma resignação triste e cansada.

— Está lutando do lado errado – disse ela. – Mammon acolheria você. Ele acolhe todo mundo.

— Sei – retrucou Pan. – Estou vendo quanto ele se importa. Ele vai deixar você expirar.

Brianna deu de ombros.

— Acontece com todos nós, uma hora ou outra.

— Mas não assim – disse Pan, e precisou morder o lábio para impedir que o nó na garganta explodisse boca afora. – Não assim.

Ouviu-se um estalo de estática, alto como um tiro de pistola, forte o bastante para marcar um entalhe na van e fazer sua suspensão balançar. Brianna soltou um grito, tapando a boca com a mão. Todos estremeceram, mas Pan manteve os pés no chão, mesmo que o chão abaixo dela estivesse vibrando e rachando. Era como se a Terra se partisse em duas.

— Ele não pode fazer isso – disse ela. – Não é certo.

Um raio de luz azul brilhante passou crepitando por ela, um ruptura na realidade que provocou uma rajada de ar quente. Pan tossiu com o odor de enxofre, cambaleando para longe e enxugando as lágrimas dos olhos. Ouviu-se outro ruído, um punho invisível abrindo uma cratera no teto da van. Um dos pneus explodiu, os faróis se estilhaçaram. Pan olhou para a escuridão crescente, Brianna sendo apenas uma protuberância de sombras com dois olhos claros como diamantes. Ela olhava de volta, cheia de medo, mas era também um olhar de desafio.

– Última chance – disse Pan. – Você não precisa morrer por nada.

– Não vou – respondeu ela, a voz quase se perdendo em meio ao rugido de um trovão. – Vou morrer por *ele*. Ele me salvou. E vai salvar a todos nós.

– Ele está mandando você para o inferno – disse Pan, e precisou colocar a mão na frente do rosto para se proteger da explosão de luz. Uma onda de choque atingiu seu peito como a falta de um adversário durante um jogo, e ela perdeu o chão, caindo dolorosamente de costas e rolando pela poeira. Sentiu mãos sob as axilas, arrastando-a para longe, e, assim que abriu os olhos de novo, tudo já tinha acabado.

A princípio pareceu que a van estava dentro de um compactador, o metal amassado como papel-alumínio, todo retorcido. Depois uma coisa começou a se desprender dos destroços, uma figura vagamente bestial com uma cabeça feita do arco do volante e de meio pneu, o corpo formado a partir do para-choque traseiro. A criatura se esticou com um guincho metálico de deixar os ouvidos em frangalhos, toda a parte de trás do veículo se partindo. O demônio se sacudiu como um cachorro, a gasolina jorrando do tanque destruído e formando uma poça no asfalto.

Outra coisa se erguia do chão como um cadáver saindo da cova. Parecia uma tartaruga, um casco de asfalto por cima de um corpo de poeira alaranjada. Um cano de metal percorria metade de sua extensão, como se fosse uma lança fincada. A coisa se contorceu, as pernas se sacudindo com violência até se livrarem do cano, para então se levantar do buraco, abrindo sua mandíbula de concreto e gritando.

– Deus do céu.

Pan ouviu a voz de Marlow a seu lado e olhou para ele, vendo o terror estampado em seu rosto. O garoto mastigava os nós dos dedos como se não tivesse comido nada durante um mês. Ela o ignorou, virando-se de novo para a van.

– Eles não vão machucar vocês – disse Herc para o garoto. – A não ser que entrem no caminho. Eles só querem o que lhes é de direito.

A alma dela.

O demônio de metal farejou o ar, depois se lançou para a frente como um escorpião, empurrando o focinho no buraco nos fundos da van. Brianna gemeu, saltando pela porta e correndo para salvar sua vida. Os dois demônios uivaram, como cachorros sentindo o cheiro da presa, um ruído como o de mil unhas arranhando um quadro-negro. Pan levou as mãos às orelhas e cerrou os dentes. Cada fibra de seu ser lhe dizia para dar no pé, para cair fora dali antes que os demônios descobrissem que ela estava lá. Mas Herc tinha razão, eles não viriam atrás dela, não dessa vez.

– A gente não pode fazer alguma coisa? – disse Marlow. – Ajuda ela!

Brianna derrapou ao contornar a frente da van, quase tropeçando. O demônio de concreto se avolumou diante dela, três, quatro metros de altura, dando um banho de poeira no estacionamento. A criatura fechou o punho feito de rocha, e Brianna por pouco conseguiu se abaixar para escapar do golpe, que atingiu os destroços da van, fazendo-a capotar e jorrar vidros e estilhaços. A garota tentou fugir rastejando, mas só tinha percorrido uns dez metros antes que o demônio da van a alcançasse.

– Por favor – pediu Marlow.

– Não há nada que a gente possa fazer – respondeu Pan, a voz fria como gelo. – Ela assinou um contrato.

O demônio envolveu Brianna pelo peito com uma das mãos e a içou no ar. A garota tentou gritar, socando pateticamente o punho de metal. O demônio de poeira se aproximou, soltando outro gritinho infernal. O solo já ficava macio sob os pés deles, os vestígios esqueléticos da van começando a afundar no asfalto que derretia, a gasolina vazada transformando-se em chamas.

Sinto muito, pensou Pan, sabendo que Brianna ainda tinha a capacidade de ouvi-la. *Não deveria acabar assim.*

Brianna parou de lutar e fixou aqueles olhos injetados em Pan. Ela respirou fundo, em desespero. Então abriu a boca, e, de onde estava, mais alto que a algazarra ensurdecedora de demônios e o rugido do fogo, Pan ainda assim a ouviu dizer:

– Te vejo no inferno.

A boca do demônio de metal se fechou em volta da garota como uma armadilha de urso, cortando-a ao meio. O outro demônio também atacou, abocanhando-a. Os três afundavam na terra, o ar dançando ao redor deles, tão quente que o sangue de Brianna pegou fogo, chiando e evaporando. Pan quis virar o rosto, mas se forçou a assistir enquanto os demônios brigavam pela garota, devorando-a como cães selvagens até que não restasse nada além de restos de metal carbonizado.

Então, de repente, tudo acabou. Brianna sumiu na terra chamuscada. Os demônios tombaram como marionetes cujas cordas foram cortadas, o de metal caindo no chão, o outro se dissolvendo em uma saraivada de poeira. O estacionamento ficou em silêncio, o chão voltando a ficar sólido, mas Pan jurou que ainda podia ouvir Brianna, um grito distante e interminável enquanto sua essência era arrastada para as profundezas.

Só quando isso também se dissipou foi que Pan enfim fechou os olhos e começou a chorar.

DESPEDIDA

Marlow não conseguia falar. Não conseguia se mexer.

Teve a sensação absurda de que estava em um teatro a céu aberto, assistindo a algum tipo de espetáculo doentio. Se falasse, a ilusão terminaria, e a alternativa era horrível demais para imaginar. Embora já tivesse visto aquilo duas vezes – os demônios aparecendo do nada, em ambas as vezes para matar uma garota –, não podia acreditar.

Notou que segurava a mão de alguém, os dedos endurecidos em uma pressão suarenta. Observou Charlie, pálido e abatido, os olhos arregalados como a lua cheia. Os dentes dele batiam. Marlow se sentiu estranho, mas não se desvencilhou da mão. Pensou que, se o fizesse, seria como içar uma âncora – poderia sair flutuando para longe. Afinal, as leis da física tinham sido muito bem e verdadeiramente alteradas por ali.

Não tinha certeza de há quanto tempo estavam assim, os seis. Ninguém falou nada, ninguém soltou um pio além dos soluços abafados e desesperados de Pan. Todos se limitaram a olhar para o estacionamento. Os dois montes de metal e poeira estavam imóveis no chão, apenas pedaços e fragmentos de um mundo partido, e era quase impossível acreditar que já tinham possuído vida. Os respingos de tom carmesim – a coisa mais chamativa à vista – salpicados pelo concreto destruído eram a única evidência do que havia acontecido, isso e os retalhos de roupa flutuando no estacionamento, soprados pelo vento. Pareciam querer fugir dali.

Foi Herc quem quebrou o silêncio. Pigarreou com suavidade, um som que pareceu sobressaltar todos eles. Então se aproximou de Pan, envolvendo-a com seus braços grandes e puxando a cabeça dela até seu peito.

– Não tem nada que você poderia ter feito – disse ele. – Não foi culpa sua.

Ela se afastou e o empurrou com raiva, enxugando as lágrimas com o braço.

– É culpa *dele* – retrucou ela. – Mammon simplesmente a deixou morrer.

– E você está surpresa? – vociferou Caminhão. – Você sabe que ele mataria cada um de seus Engenheiros, cada um de seus Advogados, só para se manter a salvo. – Deu um soco com o punho gigante na palma da outra mão, fazendo um ruído de trovão reverberar por todo o estacionamento. O som ecoou nos depósitos. – Covarde.

– Você acha que Ostheim teria feito diferente? – perguntou Noite, chutando uma pedra solta. – Acha que ele correria o risco?

– Ostheim nunca deixaria a gente morrer daquele jeito – disse Pan, mas até Marlow percebeu a hesitação em sua fala, a incerteza.

– Está esquecendo que estamos em guerra – afirmou Herc. – Somos soldados, nada além disso. E soldados morrem.

– Nossa, valeu pelo incentivo – murmurou Caminhão, virando-se e indo até o rio. Noite o seguiu, andando à sua sombra.

– Marlow – chamou Charlie, a voz estilhaçada em mil pedaços.

– Hã?

– Isso é um sonho, não é? Eu... quer dizer, não pode estar acontecendo de verdade.

– Moleque, acredite em mim – falou Herc. – Isso aqui é o mais real que a coisa pode ficar. – Virou-se para eles, passando a mão pelo cabelo grisalho raspado. – Pelo visto, lá vamos nós novamente – disse ele. – Escolhas.

– Escolhas – repetiu Marlow. – É, tudo bem. Você quer dizer escolha *aquilo*, escolha a mesma coisa que aconteceu com ela? Não, obrigado.

– Pan contou para você por que fazemos o que fazemos? – perguntou ele depois de um instante.

– Não – respondeu Marlow. – Só sobre o Motor, sobre o...

– Fazemos o que fazemos porque, se não o fizermos, o mundo inteiro ficará daquele jeito. – Ele apontou por cima do ombro.

Marlow olhou para a van, para as poças de sangue que evaporavam no calor. Um bolsão de poeira se soltou do demônio morto, e o garoto deu um pulo como se tivesse tomado um choque, uma onda de náusea o invadindo e deixando-o ensopado de suor frio.

– Como assim? – indagou Charlie.

Herc suspirou.

– Não tenho tempo de contar a história toda. Precisamos ir embora, o helicóptero deve estar a caminho. – Ele mordeu o lábio, o cenho franzido em uma expressão de concentração. – Nosso Motor, ele não é o único que existe. Pelo que sabemos, existem dois. Eles têm o deles, Mammon e o Circulus Inferni.

– É – disse Marlow. – Isso eu entendi.

— Os Motores, eles foram projetados pela mesma pessoa, pela mesma força, seja lá como você queira chamar. Os dois têm os mesmos poderes, a capacidade de conceder qualquer desejo. Os dois cobram o mesmo preço. Mas os usamos com propósitos muito, muito diferentes.

Marlow distinguiu um ronco bem baixinho ao longe, o barulho de um helicóptero. Herc também ouviu e, quando voltou a falar, foi com pressa, cheio de impaciência.

— Resumindo uma longa história, Mammon recruta Engenheiros para causar devastação, destruir vidas, matar inocentes. Seu objetivo... – Herc balançou a cabeça, sua expressão cheia de desgosto. – Ele quer acabar com tudo, quer que os demônios brotem do abismo e se apossem do mundo inteiro. Ele quer o inferno na Terra, literalmente.

— E o Motor pode fazer isso? – perguntou Marlow. – Como?

O helicóptero se aproximava, um ruído cadenciado que parecia preencher todo o céu. Herc olhou para o relógio, depois para Caminhão.

— Prepare-se para a retirada. Solte o sinal de fumaça. – Ele se voltou para Marlow. – É, os Motores podem fazer isso. Felizmente para nós, Mammon ainda não descobriu como. E é nosso trabalho garantir que isso nunca aconteça.

— Então, basicamente, vocês estão tentando salvar o mundo? – indagou Marlow, as sobrancelhas se unindo em uma expressão de descrédito.

Herc deu de ombros.

— É, é isso que fazemos. Somos uns puta heróis.

Herc foi até o que restava da van e revirou os destroços. Caminhão tinha preparado uma lata de fumaça vermelha, que subia em ondas em direção ao céu de verão. Marlow a observou, hipnotizado por um momento, depois voltou sua atenção para Pan.

— É verdade? – perguntou. – Vocês fazem o que fazem para salvar o mundo?

— O mundo já está ferrado, com ou sem o Motor – zombou Pan. – Mas, sim, é nosso papel impedir Mammon de abrir os portões do inferno e encher as ruas de aberrações.

Um arrepio percorreu o corpo de Marlow quando ele pensou em centenas, talvez milhares, *dezenas* de milhares de demônios rompendo o caminho mundo afora. *Não teríamos a menor chance*. Herc deve ter encontrado o que estava procurando, porque voltou com uma pequena bolsa preta nas mãos.

— Está dentro ou fora? – perguntou.

— Quer dizer, lutar com vocês? – disse Charlie. – Como ela? Como esses caras?

Herc assentiu. Charlie se virou para Marlow e deu de ombros.

– Deve ser melhor que ir pra escola, não é? – comentou.

– Não – respondeu Marlow. – Esqueça, Charlie. Você tem sua vida nos trilhos, está indo bem, não pode desistir.

Era verdade. Charlie tinha mudado de vida no colégio Victor G.: boas notas, a promessa de uma bolsa. Tinha superado a fase ruim, tinha boas perspectivas se não colocasse tudo a perder.

– Cara, você acha que eu quero voltar depois disso? – perguntou ele. – Depois do que vimos?

– Quer realmente morrer como ela? – falou Marlow. – Feito em pedaços, arrastado para sabe-se lá onde? Qual é, cara, é por minha culpa que estamos aqui, não devia ter trazido você comigo. Você não pode arruinar o resto da sua vida por minha causa.

– Então é assim? – retrucou ele, as costas eretas. – Você acha que merece isso e eu não?

– *Merecer* isso? – disse Marlow, sem acreditar. – Charlie, eu não tenho nada. Expulso da escola, a polícia atrás de mim. O que restou pra mim? Morar com minha mãe pelo resto dos meus dias e trabalhar numa fábrica de cimento? Você não entende, cara, essa é minha única chance de fazer algo bom.

– Não se atreva – disse Charlie, apontando o dedo para Marlow. – Toda vez, cara, toda santa vez você me dá um pé, foge sem mim. Mas dessa vez, não. Vamos entrar nessa, e vamos juntos.

Herc mexia na bolsa, abrindo o zíper e espiando o conteúdo. Tirou algo comprido e fino que refletiu sob o sol. Marlow reconheceu na hora, e a visão o fez ficar enjoado. Uma agulha hipodérmica, provavelmente cheia de álcool concentrado. Charlie estava focado demais em Marlow para perceber.

– De novo não, cara – falou ele. – Dessa vez, não.

– Preciso de uma resposta – disse Herc. O som do helicóptero já quase palpável agora, um segundo coração batendo dentro da pele de Marlow. Olhou para cima e viu um ponto preto no azul do céu. – Sim ou não.

– Sim – disse Charlie, na mesma hora em que Marlow falou:

– Ele não, só eu.

– Marlow – insistiu Charlie. – Por favor. Você é meu melhor amigo, meu único amigo. Preciso de você, preciso *disso*.

A barriga de Marlow dava cambalhotas, algo grande subia e descia por sua garganta. A ideia de dizer adeus quase partiu seu coração em dois, mas ele sabia que não tinha outro jeito. Imaginou Charlie, em pedaços sanguinolentos, sendo mastigado. Sem chance, não poderia fazer isso.

– Por favor, cara – pediu Charlie. – Vamos fazer isso juntos.

– Não – declarou Marlow. Ele olhou para Herc e assentiu. – Só eu – repetiu.

Herc se aproximou de Charlie pelas costas e enfiou a agulha em seu pescoço. A expressão do garoto se retorceu, os olhos tomados de descrédito.

– O que você fez? – perguntou a Marlow.

– Está tudo bem, cara, é só álcool. Relaxe, vai ficar tudo bem.

Ele foi até Charlie, que cambaleou para trás, afastando-se, olhando para Marlow como se tivesse sido apunhalado pelas costas.

– Seu imbecil – disse ele, começando a enrolar as palavras. – Como pôde? Você era meu amigo, Marlow, você era meu *amigo*. Acha que vão querer você quando descobrirem a verdade? Quando descobrirem que você é um covarde?

Charlie pisou em falso, caindo sentado no chão, os olhos perdendo o foco. Marlow correu até ele, embalando-o nos braços, perguntando-se se era tarde demais para mudar de ideia. O helicóptero estava quase em cima deles, sobrevoando baixo o rio, com um ruído cadenciado de entorpecer a mente. Pairou sobre o estacionamento, levantando um tsunami de poeira enquanto girava e pousava devagar. Pan olhou para o helicóptero, e então para Marlow.

– Você vai mesmo levá-lo? – Marlow a ouviu dizer.

– Por que não? – replicou Herc.

– Ele vai dar trabalho. Não vamos conseguir controlá-lo.

– Engraçado, Pan – disse Herc, guardando a seringa na bolsa. – Todo mundo fala isso de você.

– Ele tem a cabeça quente. Vai acabar provocando a morte de alguém.

– É, dizem isso de você também.

– Ele não vai acatar ordens. Tenho certeza. Vai fazer o *oposto* do que disserem.

Herc se virou para encará-la.

– Pan, você está ouvindo as palavras que estão saindo da sua boca?

– Ele não é como eu – disse ela, fuzilando Marlow com o olhar.

– Não, não é nem um pouco como você – retrucou Herc, virando-se para o helicóptero. A porta se abriu, revelando o sujeito com cara de alce. – Nada, absolutamente zero por cento parecido com você. Qual é!

Pan resmungou qualquer coisa e correu para o helicóptero, seguida por Caminhão e Noite.

– Hora de partir – disse Herc. – Melhor dizer adeus; não vai vê-lo novamente.

Charlie se debatia no chão, tentando sem sucesso se levantar. Piscou algumas vezes, puxando o ar como se estivesse se afogando. Seu olhar oscilava, fixando-se em Marlow por um segundo antes de perder o foco.

— Você é um covarde — repetiu, enrolando tanto as palavras que mal dava para entender. — Eu confiei em você.

— Sinto muito — disse Marlow. — Por favor, Charlie, fiz isso por você.

Charlie falou mais alguma coisa, mas já estava muito confuso. Marlow recostou a cabeça do amigo no chão com gentileza, depois se levantou, desejando poder dar a Herc uma resposta diferente. Mas não havia tempo. Herc o pegou pelo ombro e o empurrou para o helicóptero. Mãos fortes o puxaram para dentro, com Herc vindo logo atrás e fechando a porta.

— Aeronave abastecida e pronta para partir? — gritou Herc para a piloto. A mulher fez que sim com a cabeça, então girou o dedo no ar e o helicóptero subiu, buscando o ponto de estabilidade. Marlow olhou pela escotilha embaçada de sujeira e viu Charlie esparramado na poeira, sozinho. Então o helicóptero avançou, e o garoto sumiu.

— Agora não tem mais volta — disse Pan, sentada ao lado de Marlow. — Parabéns por tomar a decisão mais idiota da sua vida.

— Pan — falou Herc enquanto se jogava no banco oposto ao de Marlow —, que tal uma vez na vida não ser uma escrota tão perversa?

Ele estendeu a mão, e Marlow a pegou com hesitação. Herc apertou-a com força, balançando o braço com entusiasmo.

— Moleque, você fez a coisa certa — disse com um sorriso. — Bem-vindo aos Infernais.

PARTE II
MAGIA ANCESTRAL

NÃO VOMITE NO MEU JATO

O jato tremeu, e Marlow sufocou um grito com o dorso da mão. Era como se um demônio estivesse prestes a abrir caminho em meio à fuselagem, rasgar o jato em dois e arremessar todos ao solo, dez quilômetros abaixo. A aeronave deu mais uma guinada, e dessa vez ele soltou um grito agudo que de alguma forma saiu mais alto do que o rugido dos motores. Marlow se agarrou com tanta força à pia do lavatório que os nós de seus dedos estalaram, e ofereceu uma prece para qualquer coisa ou pessoa que o estivesse ouvindo.

Por favor, não nos deixe cair, por favor, não nos deixe cair. Por favor...

Alguém bateu à porta do minúsculo banheiro, e uma voz veio de fora.

– Ei, moleque, tudo bem aí? – perguntou Herc. – Já tem um tempo que você está nesse banheiro.

Que eufemismo. Marlow estava trancado ali fazia sete horas, basicamente desde que tinham saído do helicóptero no Aeroporto Linden e embarcado no jato particular que os aguardava na pista. Foi a primeira vez na vida que ele esteve em um aeroporto, assim como em um avião de verdade, e ficou zonzo de empolgação, até o momento em que o jato acelerou para decolar e suas tripas só faltaram sair pelo seu traseiro. E isso nem foi o pior – o fato de toda a equipe ter rido dele foi quase suficiente para fazê-lo abrir a porta do avião e mergulhar no esquecimento.

– Não me faça entrar aí – disse Herc. – Sério, *não* faça isso, porque estou sentindo o cheiro daqui.

– Estou bem! – gritou Marlow em resposta, farejando o ar. Verdade seja dita, ele havia praticamente se esvaziado pelos dois orifícios por puro pavor, mas isso tinha sido horas antes. – Foi... alguma coisa que eu comi.

O jato vibrou de novo, e foi como se estivessem em uma máquina de lavar no auge do ciclo de centrifugação.

– É para ser assim mesmo? – perguntou Marlow.

– Assim como? Não, um dos motores pifou, estamos nos preparando para um pouso de emergência, por isso vim falar com você.

– *O quê?*

– Calma, moleque – disse Herc, rindo. – Não vá sujar a calça. Mais uma vez. É só um pouco de turbulência.

O jato arremeteu para baixo, e Marlow sentiu o estômago pairar em algum lugar de sua garganta. Apertou a bombinha para tentar obter algum alívio.

– Não falta muito – contou Herc. – Mais uma meia hora de voo. Só queria avisar. Pode sair, a gente já parou de rir.

Marlow segurou a cabeça úmida de suor entre as mãos, querendo vomitar de novo, mas sabendo que não havia mais nada para botar pra fora. Ouviu os passos de Herc se afastando e soltou o ar devagar, tentando controlar o pânico. Seu coração era um pica-pau martelando suas costelas. Marlow tinha visto muita loucura nos últimos dias, mas com certeza nada era mais insano do que a ideia de estar em um pequeno tubo rasgando o céu. Olhou para as paredes, só uma pequena camada de metal entre ele e o nada, e sentiu os intestinos revirarem mais uma vez.

Mas, se estavam se preparando para aterrissar em breve, ele precisava voltar para a companhia dos demais. De maneira nenhuma ele seria aquele a entrar para a história como o cara que morreu no banheiro do avião.

Jogou água fria no rosto e observou seu reflexo. Não gostou do que viu, não por causa do aspecto doentio de sua pele, dos olhos cheios de veias vermelhas, como se tivesse cem anos de idade. Não, ele odiou se ver por causa do que tinha feito com Charlie. Nunca deveria tê-lo deixado lá, não daquele jeito. Marlow se perguntou se o amigo ainda estaria lá, passando frio no estacionamento. E se tentasse ir embora e caísse no rio? Seu melhor amigo – seu único amigo – poderia estar sendo devorado por um peixe naquele instante, e seu cadáver inchado e irreconhecível seria encontrado semanas depois, flutuando em algum ponto da Baía de Raritan. De todas as coisas covardes que fizera na vida, essa era a pior.

Marlow se esforçou para não vomitar, procurou o celular a fim de ligar para o amigo e suspirou ao se lembrar de que não tinha mais o aparelho.

– Sinto muito, Charlie – disse. – Fique bem, tá?

Respirou fundo algumas vezes, depois destrancou a porta e se espremeu para sair. Uma cortina o separava da cabine principal, e ele a abriu, vendo os olhares se voltarem para ele. Os outros se esforçaram para manter o rosto sério por um segundo ou dois, e aí Caminhão rachou de rir – soltando uma gargalhada profunda e estrondosa –, e os demais o seguiram até as risadas se fundirem. Eles uivavam juntos, e Noite chegou até a chorar, batendo nas pernas na tentativa de se conter. Mesmo Pan tinha um sorriso no rosto, embora fizesse de tudo para escondê-lo. Betty, a mulher que fizera curativos nele lá na torre, exibia um sorriso tímido. Apenas Alceu e Esperança – os dois com quem ele lutara no elevador – estavam quietos, ainda com os machucados que ele lhes causara.

As bochechas de Marlow começaram a queimar, mas ele se forçou a ficar ali, os dentes cerrados, em vez de voltar correndo aos prantos para o banheiro.

– Não... – disse Herc, enxugando uma lágrima. – Não é por sua causa, juro.

– Não, cara – reforçou Caminhão. – A gente nunca riria de você. Você é um de nós agora, um membro da equipe, com a chave do banheiro da empresa e tudo o mais.

Eles racharam de rir mais uma vez, e Marlow suspirou, arrastando-se até um assento livre e se jogando nele. Mal tinha afivelado o cinto quando o jato arremeteu, vibrando com violência pelo que pareceu uma eternidade. Foi como se ninguém tivesse notado, enquanto Marlow mastigava os nós dos dedos para tentar esconder o pavor.

– Que tal Capitão Vômito? – disse Noite.

– Hã? – perguntou Marlow.

– Hum, prefiro Cagão – disse Herc. – Tem uma sonoridade legal. Sem querer ofender.

– Do que estão falando? – retrucou Marlow, embora ninguém o escutasse em meio à nova rodada de risadas. Ele soltou outro suspiro e desviou o olhar, tentando fingir que não se importava. Parecia que estava revivendo o primeiro dia de escola, todos zombando dele por conta da asma, fingindo respirar com um chiado e estar sufocando. Em seguida, eles se revezariam para fazer um cuecão nele. Assim como na época da escola, Marlow desejou que Danny estivesse ali para dar porrada neles.

A única outra coisa para onde poderia olhar era a janela, que lhe mostrava uma vista das nuvens riscadas pela luz da lua abaixo e um cobertor de estrelas acima. O estômago de Marlow deu uma cambalhota para trás, e ele precisou fixar os olhos no chão por um instante para evitar a onda e o rugido da vertigem.

– Já sei – disse Caminhão, estalando os dedos gigantes. – Ai, cara, já sei. Elvis.

– Elvis? – indagou Herc, parecendo tão confuso quanto Marlow. – Por que Elvis?

– Porque ele ficou tanto tempo lá que eu achei que tivesse morrido no trono.

Ninguém riu.

– Vocês sabem – continuou Caminhão. – Porque Elvis morreu no banheiro.

– Aí você foi longe demais – disse Herc, o rosto impassível. – Não se faz piada com o Rei.

– Alguém poderia, por favor, me dizer que diabos está rolando aqui? – pediu Marlow, perguntando-se quanto de sua credibilidade restaria se apenas desistisse e começasse a chorar.

– *Su nombre* – respondeu Noite. – Seu apelido. Estamos tentando decidir qual deve ser.

– Qual é o problema com o meu nome? – perguntou Marlow, sentindo o jato mergulhar mais um pouco, fazendo sua cabeça girar. Como poderia haver todo aquele espaço abaixo dele e nada que o mantivesse lá em cima?

– Para ser sincero, Marlow está ótimo – disse Herc. – Vocês sabem, o escritor.

– O quê? – retrucou Caminhão.

– O es-cri-*tor* – repetiu ele, claramente indignado. – O autor. Vocês conhecem, Christopher Marlowe, com *e* no final. Ele escreveu a história da pessoa que vendeu a alma ao Diabo.

Caminhão deu de ombros.

– Tipo Harry Potter ou algo assim?

– Pelo amor de… Vocês me envergonham desse jeito.

Ouviu-se um ruído baixo, e o sinal indicando que deveriam colocar o cinto de segurança se acendeu. Marlow agarrou o cinto para se certificar de que estava afivelado, apertando tanto que poderia ser usado como uma banda gástrica. O jato desceu, fazendo os ouvidos de Marlow tampar, e ele abriu a boca para aliviar a pressão. A aeronave mergulhou nas nuvens como se fosse um submarino imergindo em um oceano de bolas de algodão. Balançou até despencar mais um pouco, e por um instante Marlow achou que tinham virado de ponta-cabeça, porque o mundo abaixo era uma tela de feltro preto cravejado de estrelas. Então percebeu que eram luzes – casas, ruas, carros –, e, embora o pavor ainda o dominasse, não resistiu a colocar o nariz no vidro, fascinado.

– Uma bela vista, não? – disse Herc.

– Onde estamos? – perguntou, enquanto o solo se aproximava para encontrá-los.

– Praga – respondeu Noite.

– Praga? – Marlow nunca tinha ouvido falar.

– Fica na República Tcheca.

— Tá bom… — Desejou ter prestado mais atenção às aulas de Geografia. — Praga. É onde fica o Motor, é isso?

O silêncio imperou atrás de Marlow, que se virou.

— Mais ou menos — disse Caminhão. — Não onde fica, mas por onde conseguimos acessá-lo. É complicado.

Marlow voltou a atenção para a janela, estavam tão perto do solo que conseguiu distinguir árvores e carros. Será que deveriam estar indo tão rápido? Agarrou os braços do assento, engolindo com força para impedir que o que restava em seu estômago encontrasse um jeito de subir pela garganta.

— Não se preocupe, moleque — disse Herc. — A aterrissagem não é a parte mais perigosa. — Ele deixou escapar uma risada. — É só a segunda mais perigosa. Provavelmente vamos ficar bem. Você vai estar no chão em um instante. Depois vamos até o Motor.

— Legal — disse ele, deixando um rastro de vapor no vidro. Fechou os olhos, esperando pela queda, pela explosão, pelo fogo. — Talvez eu só precise usar o banheiro mais uma vez.

Ele quase se sentiu grato pelo som do jato chiando na descida ter sido abafado por outro coro de gargalhadas.

OUTRO MUNDO

Era menos como se tivesse voado até outro continente e mais como se tivesse chegado a um mundo inteiramente novo.

Tudo parecia diferente assim que ele pisou fora do avião. O céu era maior, as estrelas eram tão numerosas e brilhantes que era como se o sol tivesse explodido em um bilhão de pedaços reluzentes. Marlow inspirou, e mesmo isso pareceu estranho, o ar tão vívido, tão limpo, tão fresco que era como se tivesse usado a bombinha. *Não ter asma deve ser assim*, pensou, e sentiu um repentino e profundo ódio, pois sabia que o monstro ainda estava sentado sobre suas costas, os dedos, ao lado de sua garganta. Com um lamento dos motores, o jato foi desligado, e Marlow se deu conta do quanto era silencioso lá. Onde estavam os carros acelerando, as buzinas, os gritos, as sirenes?

– Vai ficar aí a noite toda? – perguntou Pan, passando por ele e descendo a escada. Ele a seguiu.

– Não, é só que... Não estou acostumado a ficar longe de casa.

– Primeira vez no exterior? – perguntou ela por cima do ombro.

– Primeira vez no exterior, primeira vez fora do *estado*. Tirando Nova Jersey, claro.

– Nova Jersey não conta – comentou ela, caminhando até o asfalto iluminado. Aquele não poderia ser o aeroporto principal da cidade, porque só tinha um hangar, uma silhueta em contraste com o céu, e uma aglomeração de pequenos prédios. A menos que as coisas tivessem proporção menor na Europa. Havia três carros ao lado da pista de decolagem: dois Land Rover Defender pretos e um BMW M6 Hurricane de um azul vibrante, todos com o motor ligado. Havia vultos ao lado deles, protegidos pelo brilho dos faróis, apenas fantasmas no escuro. Era muito surreal. Marlow passou a mão na barriga para tentar acalmá-la.

– Não tem nada com que se preocupar – disse Caminhão, chegando ao lado dele e colocando a mão enorme em seu ombro. Ela pesava uma tonelada, e Marlow soltou um gemido, surpreso. – Eu me lembro da primeira vez que vim aqui; eu surtei. Nem consegui entrar no avião; eles tiveram que me dopar, ao estilo Mr. T.

– Isso faz quanto tempo? – perguntou Marlow, grato por saber que não era o único.

– Alguns anos – respondeu ele. – Herc me tirou de um ringue de boxe ilegal em Chicago. Falou que era melhor eu lutar por algo que fizesse a diferença. E aqui estou.

Caminhão tirou a mão de seu ombro, e Marlow se sentiu uns nove quilos mais leve, alongando-se para se livrar da dor nas costas.

– Isso é tão estranho – disse ele. – Parece que estou sonhando.

– Acredite – respondeu Caminhão, com uma risada tão grave que era quase subsônica. – Estranho não é suficiente. Não chega nem perto. Você ainda não viu nada.

Caminhão se afastou, atravessando a pista de pouso, e foi substituído por Herc. O homem carregava meia dúzia de bolsas enormes e parecia bem bravo.

– Algum dos preguiçosos aí pode me ajudar? – gritou para os outros. Ninguém respondeu. Herc tirou duas malas do ombro e as passou para Marlow.

– Tome aqui, seja útil.

Eles caminharam em direção aos SUVs, e os vultos foram entrando em foco. Alguns caras um pouco mais velhos do que Marlow, talvez na casa dos vinte anos, o jovem chutou. Um deles era tão alto e magro e tinha as unhas tão perfeitas que parecia um manequim. Vestia um terno alinhado e usava óculos escuros, embora estivessem de noite.

– Herc – disse ele com uma voz que poderia ter roubado de Sherlock Holmes –, está atrasado.

– Fiquei preso – respondeu ele em um tom grosseiro. – Costuma acontecer quando Mammon persegue você pela rua.

– É, Ostheim me contou. Ele quer conversar.

– Ele teve a noite toda para conversar comigo – disse Herc, passando as bolsas para o outro cara, que as enfiou na parte de trás de um dos Land Rovers. – Está tarde e estou cansado.

O homem de óculos escuros se virou para Marlow, um sorriso zombeteiro perpassando seu rosto.

– Outro cão sem dono para o seu bando? – perguntou, e Marlow sentiu os pelos eriçarem. Deu um passo à frente, tentando parecer o mais alto possível.

O homem só balançou a cabeça. – Tão previsível. Agressivo, impaciente, problemático, indisciplinado. Também fede. Um vira-lata, mesmo para os seus padrões.

– Ei – retrucou Marlow, mas Herc pôs a mão em seu braço e balançou a cabeça em negação.

O cara de óculos se virou e sentou no banco do motorista do BMW azul, fechando a porta e ligando o motor. Herc conduziu Marlow até o Defender e sussurrou:

– Ignore o babaca ali. O nome dele é Hanson, e ele é britânico.

– Então está explicado – comentou Marlow. Sentou no banco de trás e perguntou: – Aonde estamos indo?

– Direto para o Motor, garoto. Apenas relaxe e aprecie a vista. Esse capuz em particular tem alguns dos meus tons preferidos de preto.

– O quê? – perguntou Marlow, e Herc levantou um pedaço de tecido que parecia ter servido de fralda na Idade Média.

– Regras são regras – disse Herc. – Você precisa usar isso.

– De jeito nenhum – respondeu Marlow. – Está... todo manchado.

– É, tudo contribui para dar o gostinho. – Ele o abriu e o ofereceu de novo. – Ou é assim, ou eu apago você.

Marlow ainda não tinha certeza do que era pior, mas pegou o capuz e o colocou na cabeça com cuidado.

– Tem cheiro de bunda – disse ele, a voz abafada.

– É, sinto muito – falou Herc. – Acho que Caminhão ficou sentado em cima dele no avião.

Ótimo.

Marlow ouviu a porta se fechar, então o carro partiu, avançando com rapidez. Herc deu um tapa em suas costas, fazendo-o saltar.

– Só feche os olhos e aproveite o passeio.

Não foi exatamente agradável, mas até mesmo uma viagem no lombo de um burro bêbado de três pernas teria sido suave comparada à experiência que tinha acabado de ter no jato. O Land Rover seguia pelas ruas como um carro de corrida, acelerando e freando na mesma medida, cantando pneu loucamente ao cruzar esquinas. Marlow teria ficado preocupado, mas o fato de não poder ver coisa nenhuma tirou um pouco do medo da experiência. Ele só se reclinou no banco, fechou os olhos e escutou a voz de Herc zumbindo.

– Gostaria de aproveitar a oportunidade para entrar em alguns detalhes – disse ele. – Tenho certeza de que você deve ter algumas perguntas. Vou fazer o melhor para antecipá-las. Primeiro, quem somos. Somos uma organização chamada Infernais. Não sei de onde vem o nome, sempre fomos chamados assim. Acho que é porque trazemos o inferno à tona onde quer que estejamos. Mas também é um pouco irônico, considerando qual é nosso propósito.

Sei..., pensou Marlow. Parecia mais o nome de uma banda de rock ruim dos anos oitenta. Lloyd Cole e os Infernais, em breve na sua cidade.

– Segundo, há quanto tempo existimos? Bem, é complicado. Os Engenheiros são velhos, *muito* velhos. Ninguém tem certeza, mas podem ter séculos de vida. Talvez milênios. Nossa organização existe há quase todo esse tempo, mas a forma como é hoje começou no século passado, na guerra. Tem muita história aqui, moleque, que você não precisa se dar ao trabalho de saber. Mas por um tempo os Motores se perderam e só foram redescobertos no anos trinta, quando...

Marlow parou de ouvir, embalado pelo estupor do aconchego e do movimento do carro. Não tinha dormido no avião – é difícil dormir quando se está muito ocupado gritando e vomitando em um banheiro minúsculo –, e a exaustão era como outro capuz cobrindo sua consciência. Ele pescou e acordou ao sentir que o veículo tinha parado. O mundo era um fosso de silêncio, apenas o som de sua respiração ecoando no tecido. Tirou o capuz e viu que o carro estava vazio. Não havia nada além de escuridão do lado de fora das janelas, como se tivessem ido até o limiar do planeta.

– Olá? – disse ele. – Herc? Pan?

Ele se embananou com o cinto de segurança, seus dedos não estavam funcionando direito, tudo se movia como se ele estivesse submerso.

– Ei? Pessoal?

– Eles estão mentindo pra você – disse uma voz que vinha da frente do carro, um sussurro. Marlow pulou, o coração quase parando. Alguém tinha se materializado no banco do passageiro, olhando pelo para-brisa a escuridão, um rosto encoberto pelas sombras. Até mesmo seu reflexo no espelho retrovisor era inescrutável, dois olhos pretos como breu, sem piscar. Uma sensação de inquietude rastejou pela coluna de Marlow, de cima para baixo.

– Onde eles estão? Quem diabos é você?

– Eles estão mentindo pra você – repetiu o homem, e todo o seu corpo pareceu estremecer por um segundo, rápido demais, como uma imagem que vacila quando você pausa um VHS.

– Quem? – perguntou Marlow, tentando apertar o botão para tirar o cinto. Pegou a maçaneta da porta e puxou, mas ela saiu em sua mão como um fio de alcaçuz quente, grudando em seus dedos. Ele soltou um grito, tentando se desvencilhar dela. Todo o carro começou a perder a forma, como se derretesse sob um calor imenso. – O que está acontecendo? Me deixe sair!

– É tarde demais, Marlow – disse o homem. – Não há como escapar. Ele sabe onde você está.

– Ele? – Marlow estava em pânico, sentindo a traqueia começar a inchar. Tossiu, conseguindo inspirar de modo entrecortado um ar que fedia a morte e podridão. – Não entendo.

O homem levantou o dedo, apontando para a escuridão fora da janela. Marlow olhou, mas não havia nada lá, só um vácuo imponderável. Mas ele conseguia ouvir algo? O distante ondular de um trovão. O garoto chiou ao inspirar de novo, mas não havia oxigênio; era como se estivesse se afogando. Ele pegou a bombinha no bolso e colocou-a na boca, apenas para senti-la se contorcer entre seus lábios. Gritou e cuspiu, vendo uma lesma laranja se retorcendo no chão junto a seus pés. Sentiu a bile subir, queimando o estômago, sufocando-o.

– Não – disse ele, dando um soco na janela, sentindo o vidro derreter em volta do punho. Estava afundando no banco, o carro todo tentando se dobrar sobre ele, asfixiando-o. Ainda assim, aquela trovoada foi aumentando – não, não era um trovão, mas o bater de cascos, como se algo galopasse em sua direção, e *rápido*. Marlow tentou resistir, mas, quanto mais se mexia, mais o carro o envolvia no derretimento, enterrando-o vivo. – Por favor, pare!

O homem na frente começou a chorar, os soluços desesperados de um moribundo. O barulho ficou mais alto, cada vez mais agudo, até se tornar um grito, um guincho estridente. Marlow também gritou, o medo tomando conta dele desde a cabeça até o dedo do pé como água gelada. Alguma coisa surgia da escuridão, um vulto inacreditavelmente imenso que avançou na direção deles a uma velocidade de revirar as tripas. O grito também ficava cada vez mais alto, tão alto que Marlow sentiu uma gota de sangue escorrer da orelha, tão alto que o carro sacolejava. A cabeça do homem começou a virar, rotacionando com suavidade, como a de uma coruja, retorcendo-se demais, o pescoço parecendo prestes a quebrar. Os olhos dele eram grandes como um par de pires, derramando escuridão, e sua boca era uma ferida aberta, soltando aquele uivo de desespero capaz de estourar os tímpanos.

– Não! – gritou Marlow. – Nãonãonãonãonão!

O vulto lá fora se avolumou diante da janela onde Marlow estava, aproximando-se rápido demais, escuridão jorrando da escuridão, um trem de carga prestes a atingi-los. Marlow levantou as mãos para se proteger, berrando.

A coisa o acertou como um tapa, arrancando-o do carro, rumo à escuridão. Ele socou o ar, chutando, tentando lutar, mas o vulto o continha, impedindo-o de se mexer. Aos poucos o mundo foi entrando em foco, três rostos olhando para ele de cima, tomados de preocupação. Marlow tentou se debater por mais um segundo até reconhecer Herc, Pan e Caminhão. Ficou lá deitado, soluçando de alívio.

– Uau – disse Caminhão. – Que pesadelo, hein, cara?

– Pesadelo? – repetiu Marlow, esforçando-se para respirar. Herc lhe entregou a bombinha, e ele a balançou, sentindo quão perto estava de acabar. Acionou-a algumas vezes e permaneceu deitado, o corpo inteiro trêmulo. O sonho já escorria de sua cabeça, dissipando-se como sal na água. Ele estava mais do que feliz em esquecê-lo.

– Acontece com todos nós – disse Herc, oferecendo-lhe a mão.

Marlow a pegou e se levantou, demorando um pouco mais do que precisava para soltá-la. Estavam em uma rua de paralelepípedo estreita perto do SUV, com prédios exóticos e antigos dos dois lados. Um grande portão estava aberto bem à sua frente, grande o bastante para passar um carro. Ele viu de relance o pátio adiante, inundado por uma luz amarelada. Ficou ali por um instante, sentindo tudo doer. Os nós dos dedos estavam feridos, como se ele tivesse socado uma parede.

– Até que você tem um bom gancho de direita para um moleque magricela – disse Caminhão, sorrindo. Ele tinha um lábio ferido e lambeu o próprio sangue ruidosamente. Marlow enrubesceu.

– Ah, ei, cara, desculpe, eu não queria...

– Não precisa se desculpar – disse Caminhão. – Se eu tivesse que viajar esse caminho todo com um trapo de bunda na cara, também ia querer dar um soco em alguém.

– Os pesadelos são normais – comentou Pan, surgindo ao lado de Marlow, que olhou para ela, observando o modo como seu rosto capturava a luminosidade, severo e afável ao mesmo tempo. Ela se virou para ele, e o olhar que lhe deu não era um sorriso, mas também não era uma carranca. – É porque estamos aqui.

– Aqui? – repetiu Marlow.

– É, aqui – disse ela. – Estamos no Motor.

O LIVRO DOS
ENGENHEIROS MORTOS

Pan foi até o pátio do Ninho, sentindo como se um milhão de anos tivessem se passado desde a última vez que estivera ali, e não um mês. Paredes de tijolos que já haviam visto dias melhores cercavam três laterais do local. A quarta formava um prédio que parecia ter sido uma igreja um dia. Ele também estava dilapidado, as janelas cobertas com tábuas de madeira, telhas faltando, uma torre baixa inclinada para o lado. Somente a porta – grande, vermelha e perfeitamente laqueada – parecia nova. Mas Pan não olhou para ela. Aquela porta era uma obra maléfica.

O pátio estava cheio de gente. Herc estava em um canto, discutindo com Hanson. Caminhão e Noite se apoiavam um no outro, ambos parecendo exaustos. Era o que acontecia quando se estava sob contrato: você ficava exaurido com tudo, exceto aquilo que negociou. Alceu e Esperança estavam sentados em um caixote, o primeiro limpando o nariz com tanto entusiasmo que era como se tivesse encontrado um tesouro ali. Pan começou a procurar por Forrest, mas então se deu conta.

Ele não está aqui, não é mesmo? Porque está no inferno.

A luz no pátio vinha de algumas lâmpadas halógenas que ela odiava. Era de um tom doentio de amarelo, e parecia que tudo que ela tocava era transformado em um cadáver ambulante. Toda vez que ia até ali tinha a impressão de que estava em um cemitério onde os mortos decidiram voltar à vida.

– Quem é toda essa gente? – perguntou Marlow. O garoto estava da cor de cinzas úmidas, o corpo mole e enfraquecido, os olhos injetados. A cada respiração, ele emitia um som de um acordeão quebrado. Ela ainda não sabia o que Herc tinha visto nele, tirando a asma. Era sempre mais fácil converter alguém quando havia algo que a pessoa desejasse. Ou melhor, algo que ela *não* desejasse.

– São a equipe de apoio – disse Pan, apontando com a cabeça para o pessoal que descarregava os carros. – Eles fazem o trabalho pesado. Pode confiar neles.

Marlow assentiu. Ele ainda estava em choque, ela imaginou. Não podia culpá-lo; ela ficara mal por semanas depois que vira o Motor pela primeira vez. Observou-o enquanto ele examinava o pátio, as paredes, depois a porta, e percebeu o momento exato em que aquele *sentimento* bateu. Ele cambaleou por alguns passos, soltando um gemido de lamento, esbarrando em Caminhão e se segurando no grandalhão como se ele fosse um bote salva-vidas no meio de um oceano escuro e frio.

– Alguém está sentindo o gostinho pela primeira vez – disse Caminhão. – Só deixe fluir, irmão, uma hora melhora.

– O que é *isso*? – perguntou Marlow, levando as mãos às orelhas. Pan sabia o que ele devia estar ouvindo, as vozes, os sons, aquele arranhar infernal. Latidos que não vinham de cachorro nenhum, gritos que não podiam ser humanos, uma dezena de sussurros fazendo cócegas no interior de seu crânio como línguas frias e úmidas. Ela também os ouvia, embora já tivesse estado ali tantas vezes que aprendera a se desligar. Havia cheiros também, carne putrefata, excrementos e enxofre, sempre o enxofre. Não importava quanto limpassem o pátio, quantas vezes esfregassem o chão, aqueles odores nunca saíam.

– Ignore – disse ela enquanto ele voltava a revirar o bolso em busca de mais uma rajada de sua bombinha. – Ele só está querendo mexer com a sua cabeça.

– O Motor? – perguntou ele, estremecendo.

– É.

Marlow parecia prestes a fazer outra pergunta, mas ela não teve paciência, passou por ele e foi até Herc.

– Esperando por algo especial? – perguntou ela. – Ou só está aí esperando como um patinho na chuva?

Os olhos de Herc se arregalaram de raiva, e ele cerrou os dentes, engolindo em seco ruidosamente.

– Acha que vamos deixar seu novo namorado entrar sem fazer um teste? – questionou Hanson, o olhar malicioso por trás dos óculos de sol. Ela estava grata por ele estar de óculos, porque sabia o que eles escondiam.

– Então faça um teste com ele – disse Pan. – Meu traseiro está congelando aqui.

– E você está torrando meu saco – retrucou Hanson, se afastando.

Ela envolveu o corpo com os braços, pisoteando o chão úmido e amaldiçoando Hanson em silêncio. Sabia que não tinha volta. Como o Circulus

Inferni faria qualquer coisa para descobrir a localização do Motor deles, fazia sentido garantir que nenhum espião entrasse por aquela porta. Marlow parecia um drogado, mas as aparências enganam.

Ela o observou, encolhido em suas roupas molhadas, o cenho franzido e o lábio inferior trêmulo. *É, não enganam tanto assim.*

Hanson colocou as mãos ao redor da cabeça de Marlow e a levantou até que ele o olhasse bem nos olhos. O garoto resistiu um pouco, mas apenas do jeito que um cachorro castigado resiste quando sabe que não pode fugir.

– Qual é seu nome? – perguntou Hanson.

– Marlow Green. – Ele se arrepiou. Hanson sempre negociava leitura de mentes, entre outras coisas, então saberia se o garoto estivesse mentindo.

– Você trabalha para Mammon? Para o Circulus Inferni?

– Não – respondeu. – De jeito nenhum, cara, eu...

– Você tem planos de se infiltrar no Motor, destruí-lo ou danificá-lo de alguma forma e causar danos a qualquer pessoa que trabalhe nesta organização?

– Estou sentindo que talvez eu vá querer dar um chute no seu saco qualquer hora dessas, isso conta? – retrucou Marlow, e um riso quase cuspido escapou dos lábios de Pan antes que ela conseguisse se conter. Hanson apertou a cabeça de Marlow com mais força, fazendo o garoto estremecer.

Hanson inclinou a cabeça para trás, as narinas dilatadas como se tentasse farejar uma mentira. Depois soltou Marlow, empurrando o garoto para longe e limpando as mãos na calça.

– Tudo certo com ele – declarou. – Mas ele está arrastando uma asa bem grande para você, Pan. Foi basicamente tudo que pude ver naquele arremedo de mente que ele tem.

– Espere, não, o *quê*? – retrucou Marlow, e Pan se virou antes que ele pudesse ver as bochechas dela começando a queimar.

– Podem fechar! – gritou Herc para dois membros da equipe de apoio perto do portão. Eles obedeceram, fechando-o e trancando-o com uma barra. Não era um primor de segurança, mas Pan sabia que podiam deixar o portão escancarado e mesmo assim os intrusos não encontrariam um jeito de entrar por aquela porta enorme, vermelha e maléfica. Aquele lugar era protegido por outra coisa, algo ancestral e muito mais poderoso.

– Honestamente, não sei do que ele está falando – disse Marlow.

Herc pôs a mão no microfone em seu colarinho e gritou:

– Pode abrir!

Pan se preparou, inspirando devagar e profundamente três vezes. Essa parte do processo era sempre um saco. Da porta veio uma série de cliques, baixos, gorgolejantes e tamborilados, como se houvesse uma barata gigante do outro lado. Depois, um caos repentino e estrondoso de luz e ruído a atingiu bem no meio do cérebro. Ela gemeu, cerrando os punhos o máximo que pôde, tentando não ver, mas incapaz de se desligar – cadáveres, bocas desdentadas abertas em pânico, vermes escorrendo de globos oculares vazios, membros se agitando dentro do inferno e algo além, algo pior do que os demônios, ainda pior do que Mammon. Uma escultura de ossos e sombras que se avolumava acima de tudo aquilo, observando-a com um monte de olhos grandes e pretos de aranha.

A porta deu outro tranco e se abriu, e as imagens sumiram como se um projetor no cérebro de Pan tivesse sido desligado. Seu corpo oscilou, instável, e ela sacudiu a cabeça como se de alguma forma pudesse desalojar o que tinha estado lá antes. Pigarreou e cuspiu uma bolota de ácido, sentindo o sangue escorrer do nariz para a boca. *Toda santa vez.* Olhou para a porta pensando se – quando tudo aquilo terminasse – teria permissão para estraçalhá-la a machadadas.

Não que tivesse ousadia suficiente.

Marchou em direção a ela, o estômago revirando. Caminhão a seguiu, segurando Marlow como um saco de compras do mercado. O garoto parecia prestes a vomitar, a respiração entrecortada. A primeira vez era sempre a pior, sentir o Motor em sua cabeça. Quando aconteceu com Pan, ela vomitou em cima de Herc e Hanson. Teve até um recruta que morreu no ato.

– Idade vem antes da beleza – disse Herc, mostrando seu sorriso monstruoso com falha nos dentes.

Pan foi até a porta e viu o interior da igreja, os bancos podres, os buracos no telhado por onde a chuva gotejava, as vinhas que tinham fincado raízes e desciam pelos pilares. Respirou fundo, então cruzou a soleira, sentindo o familiar revirar e agitar de entranhas, as tripas protestando enquanto caminhava. Tudo crepitava, raios de agonia clara e brilhante atravessando seu cérebro. Deu mais um passo, se forçou a fazer isso, sabendo que, se parasse, ficaria presa para sempre no espaço intermediário. A dor bateu suas asas e foi embora como um passarinho assustado, e Pan se viu em um corredor estreito, sentindo um arrepio em resposta ao frio repentino.

Deu mais uns passos, depois olhou para trás, vendo a mesma porta vermelha aberta, e em seguida uma visão que nunca falhava em deixá-la sem fôlego – um campo nevado, fresco e intocado como uma página em branco, uma cadeia de montanhas pouco visível ao fundo em meio à nevasca. Um rosto apareceu do nada, um crânio amarelecido, quase invisível em contraste com a vista. Ele seguiu adiante, transformando-se, ganhando um brilho avermelhado, faixas de músculos, uma camada de pele e cabelo. Caminhão estava no corredor, Marlow se materializando ao lado dele. O garoto ficou parado por um momento, depois abriu a boca e vomitou, uma gota do líquido pendendo do queixo.

– Por aqui – disse Pan, conduzindo-os pelo corredor, tentando ignorar as cócegas no crânio, os semissussurros que dançavam em seus tímpanos. Símbolos decoravam as paredes, reconhecíveis mesmo após alguém ter tentado riscá-los. Uma suástica, uma águia com as asas estendidas. Elas faziam o estômago de Pan revirar tanto quanto as vibrações anteriores.

Depois de uns trinta metros, a passagem dava para um elevador. As portas estavam abertas, como a boca de um predador esperando que ela entrasse. Ela entrou. Caminhão e Marlow a seguiram, fazendo o elevador oscilar, e ela tentou não pensar na profundidade do fosso que se alongava abaixo dele, as centenas de metros de espaço vazio entre ela e o abismo.

– Lá vamos nós de novo – disse Herc ao entrar.

O elevador deu um solavanco, depois começou a descer. Quando o usou pela primeira vez, Pan sentiu como se estivesse em uma espécie de foguete às avessas, descendo para as profundezas da Terra, e não subindo para o espaço. Mesmo agora, depois de tantas viagens, seu estômago ainda dava cambalhotas enquanto ganhavam velocidade. Ela ignorou a necessidade de se segurar em alguma coisa, as mãos cerradas, os olhos fechados pelos quarenta e oito segundos que o elevador levou para frear.

Ela ouviu o barulho do cercado antes que o elevador parasse, um clamor de vozes e maquinários que ficou três vezes mais alto quando Herc abriu os portões. Ele os conduziu ao primeiro andar do complexo, um lugar imenso, do tamanho de algumas quadras de basquete. Tinha sido esculpido na pedra, as paredes e o teto acinzentados em estilo rústico e irregular – exceto por um trecho abaixo do elevador, onde se via uma suástica gigante. O símbolo tinha sido coberto por uma dezena de lonas, mas ainda parecia arder naquele lugar, tendo gravado a brasa uma insígnia que levava direto para o passado. Logo abaixo, alguém – um Engenheiro dos anos oitenta, ao que parecia – tinha pintado as palavras Os nazis são uns bostas, os Infernais é que mandam!

Tudo o mais no espaço era novo. Os montes de servidores estavam alinhados à parede dos fundos, zumbindo. Havia mais de uma dezena deles, cada um do tamanho de uma geladeira, envoltos em três camadas de plástico transparente para que a umidade e o frio não os atingissem. Suas luzes piscavam com cautela, fazendo Pan pensar em animais enjaulados em um zoológico.

Perto deles havia uma parede inteira de monitores, sendo que os dois das extremidades opostas eram grandes como telas de cinema, com outros dezesseis montados entre eles. Cada um deles mostrava, como sempre, números, contagens regressivas e infográficos, como um centro de controle da Nasa. Mas em uma das telas grandes passava um filme do Harry Potter. À frente dela, quatro mulheres e três homens estavam sentados em cadeiras giratórias, extasiados, se esbaldando de pipoca. Herc avançou até a metade da sala quase na ponta dos pés, esperando até que estivesse perto o bastante para bater palmas. O barulho foi como o tiro de um rifle ecoando nas paredes, e os Advogados quase caíram da cadeira.

— Meu deus do *céu*! — gritou Seth com seu sotaque austríaco carregado. Ninguém sabia exatamente quantos anos ele tinha: às vezes ele parecia ter sessenta, outras, oitenta. Naquele instante, parecia ter uns cem ao bater a mão com manchas hepáticas no peito. — Você faria mesmo isso comigo, um velho que já teve quatro ataques cardíacos nesta vida? Você é uma pessoa ruim, Herman Cole. E ainda vai acabar comigo.

— Nunca teria essa sorte — disse Herc, avançando até eles e abraçando o homem com afeto. Pareciam uma dupla de velhos ranzinzas se encontrando no parque, pensou Pan, sorrindo.

— Bom ver você focado no trabalho — comentou Caminhão. — Bom saber que está se esforçando bastante para quebrar nossos contratos.

Seth balançou a mão como se dispersasse um cheiro ruim.

— Ah, qual é, você sabe que quebrar seu contrato é tão fácil pra mim quanto soltar um peido. Você me insulta, Gregory, com seus acordos patéticos. Quando vai ter coragem de escolher algo *realmente* divertido?

Um dos outros Advogados tinha pausado o filme, e eles zanzavam de um lado para o outro como se estivessem trabalhando de verdade. Pan os ignorou. Sabia um pouco sobre cada um deles, mas, exceto por Seth, fazia de tudo para ignorá-los. De alguma forma, conhecer a pessoa que tinha que quebrar seu contrato tornava a coisa toda ainda mais assustadora, mais real. Era melhor fingir que algum super-herói sem nome e sem rosto estava tentando salvar sua vida, e não um velho com três pontes de safena ou uns matemáticos nerds do MIT que eram novos o bastante para pensar que camisetas com frases irônicas eram legais.

— Que bom ver você, Amelia — disse Seth, usando o nome que Pan odiava. — Quase a perdemos lá. Foi osso duro de roer. Sabe, Gregory, você devia ser mais parecido com essa senhorita aqui, que me deu um trabalho de verdade!

Seth mexeu as sobrancelhas enormes e peludas para ela e sorriu. Pan não resistiu e sorriu em resposta. Isto é, até se lembrar de Forrest.

— Vocês deveriam ter quebrado o contrato dele – disse ela. – Não era para termos perdido mais um.

— Cody. – Seth suspirou. – Sim. Devíamos mesmo. Sinto muito, Amelia. Ostheim nos deu a ordem de manter o contrato de vocês ativo até que a missão estivesse completa. E, quando isso aconteceu, foi tarde demais. Só conseguimos quebrar o seu a tempo.

— É, eu percebi – disse ela, passando a mão no peito, no coração arruinado. Seth aproximou-se dela e pôs a mão quente e grossa como couro em seu ombro.

— Sinto muito mesmo, minha garota. Não foi minha escolha, mas é minha responsabilidade. Eu devia ter dito não a Ostheim.

Aham, sei. Ninguém diz não a Ostheim. Pan afastou a mão dele com um movimento de ombro.

— Vou escrever o nome dele no livro – disse Seth.

— Não – respondeu ela. Então se endireitou e foi até um canto próximo. Havia uma mesa ali, com um único objeto em cima: um livro de registros. Estava aberto, e ela passou a mão pela lista de nomes escritos em tinta preta. *Lucy White (Fervura), Beki Smith (Barba-Azul), Sophie Hicks (T-Rex), Wesley Adams (Maratonista), Tyra Jynn (Cospe-Fogo), Ryan Hodapp (Martelo), Hannah Wilkinson (Berserker), Leticia Gallardo (Devoradora de Livros), Courtney Webb (Capitã Obviedade).* Todos os Engenheiros e seus nomes de guerra. Todos mortos. Alguns apodrecendo no solo, a maioria em algum lugar muito distante, muito pior. Ela fez o que sempre fazia: repassou as páginas do livro. Quantos nomes? Mil? Os da primeira página já estavam quase irreconhecíveis de tão apagados, com séculos de idade. E quantos mais haveria ali até que tudo acabasse?

Pegou a caneta e escreveu *Cody*, então parou, colocando o cérebro para funcionar. Qual era mesmo o sobrenome dele? A ponta da caneta continuava no ar, e Pan sentiu a vergonha envolvê-la, sufocá-la. Como podia ter esquecido? Ele estava morto, e ela nem se lembrava do nome completo dele.

É melhor assim, melhor esquecer que ele já existiu, melhor...

Baranowski. Ele foi subitamente enfiado de volta à cabeça de Pan, que o escreveu no papel, acrescentando *(Forrest)* ao final. Herc lhe dera aquele nome porque o rapaz sempre dizia que a vida era como uma caixa de chocolates, como Forrest Gump. Ela passou o dedo com delicadeza sobre o nome e então fechou o livro com deliberada lentidão.

Missão cumprida. Hora de seguir adiante. Não vou pensar nele de novo.

— E quem é esse? – perguntou Seth, levantando da cadeira e se aproximando de Marlow. – Um novo recruta? Minha nossa!

– Seth, este é Marlow – apresentou Pan. Seth pegou a cabeça de Marlow entre as mãos e o analisou como um cientista analisaria um rato. Então assentiu em tom de aprovação.

– Ah, Marlow, que apropriado – disse ele, colocando a cabeça no peito do rapaz. – Tem um pouco de asma, pelo visto. Nada que não possamos resolver. Um bom espécime, Herman, vamos nos divertir muito com este aqui. Já pensou no que gostaria de ter, Marlow? Eles já falaram sobre as possibilidades, as infinitas e maravilhosas possibilidades?

– Hum… – murmurou Marlow.

– É melhor não ter pressa – afirmou Herc. – Foi um dia longo. Alguns dias longos. Devíamos descansar.

– Ah, que lenga-lenga! – exclamou Seth. – Vocês não precisam de nada disso. Por favor, vamos preparar um contrato para ele. Você não sabe quanto fico entediado aqui. Eles me obrigam a fazer coisas horríveis, *coisas horríveis*, quando vocês não estão. Esses filmes que eles me obrigam a assistir, sobre feiticeiros, dragões e… elfos estranhos com meia. Não consigo pensar com tanta bobagem na cabeça.

– Foi ele que colocou! – disse uma das Advogadas, uma jovem chamada Trix. – Ele fez a gente assistir a esse filme quatro vezes esta semana.

– Mentira – disse Seth, as mãos para cima. – Vejam como eles me difamam. Venha cá.

Ele pegou Marlow pelo cotovelo e o conduziu até o elevador. Pan olhou para Herc, que deu de ombros.

– Está tarde demais, e estou muito cansado para discutir com Seth – disse ele. – Vou pra cama. Fique de olho para ver se ele não negocia alguma coisa impossível de quebrar, está bem?

– Qual é, Herc? – respondeu ela, querendo mais do que tudo se jogar em um colchão macio, se enterrar no aconchego do edredom. – Eu…

– Boa noite, Pan – falou Herc, sorrindo para ela. Pan olhou para Caminhão, que balançou a cabeça.

– É cama pra mim. Boa noite, garota.

– *Buenas noches*, Pan – disse Rouxinol da Noite antes mesmo que Pan a consultasse.

Pan resmungou de frustração, mas deu meia-volta e foi atrás do velho e do garoto. Já sentia aquela coceira enlouquecedora, o chamado do Motor. Ela o imaginou lá embaixo – sua insanidade se disseminando, um oceano de partes móveis alimentadas por uma maldade inominável –, e seu coração começou a bater mais forte. A verdade era que não estava cansada. A razão pela qual não queria ser babá de Marlow era que se ela fosse lá para baixo, se visse o Motor, o desejo de assinar um novo contrato poderia ser quase irresistível. Aquela coisa sempre a desejava, e ela não sabia mais como dizer não.

– Não demore, Amelia – disse Seth do elevador. – Não quero estar cem anos mais velho quando você se juntar a nós.

Ela balançou a cabeça em resignação, então se apressou até onde eles estavam. Marlow abriu um sorriso nervoso para ela, e Pan quase sentiu pena dele. Quase. A verdade era que ele não sabia a sorte que tinha. Naquele instante, ele era um saco trêmulo e arquejante de carne, ossos e preocupações.

E em poucos minutos ele seria um deus.

O MOTOR

Marlow não tinha certeza de como era possível irem ainda mais para as profundezas, mas o elevador desceu sacolejando em velocidade máxima por mais um minuto antes de desacelerar. O garoto sentia a vasta pressão da terra acima, o peso de um bilhão de toneladas de rocha e solo, pronto para fazer geleia dele. O pânico era como um fogo frio no peito, e ele precisou resistir à necessidade de gritar, de implorar para que o levassem de volta à superfície. Tentou respirar fundo para se acalmar, mas não havia ar ali. Arquejou, procurando pela bombinha, até que o velho pôs a mão em seu braço.

— Você não precisa mais disso — disse ele, dando tapinhas na mão de Marlow, como um pai que leva o filho para o primeiro dia na escola. — Pode ser demais, eu sei. O momento em que tudo o que você achou que soubesse sobre o mundo se revela estar errado. Mas vai melhorar. Venha.

O elevador parou com um solavanco, e Pan abriu as portas. Na tentativa de ignorar todo o resto, Marlow se concentrou nela — em como ela andava, dominando o lugar; em como seu quadril se mexia. Era quase hipnótico. Manteve os olhos nela, tão absorto que precisou de um instante para perceber que havia algo em sua cabeça, algo correndo pela circunferência de seu crânio, zumbindo como uma mosca. Pôs a mão na têmpora, coçando-a com fúria, mas a comichão era por dentro, insuportável. Se tivesse um martelo, o usaria feliz da vida para pegar o que quer que tivesse se enfiado ali e estivesse se refastelando.

— O que é isso? — protestou ele, usando as duas mãos agora, sentindo como se seu cérebro estivesse cheio de ovos de insetos, todos eclodindo em uma profusão de patinhas de agulha e olhos esbugalhados. — Tira isso de mim!

Ele sentiu mãos de outra pessoa nas dele. Olhou e viu Pan a seu lado, tão perto que ele podia sentir o hálito dela em seus lábios. Mesmo com a cabeça entrando em erupção, sentiu-se derreter, como se os ossos tivessem sido arrancados das pernas.

– O Motor vai fazer de tudo para enlouquecer você – disse ela. – Você vai senti-lo na sua cabeça, na sua alma. Ele está tentando entender você, sondá-lo. Não vai ser igual a nada que já tenha vivido, e, acredite, ele vai fazer você desejar morrer. Mas ignore.

– Ignorar essa magia bizarra do Motor que está explorando minha alma com dedos maléficos – disse ele, tentando sorrir e apresentando a ela o que devia ser uma careta. – Beleza, legal.

Pan o observou por mais um instante, e ele teve o desejo quase irresistível de se inclinar e encostar a boca na dela. Seria tão fácil, ela estava a quinze centímetros, e aqueles lábios tão carnudos estavam entreabertos...

– Se fizer isso, você morre – disse ela, lendo a mente dele. Ela deu um cutucão na testa dele e se afastou. – Acredite, o Motor dá um trabalho danado, mas eu sou pior.

– Fazer o quê? – perguntou ele, da forma mais inocente que pôde. – Eu não...

– Claro.

Eles estavam em um cômodo pequeno, só o elevador de um lado e o que parecia ser a porta de um cofre do outro. As paredes eram feitas de concreto, e a mesma decoração nazista cobria duas delas. Alguém tinha passado tinta por cima das suásticas, mas era quase como se o símbolo venenoso tivesse corroído a pintura, fazendo-a criar bolhas como pele doente.

– E qual é a dessa baboseira com Hitler? – indagou Marlow. – Tem alguma coisa que não me contaram? Porque eu não sou muito chegado nesse papo de supremacia branca.

– Nem nós, Marlow – disse Seth, gesticulando para si mesmo. – Obviamente. Não, os nazistas encontraram este lugar quando invadiram a Tchecoslováquia em 1939. Não sabemos por que, exatamente, mas os Motores ficaram perdidos por muito tempo antes disso, quase esquecidos. Felizmente para nós, os nazistas não descobriram como usar a máquina antes do fim da guerra. As coisas poderiam ter acabado de um jeito bem, bem diferente.

– É por isso que chamamos isso aqui de Ninho do Pombo – disse Pan enquanto digitava um código em um terminal junto à porta do cofre. – Como o refúgio do *Führer* nas montanhas, que chamavam de Ninho da Águia; só que este lugar estava infestado de pombos quando os Infernais o encontraram. Pombos mortos.

A porta fez um bipe, e Pan se virou para Marlow.

– Nada que eu possa dizer, nada que ninguém possa dizer, vai deixá-lo pronto para o que está prestes a ver. Não há nenhum treinamento que possa fazer, nenhum jeito de se preparar. Você poderia ter mil anos para se equipar para o primeiro encontro com o Motor, e mesmo assim o baque ainda seria enorme. Então a gente só vai jogar você lá dentro. A coisa mais importante a lembrar é que ele não pode machucar você. Ele vai mexer com a sua cabeça, vai fazer você se sentir pior do que jamais se sentiu, vai fazer você pensar coisas que nunca imaginou ser capaz de pensar, vai fazer você sentir que é mau, mas ele não pode machucar você. Tudo bem?

– Claro – disse ele, querendo acrescentar: *Não, não estou nem perto de estar bem, por favor, me tire daqui, não quero mais fazer parte disso.* Mas a verdade era que estava cansado de fugir. – Claro – repetiu, com mais firmeza dessa vez. – Estou pronto.

Pan soltou uma risada, como se fosse a coisa mais idiota que já tivesse ouvido, depois bateu com a mão no terminal. Fez-se um momento de hesitação antes que o ambiente se enchesse de ruídos, uma sirene estourando ao mesmo tempo que uma luz começou a piscar em cima da porta. Era como se estivessem em uma prisão, esperando que os portões se abrissem. Por que precisavam de uma porta daquele tamanho? Quem estavam tentando manter do lado de fora?

Ou o que estavam tentando manter do lado de *dentro*?

O mecanismo hidráulico da porta chiou, depois ouviu-se um *crack* quando as travas se soltaram. A porta se abriu preguiçosamente, e o último vestígio de contato entre Marlow e a rochedo da realidade desapareceu, lançando-o para o abismo. A investida foi arrebatadora – um banquete de carne putrefata e gritos uivantes devoraram cada um de seus pensamentos. Ele agarrou a cabeça, piscando para afastar as lágrimas, sentindo-se exausto, como se tivesse chorado por horas. Sentiu a mão de Pan em seu braço, e pela primeira vez a expressão dela tinha se suavizado.

– Venha! – disse Seth, passando por eles. – Vamos começar. Estou tão animado!

Animado não era a palavra que Marlow teria usado, mas definitivamente havia algo dentro dele – tirando o terror de revirar vísceras, o horror enlouquecedor – que o fez ficar tonto. Parte dele ainda estava convencida de que tentavam lhe pregar uma peça – *Eles estão mentindo pra você*, seu sonho lhe dissera –, mas ele tinha visto, tinha visto o que eles podiam fazer.

Você também viu o preço que eles têm que pagar.

Fechou os olhos, tentando afastar à força a imagem da garota Brianna sendo feita em pedaços, a alma sendo arrastada para o solo ardente. Tudo bem. Aquilo não aconteceria com ele. Cuidariam dele.

Não cuidariam?

Pan tomou a dianteira, e Marlow se manteve em seu encalço, o coração martelando tanto nas costelas que era quase como se tentasse sair de seu corpo para ficar mais perto dela. Uma brisa forte e fria soprou, trazendo o cheiro de algo que poderia ser fumaça ou ovo podre. Pôs a mão no nariz e tossiu, expectorando a secreção acumulada na garganta. A bombinha estava vazia àquela altura, mas ele tentava não pensar nisso. Se tivesse uma crise, estava a milhares de quilômetros das bombinhas reserva, do nebulizador. *Respirações profundas, calmas e cadenciadas; é só não entrar em pânico.*

Passou pela porta, e o pânico o atingiu como um soco no estômago.

Era como estar em uma nave no núcleo negro do espaço. Depois da porta não havia nada, apenas um vazio vasto e preto que tirou seu fôlego – literalmente arrancando o ar de seus pulmões. Era impossível ter uma ideia da vastidão, pois não havia marcos de referência, mas de algum modo ele sabia que aquilo era enorme, algo na grandiosa quietude do ar. Sentiu que, se desse mais um passo, cairia girando naquele silêncio profundo e seria sufocado por ele, tragado por inteiro.

Arfando, estendeu a mão e pegou a primeira coisa que encontrou – um corrimão de metal frio – e o segurou firme, como se sua vida dependesse disso. Mesmo daquele jeito, com os pés enraizados, sentia como se o mundo inteiro pudesse virar de ponta-cabeça a qualquer segundo, arremessando-o longe como alguém balançando a mão para se livrar de um inseto. Fechou os olhos, mas isso só piorou, dando-lhe a impressão de que estava prestes a cair, rodopiante, no esquecimento.

Ouviu-se um barulho distante, e Marlow abriu os olhos, notando um ponto de luz microscópico ao longe, pequeno como um vaga-lume visto do alto de uma montanha. Outro ponto se uniu ao primeiro, e então um terceiro, uma fileira de luzes cintilando na direção deles, formando uma linha que poderia ser uma via expressa. Mais luzes ganharam vida, faiscando, e Marlow ficou boquiaberto quando o tamanho do lugar se tornou aparente – maior até do que teria imaginado, maior que uma dúzia de campos de futebol, uma centena, talvez. As luzes pendentes continuaram piscando, milhares delas, até a caverna reluzir.

E o que elas iluminavam era quase suficiente para fazê-lo querer pedir aos berros pela escuridão, um desejo de arrancar os próprios olhos para não ver.

Estava no topo de uma escada de metal íngreme e estreita que mergulhava no chão da caverna. Lá embaixo havia uma área plana do tamanho de uma sala de aula, limitada pelo restante da câmara. Não havia nada lá, exceto uma piscina retangular cheia de algo que ondulava feito água, mas que não refletia nada.

O que estava abaixo dessa área, porém, era certamente inacreditável. Poderia ser um oceano, mas um oceano feito de partes mecânicas. Era difícil ter uma ideia dele visto ali de cima, mas Marlow distinguiu engrenagens, alavancas, rodas dentadas, molas e eixos, centenas de milhares deles – não, *milhões* deles. Parecia um lixão de relógios antigos, de brinquedos de corda e antiguidades mecânicas. A escala da coisa o fazia se sentir um inseto, algo minúsculo e insignificante, algo digno apenas de ser trucidado. E o pensamento pareceu fazer o Motor ficar ainda maior, pareceu fazê-lo se levantar, avolumando-se sobre ele embora estivesse lá embaixo. Era como se uma vasta onda se aproximasse, vinda do outro lado da caverna, rugindo, explodindo e retumbando em sua direção.

Em um piscar de olhos, no entanto, o oceano de partes mais uma vez ficou imóvel, como se não se movesse há séculos.

Marlow de repente não queria parte alguma daquela coisa, daquele vasto dispositivo ancestral. O que Pan havia dito? Que aquilo tinha sido construído pelo Diabo? Era impossível, claro, não havia nada assim, *certo*? Mas, ao ver aquela enorme abominação embaixo dele, um leviatã ilimitado de partes afiadas como lâminas, poderia acreditar com facilidade. Era algo que não deveria existir de maneira nenhuma, e tentou se virar, correr de volta porta afora, mas percebeu que não poderia.

Você não quer saber?, disse alguma coisa em sua cabeça, um sopro morno e azedo, como se alguém tivesse colado os lábios nos dele e sussurrado em sua boca. Ele levou as mãos aos ouvidos, mas ainda assim as palavras brotavam. *Posso dar qualquer coisa que quiser, qualquer coisa que desejar. Tudo que tem que fazer é pedir.*

Outra imagem inundou seu maltratado cérebro, ele correndo por uma pista. Não conseguia entender bem por que estava tão bom, até perceber que não tinha o peito chiando, que não lutava por cada suspiro. Era tão vívido que, quando a imagem se dissolveu, ele quase lamentou, até que outra coisa tomou seu lugar – Pan, as mãos no peito dele, os lábios entreabertos enquanto se aproximava para um beijo.

Tudo que tem que fazer é pedir.

Em algum lugar no vasto silêncio da máquina, ouviu-se o clique de um inseto, um ruído mecânico bem baixinho. A cabeça de Marlow de repente ficou oca de novo, as bochechas ardendo com o genuíno poder da fantasia. Fez-se um momento de êxtase silencioso antes de ser substituído por outro, enchendo sua cabeça como se ele tivesse um home theater entre as orelhas. E esse quase o fez gritar de alegria.

Ele e Danny subindo os degraus de casa, tudo banhado pela luz do sol enquanto eles riam no caminho até a porta. A mãe, abraçando-o primeiro e depois ao irmão – cheirando a amora como antigamente, nenhuma garrafa vazia na pia. Danny se virou para ele e estava mais velho, com rugas no rosto, uma mecha de cabelo grisalho junto à orelha esquerda, mas os olhos tão cheios de vida, tão repletos de bondade.

Tudo que tem que fazer é pedir, disse o irmão, acariciando seu cabelo.

Então Marlow foi atirado de volta à caverna, piscando algumas vezes para afastar a luz do sol dos olhos, como se de fato tivesse estado lá. O aroma do creme hidratante da mãe ainda estava em seu nariz, o couro cabeludo coçando onde Danny o tocara. Pan havia chegado à base da escada e olhava para ele lá em cima com curiosidade.

— O que ele está mostrando para você? — perguntou ela. — Dinheiro?

— Não — disse ele, descendo a escada correndo e ficando ao lado dela enquanto Seth se movimentava com esforço atrás deles. — Não, vi meu irmão, Danny. Ele... ele morreu.

Pan assentiu com empatia e olhou para o Motor. Dali de baixo, Marlow pôde olhar mais de perto, vendo que ele era ainda mais complexo do que tinha imaginado. A coisa se alongava da esquerda para a direita até se perder de vista, um contorno de agulhas e pinos, cada um deles perfeitamente imóvel. Enormes cabos se esticavam Motor adentro e, ao contrário do restante das partes, pareciam novos em folha.

— Não faça isso — disse Pan. — O Motor tenta controlar suas escolhas, tenta fazer você desejar algo impossível. Se você negocia trazer os mortos de volta...

Ele pensou tê-la visto estremecer, e ela passou a mão na barriga, como que para se recompor.

— Achei que a máquina pudesse conceder qualquer desejo — disse Marlow, a voz fraca, como se o vasto silêncio a reprimisse.

— Ah, pode, sim — respondeu Pan. — Você pode desejar a volta do seu irmão, e ele vai voltar. Mas não vai ser ele. Vai se parecer com ele, talvez até fale como ele, mas vai estar podre por dentro. É um fantasma de uma lembrança envolvida na carne morta de outra pessoa. Nós os chamamos de vermes, e eles são nojentos. Sem contar que, quando você tira alguém do mundo dos mortos desse jeito, mais cedo ou mais tarde o inferno inteiro vem atrás de você para reaver a pessoa.

— E isso vai te custar tudo! — gritou Seth para eles. — Porque esse é um contrato que não conseguimos quebrar. O Motor também sabe disso, essa porcaria aqui.

Marlow se arrepiou, mas a imagem de Danny ainda estava gravada em sua cabeça, tão real quanto qualquer outra coisa em sua vida.

– Lembre-se de que o Motor não é seu amigo – disse Pan. – Ele mente, engana; esse é o propósito dele. É isso que tem feito há séculos: enganar as pessoas para fazer um acordo, para assinar um contrato.

– Em troca da alma delas – completou Marlow. – Mas não pode ser real. Como diabos ele pega sua alma?

Pan deu de ombros.

– Não sabemos – respondeu ela. – Ninguém sabe. Nem mesmo os vovôs lá de trás.

– Sim – disse Seth ao se aproximar de onde estavam. – Há coisas que mesmo eu não sei. – Ele parou, ofegante. – Mas Pan tem razão, você tem que ter muito cuidado com o que deseja negociar.

– Ouçam – disse Marlow. – Acho que não quero fazer isso, acho que...

– Vai ficar tudo bem – assegurou Pan. – Todo mundo amarela na primeira vez. Você só precisa se concentrar, manter a mente limpa.

– Sim, saber exatamente o que quer. São as pessoas que querem tudo, ou que não sabem o que querem, que arranjam problemas.

Marlow balançou a cabeça, prestes a dar uma desculpa e ir embora, mas de repente vieram vozes do alto da escada. Um rosto apareceu porta adentro, o britânico Hanson, ainda de óculos escuros. Ao lado dele estavam aqueles dois do elevador, Esperança e Alceu.

– Parece que os babacas de Herc chegaram antes da gente – disse Hanson, galopando escada abaixo. – Já não passou da hora de dormir, Amelia?

– Vai se ferrar – retrucou Pan.

Ele riu.

– Um dia talvez eu lhe permita fazer isso – disse ele, voltando-se para Marlow. À luz desagradável da caverna, ele parecia mais velho do que antes, com rugas gravadas no rosto. Mas sem ver os olhos dele era impossível saber com certeza. – Vai jogar o cachorro novato na piscina? Para ver se afunda?

– Se chamar alguém de cachorro muitas vezes – disse Marlow, pronunciando as palavras devagar para não enrolar a língua –, pode acabar sendo mordido.

Hanson ponderou por um instante, depois se inclinou para a frente. Pelo reflexo da lente dos óculos, Marlow viu o próprio rosto, suado e abatido, tão intimidador quanto um cobertor molhado. Por um segundo, pensou que também tivesse visto os olhos de Hanson. Mas devia ter se enganado, porque pareciam dois poços vazios na cabeça dele.

– E aí eles são colocados para "dormir" – disse ele em um tom de voz baixo.

– O que você quer, Hanson? – perguntou Pan, claramente desgostosa. – Se não está aqui para fazer um contrato, cai fora.

– Não – respondeu ele. – Acho que vou ficar. Vai ser divertido.

– Nada melhor do que ver carne nova fechando o primeiro contrato – disse Alceu.

– Aquele olhar quando eles percebem que fizeram um trato inquebrável – comentou Esperança.

Marlow se sentiu mal, a asma começando a preencher seus pulmões com secreção, como sempre acontecia quando ficava bravo. Tossiu, tentando não dar muito na cara.

– Ignore esses caras – disse Pan, indo até a beirada da piscina. – Não vale a pena.

Marlow olhou feio para Hanson por uma fração de segundo antes de se virar. Caminhou depressa até Pan, falando baixo:

– Mas talvez eles tenham razão. Quer dizer, não faço ideia do que estou fazendo.

Ele olhou para a piscina, tentando entender o que via. Estava repleta de um líquido que não parecia real. Era preto como breu, e ainda assim ondas dançavam levemente pela superfície – como se existisse algo ali. Embora houvesse lâmpadas penduradas logo acima, não havia sinal do brilho delas na piscina, e, quando Marlow se debruçou, não viu seu reflexo lá. Pequenas nódoas prateadas flutuavam ali, como estrelas. O movimento do líquido era hipnotizante, até mesmo nauseante, fazendo-o se lembrar de mercúrio líquido. Seth estava ocupado mexendo em um painel de controle do outro lado da piscina, algo que parecia pertencer às instalações da Nasa.

– Sério, Pan – sussurrou Marlow –, não podemos fazer isso outra hora? Amanhã?

A voz dele deve ter se propagado, pois alguém atrás começou a zombar. Marlow soltou um suspiro chiado pela boca, querendo pegar a bombinha, mas se recusando a parecer fraco. Nem sabia se ainda tinha alguma dose ali. Pan o encarou, arqueando uma das sobrancelhas.

– Vai deixar esses caras te atingirem? – perguntou ela. – É sua escolha, Marlow. Não vou forçar você. Só lembre que a maioria das pessoas daria qualquer coisa para estar aqui agora, para ter essa chance.

– O que você vai pedir? – interrompeu Seth. – Ser capaz de respirar sem empecilhos? Eu recomendaria isso, sabemos como quebrar esse contrato. Tivemos uma jovem que sofria muito com asma anos atrás.

Tivemos.

– E outra coisa, talvez? Parece um certo desperdício se limitar a isso. Pan, alguma sugestão?

– Que tal tornar o cheiro dele menos nojento? – disse Esperança.

– Dar a ele força e velocidade – sugeriu Pan. – Começar com o básico, se divertir um pouco.

– Isso, muito bom – concordou Seth. Marlow sentia como se estivesse em um trem desgovernado, indo rápido demais. Tentou testar os freios mais uma vez.

– Olha, sou realmente muito grato por estar aqui, mas não estou me sentindo bem. Por favor, podemos fazer isso amanhã?

– Repita o que vai pedir – pediu Seth, como se a voz de Marlow não tivesse saído.

– Não estou entendendo – disse ele, prendendo a respiração. Isso pouco fez para refrear o pânico, e dessa vez ele chegou mesmo a pegar a bombinha, apertando-a para uma dose repleta de nada. Balançou o frasco e tentou de novo, respirando com esforço enquanto praguejava.

– É só falar – disse Pan. – Está bem óbvio.

– Respirar – respondeu Marlow. – Quero ser capaz de respirar normalmente.

Ele pensou ter ouvido suas palavras ecoando pela caverna, mas então entendeu que estava escutando outra coisa, o zunido baixinho de agulhas tricotando em alguma parte da máquina. Ouviu outros ruídos em sua cabeça, baixos demais para identificar, macios e úmidos. Faziam sua pele formigar. Houve uma explosão de luz no centro de seu cérebro, como fogos de artifício sendo lançados.

– Quero ter a força de dez homens – disse Pan. – Quero correr mais rápido do que a velocidade do som.

– Sério, não posso – disse Marlow. Os cliques do Motor estavam ficando mais altos, o som de alguma coisa lentamente ganhando vida.

– Diga! – ordenou Pan.

– Quero ser capaz de respirar normalmente. Quero ter a força de dez homens. Quero correr mais rápido do que a velocidade do som.

– De novo – instruiu ela. – Mais alto!

Ele repetiu as palavras, e de novo, e de novo, até que Pan se virou para Seth e deu de ombros. O velho sorria para Marlow.

– Você está pronto – disse ele. – Pode entrar na piscina.

– Eu posso o *quê*? – retrucou Marlow, balançando a cabeça. – De jeito nenhum, cara, não vou entrar ali.

O líquido dançou, ondulante, a superfície mosqueada e impenetrável, a própria cor da doença. Ele não tinha ideia da profundidade da piscina, do que mais poderia haver ali. Fazia tanto tempo desde que nadara pela última vez que nem sabia mais como boiar.

– De jeito nenhum – repetiu. – Não posso fazer isso, Pan. Não vou. Preciso de tempo para... só preciso de tempo, está bem?

– Foi o que pensei – disse Hanson. – Todos eles tentam ser durões, todos eles amarelam. Patético.

– Isso não tem nada a ver com você – retrucou Marlow, apontando o dedo para o britânico. – Você não me conhece.

– Sei tudo sobre você – zombou ele. – Já vi seu tipo antes, cheio de coragem, os colhões do tamanho de bolas de praia, só até a merda espirrar no ventilador. Aí vocês voltam chorando para a mamãe com o rabo entre as pernas.

Era como estar na escola de novo, Caputo dizendo que ele estava descontrolado, só esperando o momento certo para se autodestruir. *Eles que se ferrem.* Não tinham o direito de dizer a ele o que fazer.

– Por que não...

Ele só conseguiu falar três palavras antes que Hanson levantasse o dedo e Esperança começasse a correr. Ela era rápida, e agarrou um dos braços de Marlow com uma força inacreditável. Marlow tentou atacá-la com a mão livre, mas o membro não se mexeu, como se estivesse amarrado por cordas invisíveis – assim como acontecera no elevador. Alceu também se aproximou, e, toda vez que os dedos do rapaz se contraíam, os ossos do braço de Marlow pareciam ranger. A dor começou a arder por todo o seu corpo, e ele cerrou os dentes para resistir a ela.

– Hanson! – gritou Pan. – Não!

Ele a ignorou, indo até Marlow e apertando o maxilar dele com a mão enluvada. Marlow tentou chutá-lo, mas Hanson afastou a perna com um golpe. O garoto tentou respirar, mas os pulmões já tinham praticamente desistido, recusando-se a deixar o ar entrar. O corpo inteiro era um frenesi de pânico, faíscas de luz saltando de um lado a outro de sua visão.

– Hanson! – pediu Pan. – Seth, pelo amor de deus, *dê um jeito nesses caras*.

– Vocês são todos iguais, cachorrinhos do Herc – retrucou Hanson. – Já vi isso muitas vezes.

Ele avançou, e os três quase tiraram Marlow do chão. O garoto tentou olhar para trás, sabendo que estavam perto da piscina, mas Hanson o manteve próximo de si.

— Quantos iguaizinhos a você eu já vi entrar e sair daqui? — sussurrou Hanson, puxando Marlow. Mais uma vez o garoto se viu refletido naqueles óculos, o rosto de um enforcado arfando pelo último suspiro. — O Motor vai te engolir vivo, depois te cuspir. Mas e daí? Ele que fique com você.

— Não! — exclamou Marlow. Mas era tarde demais. Esperança e Alceu o soltaram, e o punho de Hanson encontrou seu estômago, um soco que pareceu revirá-lo de dentro para fora. Ele cambaleou para trás, arquejando, os pés indo para o nada.

Caiu, apenas a piscina ondulante de água morta ali para recebê-lo.

AFOGANDO

Era como cair para a morte.

A piscina fedia a covas abertas, a carne infestada de vermes, descendo como minhocas pelo esôfago, sufocando-o, puxando-o. Ele emergiu, buscando algo sólido em que se segurar, as pernas se batendo no nada. Encontrou a borda da piscina e a agarrou.

– Nem pensar – disse Hanson, pisando com tudo nos nós dos dedos de Marlow, que se soltou, mal conseguindo manter a cabeça para fora da água.

– Pan, socorro – pediu ele, tossindo, chiando, chutando.

– Tarde demais – respondeu Pan. – Seja lá o que fizer, não esqueça o que quer negociar.

Marlow tentou alcançá-la, mas a piscina o detinha como se tivesse dedos. Sentiu algo deslizar perto de seu pé, algo gelado que envolveu seu calcanhar, e gritou. A escuridão levou vantagem, enfiando-se em sua boca. Algo prendeu seu braço, como se houvesse um exército de cadáveres sob a superfície, e ele tentou resistir, se estrebuchando.

– Não resista – disse Seth. – Ele não pode machucar você.

– Ah, machuca, sim – retrucou Hanson com um pé na borda. – É um pesadelo aí. Contaram para você que algumas pessoas nem conseguem sair da piscina?

O quê?

– Você é tão *babaca*, Hanson! – exclamou Pan. – Marlow, ignore tudo que o Motor lhe mostrar; são mentiras, ele vai tentar pregar peças em você.

O que quer que o estivesse segurando começou a puxar, arrastando com força a pele de Marlow enquanto ele se esforçava para se manter na superfície. Hiperventilando, seus pulmões explodiam toda vez que ele tentava respirar. Mas nada acontecia. Sentiu o corpo deslizar em direção à inconsciência, os olhos rolando para trás nas órbitas. O fluido escorria para dentro delas, lâminas de luz negra sendo entalhadas em sua visão. Através delas, viu Hanson sorrindo. Aquela não poderia ser a última visão que teria na vida, *não* poderia ser.

– Feche-se para isso tudo – disse Pan. – Mantenha seus desejos em mente; não se esqueça, nunca se esqueça.

– E, seja lá o que fizer – acrescentou Hanson, inclinando-se na direção dele, as palavras abafadas pelo líquido que invadia suas orelhas –, não pense em Pan sem roupas.

Os dedos invisíveis se enrolaram nele e o puxaram para baixo, o mundo inteiro ficando escuro. Marlow resistiu, sentindo que era arrastado cada vez mais fundo, fundo e fundo, cada vez mais rápido e rápido, o fluido fervilhando ao lado de sua cabeça, o estômago revirado. Sentiu-se sugado para um vórtex, algo que o puxaria até o âmago da Terra.

Ou até mais fundo que isso, algo que vai arrastar você até as profundezas do inferno.

Ele abriu a boca e a água inundou seus pulmões, fria e sufocante, mas de alguma forma permitindo que respirasse. Um rosto apareceu na escuridão, Danny, o sorriso irradiando sob o capacete de combate. Era o Danny que ele conhecia da fotografia, exatamente o mesmo – de óculos de sol, o veículo blindado, as tendas ao fundo. Ele tinha morrido oito dias depois que aquela foto fora tirada.

Mas eu não preciso morrer, disse ele. *Marlow, por favor, me salve. Deixe que eu volte para casa.*

Ele poderia fazer isso? Será que não poderia fazer essa única coisa boa? Trazê-lo de volta?

É tão fácil, é só um desejo, pense nisso. Quero ver a mamãe de novo, Marly. Me leve até ela.

Marlow assentiu, depois negou com um gesto de cabeça. Havia algo errado no sorriso do irmão, era largo demais, os dentes como cacos de vidro.

– Você não é ele – disse Marlow. – Você não é Danny.

O sorriso do irmão se retorceu até virar uma expressão de horror, a boca escancarada. O rosto passou a descascar como papel de parede velho, vermes e larvas se contorcendo sob a pele que se desprendia. Então ele sumiu, e Charlie apareceu – ou pelo menos uma massa apodrecida de carne feita de geleia que um dia poderia ter sido seu amigo.

Você me deixou para morrer, disse ele, um dos lábios pendendo, rolando úmido até sua camiseta. *Você me deixou para cair no rio e me afogar. Deseje que eu fique bem, Marlow. É isso que os amigos fazem um pelo outro. Só precisa pedir.*

– Sinto muito – disse ele, e quase cedeu, quase desejou que o amigo estivesse a salvo em Staten Island. Mas as palavras de Pan ressurgiram em sua mente: *ignore tudo o que o Motor lhe mostrar; são mentiras, ele vai tentar pregar peças em você*. Vasculhou a memória, tudo muito distante, nada real. Mas havia palavras lá.

– Quero ser capaz de respirar normalmente. Quero ter a força de dez homens. Quero correr mais rápido do que a velocidade do som.

Era estúpido, ridículo, como uma criança antes do Natal. Mas repetiu, uma vez depois da outra, um mantra que mantinha o Motor afastado. Outro pensamento veio à mente, plantado por Hanson: Pan, olhando para ele e sorrindo, estendendo a mão e tocando seu rosto. Ela não usava nem uma única peça de roupa, e a visão quase o fez esquecer onde estava.

– Não – disse ele, repetindo os desejos mais uma vez, e mais outra, forçando as palavras a saírem dos lábios.

Em algum lugar – tinha a impressão de que era a quilômetros de distância, mas não poderia ser, porque a piscina não era tão grande –, a escuridão parecia se dissipar, grandes nuvens pretas ondulando para o lado. O estrondo de um trovão pulsou através da água, sentido em vez de ouvido, como a explosão esmagadora de uma bomba de profundidade. Havia algo ali, depois das sombras. Era um vulto, um vulto que com certeza era grande demais para caber ali, um vulto que poderia ser tão imenso quanto uma montanha. Marlow se virou. Não queria olhar, mas mãos invisíveis seguraram sua cabeça, forçando-o a ver. Havia algo de errado com o vulto, como se irradiasse escuridão, ondas de luz negra invisíveis que se quebravam no crânio de Marlow. Era um monstruoso saco de ossos e pele, espreitando-o com um amontoado de olhos leitosos como clara de ovo. Pareciam emanar crueldade.

Esses são seus desejos?

Não havia palavras em sua cabeça, mas ele entendeu o que lhe estava sendo pedido. Não queria mais aquilo, não queria nada com aquela coisa, mas sabia que era tarde demais. *Algumas pessoas nem conseguem sair da piscina*. Aqueles que mudavam de ideia? Aqueles que não desejavam nada? Não sabia. Não *queria* saber. Só queria sair, se afastar daquele pesadelo e das mãos cadavéricas que o seguravam.

– Quero ser capaz de respirar normalmente – repetiu, quase gritando. – Quero ter a força de dez homens. Quero correr mais rápido do que a velocidade do som.

E, quanto a Pan, quero que ela me ame, seu cérebro acrescentou sem sua permissão.

Está feito, disse a voz sem palavras em sua cabeça. *É seu, e o preço é sua alma.*

E com esse pensamento veio uma tristeza insuportável, um vazio imenso, oco e solitário que o fez sentir como se todo mundo que já houvesse amado um dia tivesse morrido. Ele gritou em desespero, agarrando a barriga, tentando se conter. Então percebeu que seus braços estavam livres e começou a nadar para cima, se lançando desesperadamente em direção à superfície. Seus pulmões eram sacos trêmulos no peito, destituídos de tudo, exceto dor. Ele desferiu chutes e se debateu em meio ao líquido, emergindo de repente da piscina para uma profusão de cores e ruídos.

Mãos o alcançaram, tirando-o de lá de dentro, e ele as segurou com toda a firmeza que possuía. Ouviu-se um grito de dor, e então ele foi jogado no piso de pedra.

– Solte, Marlow, solte, pode se acalmar.

Marlow soltou as mãos, e o mundo começou a entrar em foco. Seth estava lá, o rosto contorcido de dor. Pan estava ao lado dele, uma das mãos no velho. Marlow tossiu, cuspindo os últimos resquícios de água negra que havia em sua boca. Eles caíram no chão, retorcendo-se feito vermes, contorcendo-se de volta à piscina como se fossem coisas vivas. A visão deles – centenas de gotas pululando umas sobre as outras – causou uma forte náusea em Marlow. Ele vomitou até esvaziar o estômago. Tentou se levantar, mas o mundo inteiro ondulava.

– Espere aí – disse Pan. – Marlow, não se mexa, nos dê um segundo.

Ela parecia enrubescida, e o colorido das bochechas a deixava ainda mais bonita. Marlow ficou deitado na pedra, sentindo um gosto ácido na boca. Hanson e os outros dois idiotas estavam exatamente como antes, aqueles sorrisinhos de satisfação ainda pregados no rosto.

Marlow se virou de novo para Seth e Pan. O velho flexionava o punho, a expressão ainda fechada.

– Que força você tem nas mãos, Marlow – disse ele.

– O quê? – perguntou Marlow, olhando a própria mão. Nada tinha mudado, ele não se sentia diferente.

Espere...

Inspirou e sentiu como se estivesse no alto de uma montanha, os pulmões cheios de ar fresco, limpo, oxigenado. Expirou devagar, sem querer que o encanto se perdesse, e tentou novamente. Era como se respirasse de verdade pela primeira vez, e quase riu de alegria.

– Consigo respirar – disse ele, sorrindo. – Puta merda, consigo respirar!

– Também é provável que possa lutar contra um urso – comentou Seth, e Marlow entendeu o que tinha acontecido: Seth lhe oferecera a mão para puxá-lo da piscina, e Marlow o agarrara pelo braço e o apertara com firmeza. Flexionou os dedos. Era impossível, não era? Como poderia ter a força de dez homens?

– Sem chance – disse ele, olhando para Pan. Ela estava mais enrubescida do que nunca, como se estivesse em estado de grande agitação. Encarava-o, mordendo o lábio inferior. Parecia diferente, mais terna de alguma forma, como se seu exterior gélido tivesse começado a derreter. Marlow teve que se virar, as próprias bochechas queimando. Se não tivesse cuidado, teria de se jogar de novo na piscina. – Quanto tempo fiquei lá dentro? – perguntou, levantando-se.

– Um segundo, menos até – respondeu Seth. – Você imergiu e emergiu instantaneamente. O tempo não existe no Motor. Meu palpite é que pareceu mais tempo para você.

– Um segundo? – repetiu Marlow. Mas tinha ficado lá por minutos. – Não pode ser.

– Como foi, cachorrão? – perguntou Hanson. – O que você pediu?

– Vamos lá, conte pra gente que você trouxe os mortos à vida – retrucou Alceu. – Viagem no tempo, algo inquebrável. Faça a gente ganhar o dia. Adoramos ver os demônios devorar novatos no café da manhã.

– Vocês me enojam – disse Pan.

– Ah, coitadinha da princesa – zombou Hanson fazendo biquinho.

Marlow deu um passo à frente, sentindo-se uma nova pessoa, como se alguém tivesse lhe dado uma injeção de adrenalina e extraído dele tudo que o tornava fraco.

– Por que você não faz o que ela falou e cai fora? – disse ele, o coração batendo forte, como se tivesse um motor próprio. Sentia-se como uma máquina, como se pudesse realizar qualquer coisa.

Hanson levantou a mão, fingindo rendição.

– Não se preocupe, estou indo. Isso aqui está um tédio. Vou deixar vocês dois juntos, permitir que o cachorrinho fique com sua piranha.

Última. Gota.

Marlow se lançou contra Hanson, o mundo de repente desacelerando, como se tivesse perdido o compasso. Era como se tudo o mais tivesse congelado. Apenas ele se movia, acelerando pelo piso de pedra, o punho fechado como uma bola em ascensão. Deu um soco, mirando bem no nariz de Hanson. Só então o tempo de repente recuperou o ritmo, voltando ao normal com um solavanco repentino.

O punho de Marlow encontrou Hanson como dois carros em colisão, um impacto tão poderoso que uma onda de choque se espalhou pela câmara, agitando a superfície da piscina em um frenesi. Hanson tombou sobre um dos joelhos com a força do golpe, os óculos explodindo e estilhaços caindo sobre o piso.

– Ei, ei, ei – disse Pan, correndo para Marlow e segurando seu braço. – Caramba, já chega!

Marlow olhou para o punho, de repente receoso do que era capaz de fazer. Hanson balançou a cabeça, tirando cacos de vidro do rosto, e em seguida levantou-se lentamente. O que Marlow viu o fez cambalear para trás.

Ele não tinha olhos. Eles tinham sumido, deixando dois buracos vermelhos e irregulares no rosto. Mas de alguma forma ainda pareciam queimar Marlow como tochas. Hanson endireitou o colarinho e depois sorriu, a pele ao redor do nariz já começando a cicatrizar.

– Hanson, ele é novato, não sabia o que estava fazendo – disse Pan, postando-se na frente de Marlow como um escudo. O tremor em sua voz era ainda mais desconcertante do que o olhar mortal sem olhos de Hanson. – Você estava sendo um cretino. Então estão quites, ok?

– Como eu disse – respondeu Hanson, passando a língua longa e rosada pelos lábios, depois cuspindo sangue. Ele piscou, as pálpebras úmidas se agitando sobre os orifícios ocos em seu rosto, inúteis. – Vocês dois se merecem. Mas, se tentar isso de novo, seu cachorro, vou escalpelar você vivo.

Ele observou Marlow por mais um momento, uma mosca se projetando de uma de suas órbitas oculares, zunindo em direção à escuridão. Depois se virou e subiu a escada, seus dois seguidores avançando atrás dele. Pan esperou até que tivessem desaparecido porta afora antes de se virar para Marlow, soltando um longo e entrecortado suspiro.

– Ai, meu deus, achei que ele fosse matar você – disse ela.

– Eu poderia ter...

– Não, não poderia – interrompeu ela. – Não ele. Mesmo que ele estivesse sem contrato. Meu deus, Marlow, se tivesse acertado uma pessoa normal daquele jeito, você poderia ter jogado a cabeça dela bem lá no meio do Motor.

Ele olhou para suas mãos e engoliu em desconforto.

– Você não é mais você – declarou Pan, abanando o rosto com a mão como se tivesse acabado de correr uma maratona. – Tem que se lembrar disso. Se abraçar alguém muito apertado, pode acabar esmagando a pessoa. Se for cumprimentar alguém com um high-five, pode acabar quebrando o punho dele. – Ela praguejou. – Cara, talvez devêssemos pensar melhor sobre isso.

– Mas eu não me sinto diferente.

– Mas você está – sentenciou Pan, olhando para o oceano mecânico, que tinha mais uma vez caído no silêncio após terminar seu trabalho. – Você tem *aquilo* dentro de você.

O pensamento causou-lhe certa náusea, uma coceira como se não tivesse veias, mas canos, não tivesse ossos, mas alavancas e molas. Fechou os olhos e respirou fundo algumas vezes – o ar deslizando para os pulmões, limpo como cristal. Quando voltou a abri-los, Pan estava bem à sua frente, parecendo desconfortável, tão perto que ele podia sentir o hálito dela em seu rosto. Seu coração pulou no peito, tão envolvido pela sensação que precisou de alguns segundos para retomar o ritmo.

– O quê? – foi tudo que teve tempo de dizer antes que Pan se inclinasse e repousasse os lábios nos dele, beijando-o. Ela abriu a boca, e ele sentiu a língua dela se lançar para a dele, exploradora. Ficou imóvel, sem ter ideia de como reagir, o cérebro gritando *aimeudeusretribuaobeijoseuidiota*, e ele assim o fez, as mãos descansando, gentis, nos cotovelos dela, o mais delicado dos toques, como se ela fosse um pássaro que ele não quisesse assustar.

Não estava certo de quanto tempo durou. Ali também não havia o tempo, um momento tão inesperado, tão incrível que parecia tê-los feito flutuar acima do mundo até o universo particular e atemporal deles. Por fim Pan se afastou, dando um passo para trás, a boca ainda entreaberta, a língua passando pelos próprios lábios. Ela olhava para Marlow como se ele fosse a coisa mais irresistível do mundo, as pupilas tão dilatadas que nem pareciam reais.

Então seu rosto se fechou em uma expressão de fúria. Ela cerrou o punho e deu um soco na boca de Marlow, com força suficiente para jogar a cabeça dele para trás. Ele cambaleou, soltando um gemido.

– Seu idiota! – exclamou ela. – Você pediu isso, não foi? Você pediu por *mim*.

– Não! – disse ele, recuando enquanto ela avançava. – Eu não... Eu... Não foi minha culpa, foi Hanson, ele plantou a ideia na minha cabeça, por favor. Eu nunca...

Ela se atirou em Marlow, que fez o que pôde para proteger o rosto, apenas para sentir os lábios dela nos seus novamente, os braços dela em volta de seu pescoço, puxando-o para perto. Ele não resistiu, o cérebro se esforçando para entender o que estava acontecendo. Retribuiu o beijo, mas sentiu como se uma bomba atômica tivesse sido detonada em sua barriga. Caiu, protegendo a virilha, que tinha levado uma joelhada de Pan.

A região parecia estar em chamas, e ele gemeu, tudo virando um borrão através dos olhos marejados.

– Aproveite seus dons enquanto puder – disse Pan. – Mas esse é um desejo que nem mesmo o Motor pode conceder. Seth, cancele essa parte do contrato *agora mesmo*. E você – ela foi pra cima de Marlow, cutucando a testa dele repetidas vezes com o dedo –, é melhor não contar isso a ninguém.

Então foi embora, deixando-o com os poderes de um super-homem, mas chorando como um bebê.

UM JOGADOR MEQUETREFE

Marlow estava sentado na sala de recreação da companhia, um pote de sorvete repousando sobre a virilha dolorida. O espaço era grande, mobiliado com sofás, apetrechos de cozinha e uma mesa de *air hockey*, mas parecia ainda maior porque ele e Seth eram as únicas pessoas ali. O velho estava sentado ao lado de Marlow, colocando um relógio ao redor de seu pulso. O objeto tinha uma imensa face circular, e as únicas coisas que havia nela eram numerais enormes, brilhantes, de um azul-gelo. Neles se lia: *665:44:23:59*.

Seiscentas e sessenta e cinco horas e uns trocados até eles virem atrás de mim e me arrastarem para o inferno.

Estava tão cansado que não conseguia levar isso a sério. A exaustão continuava rastejando para cima dele, emboscando-o, fazendo-o escapar da realidade rumo às cenas iniciais de um sonho. Havia monstros em seus pesadelos, demônios, Mammon e coisas piores – a criatura que vira quando estava na máquina. Toda vez que cochilava e eles apareciam, Marlow se assustava e voltava à vigília. Não estava certo de por quanto tempo mais conseguiria mantê-los longe.

– Então – disse Seth, apertando a pulseira –, como se sente sendo um Infernal? Ao se juntar ao rol de Engenheiros?

Marlow só balançou a cabeça. O que sentia não poderia ser resumido em nenhuma combinação de palavras. Mas o silêncio repleto de expectativa era estranho, por isso ele o preencheu com uma pergunta:

– Por que Infernais?

Seth ficou olhando para o vazio, o cenho franzido.

– Não sei dizer com certeza. A história há muito se perdeu, e Ostheim é a pessoa com quem você precisa falar. Ele é um acadêmico, um especialista no Motor. Mas o que eu sei é que os primeiros Engenheiros chegaram aqui muitos séculos atrás. Na época, a organização era conhecida como Militibus de

Inferno Pugno, que pode ser livremente traduzido como Cavaleiros do Punho do Inferno. Os Cavaleiros que lutam contra o inferno. Não sabemos muita coisa sobre esse período, a não ser os nomes dos mártires no *Livro dos Engenheiros Mortos*. Eles tinham um mote, aqueles soldados. *Facilis descensus Averni*.

Ele riu consigo mesmo.

– É, eu não estudei grego na escola – disse Marlow ao não ouvir uma tradução.

– Latim – corrigiu Seth, com um gentil resmungo de desaprovação. – "A descida ao inferno é fácil". Para eles, era fácil *demais*, porque não tinham como quebrar o contrato. Eles tinham vinte e sete dias para fazer valer os poderes, e depois desciam ao inferno como uma pedra caindo num lago. – Ele fez uma mímica dessa ação com a mão, contemplando o vazio por um momento. – Deve ter sido terrível se sacrificar desse jeito, sabendo que não havia esperança de salvação, que nem Deus tinha o poder de ajudar. Eles sabiam que suas ações poderiam salvar o mundo de um destino horrível. Daí vem o mote: a descida ao inferno é fácil se você acreditar que é por uma causa justa.

– Então... – disse Marlow. – Por que Infernais?

– Ah, sim, desculpe, minha mente está velha e cansada. – Seth pigarreou. – Tudo mudou no último século. Os dois Motores permaneceram esquecidos por muito tempo. Não sabemos por quê, só que talvez ambos os lados simplesmente ficaram sem soldados. Eles quase consumiram a si mesmos até caírem no esquecimento. Foi nos anos cinquenta que começamos a entender que havia uma maneira de ludibriar o Motor, de quebrar os contratos. Quando eu era jovem, se você acreditar que um dia isso foi verdade, vimos que era possível salvar as pessoas, impedi-las de irem para o inferno. É claro que algumas décadas se passaram até tornarmos isso realidade. Aquelas pessoas, essa nova leva de Engenheiros, não as fazíamos voltar do submundo, mas o princípio era o mesmo. Infernais. Alguém sugeriu o nome, e ele pegou. *Facilis descensus Averni, nisi vos a bonus causidicus*.

Marlow deu de ombros, e o sorriso de Seth se alargou.

– "A descida ao inferno é fácil, a não ser que você tenha um bom advogado". Eis aqui – disse ele, dando um tapinha no braço de Marlow. – Prontinho. Use isso o tempo todo, nunca tire. É muito fácil perder.

– Mas vocês não vão deixar isso acontecer, certo? – perguntou Marlow. – Quer dizer, vão quebrar meu contrato.

– Sim, sim – respondeu Seth, mudando o peso de um pé para o outro. – Claro, mas você tem que se divertir primeiro, aprender a usar seus novos poderes.

Marlow riu, descrente, balançando a cabeça.

— Poderes – disse ele. – Você faz parecer que... que eu sou um super-herói ou algo do tipo.

— Você é – afirmou Seth. – Pelos próximos vinte e sete dias, até quebrarmos seu contrato, você está de posse de habilidades super-humanas. Não só isso, mas o contrato vai fazer um bom trabalho cuidando de você. Está incluso em todo negócio que o Motor fecha. Os ferimentos vão cicatrizar mais rápido, as doenças vão passar longe. Melhor do que comer uma maçã por dia, se quer saber!

Ele pegou uma xícara na mesa e deu a Marlow, mas o objeto explodiu entre os dedos do garoto, borrifando líquido para todo lado.

— Putz, cara, desculpa – disse ele, tirando fragmentos de porcelana da camiseta. Aquela era a sexta xícara que quebrava desde que tinham chegado àquela sala. – Talvez seja melhor eu beber da torneira.

— Parece uma boa ideia – disse Seth, sorrindo. – Como se sente?

— Bem, eu acho – respondeu o garoto. – Quer dizer, nada diferente. Só o normal. Cansado.

— O cansaço não vai sumir, sinto muito. Tudo nesse seu corpo está trabalhando para acomodar o Motor. Isso vai fazer você se sentir cansado do momento em que acorda ao momento em que vai dormir.

Marlow assentiu. Não importava de verdade quão cansado se sentisse, não quando podia respirar daquele jeito, quando tinha aqueles poderes.

— Mas como funciona? – perguntou.

Seth suspirou, se aconchegando na cadeira, empoleirado como se fosse uma coruja. Tirou os óculos e esfregou os olhos.

— Quer mesmo ouvir isso agora? – replicou. – Às... às quatro e meia da manhã?

— Ainda estou no horário da Costa Leste – comentou Marlow, dando de ombros, vendo quão cansado o velho estava. – Mas posso esperar, desculpe.

Seth suspirou mais uma vez.

— Na verdade, não pode. Pan não vai ficar feliz se acordar de manhã e descobrir que ainda está apaixonada por você.

— Talvez ela goste mesmo de mim – disse Marlow.

Seth riu.

— O quê? Poderia acontecer – retrucou o garoto.

O velho se esforçou para se levantar, balançando a cabeça.

— Sim, acho que qualquer coisa é possível. Venha comigo. – Ele caminhou até a porta, seguido por Marlow. Estavam um andar acima do local onde ficavam os Advogados, com mais de uma dúzia de portas pelo corredor que dava para os dormitórios e os banheiros. Seth parou diante de uma delas e a abriu, revelando uma academia de ginástica cheia de aparelhos aeróbicos e pesos livres. – Vá lá ver quanto está forte.

Marlow abafou um bocejo com o dorso da mão. Malhar era a última coisa que queria fazer, mas não podia negar que estava curioso. Foi até o banco.

– O que eu disse antes é verdade – disse Seth atrás dele. – Não sabemos como o Motor funciona, não sabemos quem o construiu. Mas entendemos o princípio por trás dele. Ele reprograma o universo.

– O quê? – perguntou Marlow, franzindo o cenho. – Como?

– Ou melhor, reprograma a sua seção particular do universo. Tudo pode ser reprogramado, Marlow. Se for uma pessoa religiosa, você acredita que Deus programou o universo. Se não for religioso, pense na ciência. Hoje somos capazes de mudar o código genético de alguém, fazendo dele uma pessoa totalmente diferente. Podemos reprogramar nossa própria espécie.

– Mas isso é diferente – disse Marlow.

– Por quê?

– Porque... – Ele percebeu que não tinha nada a dizer. Olhou para o armário de pesos, enormes rodas de ferro que pareciam pertencer a um filme de Arnold Schwarzenegger dos anos setenta. – Porque tem a física e tal. Não sei.

– O jeito mais simples de pensar nisso é como se estivéssemos em um videogame. Você joga videogames, não joga?

– Jogo, claro – respondeu Marlow, sentindo uma pontada repentina de saudades de casa ao se lembrar do seu Xbox. Perguntou a si mesmo se a mãe estaria pensando nele, se estaria preocupada. Ele duvidava, porque às vezes demorava dias para voltar para casa, dormindo na casa de Charlie. Ela provavelmente estaria tão bêbada que nem perceberia sua ausência. – Jogo *Call of Duty* e essas coisas, o tempo todo.

– Imagine que está jogando *Call of Duty* e quer que seu personagem tenha, vamos dizer, um cavalo mais veloz.

– Você não conhece muito desses jogos, não é? – perguntou Marlow. Seth ignorou o comentário com um gesto de mão.

– Ou uma arma maior, talvez, qualquer coisa que preferir. Se por acaso for um programador e conhecer a linguagem em que o jogo foi escrito, então você simplesmente se enfia nele e o muda. Você reescreve o programa.

– É, mas...

– É isso que o Motor faz. Ele conhece o código, conhece a linguagem secreta do universo, a linguagem em que nós mesmos fomos escritos. E ele muda. Vá em frente, levante um peso, veja por si mesmo.

Marlow se abaixou e pegou um haltere onde se lia 20 KG. Não tinha certeza de quanto seria aquilo, mas, quando o ergueu, foi como levantar uma folha de papel. Foi tão surpreendente que quase perdeu o equilíbrio, e o peso saiu voando acima de sua cabeça. Ele o soltou, e o peso caiu com um *tunc* bem ao lado de seu pé.

– Falei para levantar, não para arremessar o peso – disse Seth, soltando um riso abafado.

Marlow tentou de novo, mas dessa vez levantou a pilha inteira – sete ou oito halteres no total, os dois de baixo pesando cinquenta quilos cada. Sentiu o peso dessa vez, mas ainda assim não era mais difícil do que erguer uma pequena caixa do chão. Não podia ser real, podia? Eles só podiam ser feitos de plástico, deviam ser ocos. Mas, quando os soltou e eles caíram, sentiu o chão estremecer com a força do impacto.

– Pelas minhas contas, você acaba de levantar umas duas centenas de quilos sem uma gota de suor – disse Seth. – Talvez um quarto de tonelada. Nada mal, meu jovem. Vamos lá, não era isso que eu queria que você visse.

Ele desapareceu. Marlow olhou para os halteres e então para suas mãos, ainda se recusando a acreditar. Correu atrás de Seth, parando ao ver um saco de pancada pendurado no teto. Deu um soco, e o saco se soltou da corda e saiu rolando pela sala, esbarrando numa esteira com força suficiente para derrubá-la. Pó de reboco choveu do teto, e Marlow se afastou, correndo porta afora.

– O que foi aquilo? – perguntou Seth.

– Nada – respondeu ele, levando o velho para longe. – Absolutamente nada. O que você queria que eu visse?

– Por aqui – disse Seth, chegando ao fim do corredor e abrindo o elevador. Pressionou o botão que levava ao lugar onde ficavam os Advogados. – Como pode ver, o Motor reescreve a física da sua porção particular de existência. Ele escuta o que você quer e reprograma o código de acordo com isso, concedendo-lhe qualquer desejo.

– E o único preço a pagar é a sua alma – completou Marlow. Seth sorriu.

– Sim, antigamente isso era verdade, para nossos amigos Cavaleiros. Antes, você teria que se separar desse pedaço de você, a própria essência do seu ser. Era inevitável, não havia nenhuma maneira de quebrar os contratos.

– Mas por quê? – perguntou Marlow. – O que uma alma pode fazer? Por que ela vale tanto?

– Quem sabe? Eu certamente não sei. Nenhum cientista do planeta conseguiu explicar a natureza da alma, mas poucos negariam que temos uma. É um dos mistérios da condição humana. Talvez um dia o desvendemos.

O elevador protestou até parar, e Seth abriu o portão, entrando no cercado. Dois Advogados ainda estavam lá, um deles acordou assustado ao ouvir a voz de Seth. Ficou de pé num salto, estapeando o rosto gentilmente para despertar. Era um cara jovem, na casa dos vinte anos; o cabelo despenteado e a camiseta estampada o faziam parecer mais um surfista do que um advogado.

– E aí? – disse ele. – Não estava dormindo, sério, só descansando os olhos.

– E praticando flatulência noturna – disse a mulher.

Ela era pelo menos uma década mais velha do que ele, vestida como uma bibliotecária antiquada. Ela espreitou Marlow através dos óculos.

– Vamos consertar alguns erros de novato, pelo visto?

– Sim, Annie, tivemos um desejo desafortunado, não tivemos, Marlow? – perguntou Seth, ainda sorrindo. – Um certo, hum... desejo não correspondido.

– Acontece toda hora – disse o cara.

Ele foi até um armário do outro lado da sala e pegou um par de luvas e um capacete, conectados um ao outro por fios. Jogou-os para a mulher chamada Annie, que quase não conseguiu pegá-los no ar.

– Tim, eu realmente gostaria que não tratasse nosso equipamento com tanto descaso – disse Seth. – Sabe quanto é caro, não sabe?

– Desculpe, chefe – respondeu ele, colocando as próprias luvas e o capacete. Parecia um kit de realidade virtual, ou algo que Daft Punk usaria.

– Isso é bem impressionante – disse Seth, puxando Marlow para o canto da sala. Tim estalou os dedos, e a enorme fileira de computadores ao longo de um dos lados da sala ganhou vida, fazendo um som parecido com o jorrar de uma cachoeira. Ele estalou os dedos de novo.

– Precisamos da seção, hum, 808-FR-403.2 – disse ele.

– Correção – interferiu Annie. – 408.2.

– Que seja – resmungou Tim. Ele gesticulou como se fosse um guarda de trânsito. As luzes embutidas nas paredes brilharam, vívidas, reluzindo em linhas de laser branco delicadas como teias de aranha, centenas delas, que convergiam para o enorme espaço vazio no centro da sala, tomando a forma de rodas dentadas e pistões, correntes, engrenagens e alavancas. Parecia uma versão fantasma do interior do Motor, e tirou o fôlego de Marlow. Tim mexeu as mãos novamente, e todo o holograma mudou de forma, abrindo caminho pela sala, novas seções aparecendo enquanto as antigas desapareciam na parede.

– É uma simulação exata do Motor – sussurrou Seth. – Bem, das partes que temos documentadas. Esta seção aqui, até onde sabemos, trata do que chamaríamos de questões do coração.

– Talvez tenhamos uma pequena irregularidade no oitavo quadrante – disse Tim, afastando as mãos e fazendo o holograma se ampliar. Ele aumentou o zoom, e Marlow viu uma série de pinos alinhados, alguns levantados, alguns abaixados. Eles lhe lembravam os braços e as agulhas de um toca-discos. Cada um continha um pequeno frasco repleto de um líquido escuro, salpicado de luzes. – Quatro ou cinco? – perguntou Tim.

– Não – respondeu Annie. – Acho que não; vá para o norte.

Ele bateu palmas e o chão se mexeu, o holograma atravessando o corpo de Marlow, fazendo-o ficar zonzo. O garoto passou as mãos pela luz, vendo-a dançar em sua pele, se perguntando como diabos alguém pensara em criar aquilo.

– Ali – disse Annie, apontando para um conjunto de molas enroladas, ligadas a mais agulhas. – Seis, sete, oito... o nono ponto se mexeu.

– Boa – disse Tim.

– O que eles estão fazendo? – sussurrou Marlow, sem querer incomodá-los.

Seth se inclinou, falando baixinho:

– O Motor usa esses filamentos para escrever seu contrato. Há milhões, bilhões deles, todos finos como um fio de cabelo. Não sabemos bem como, mas eles têm o poder de reescrever o código, de reprogramar o universo. Quando isso acontece, eles mudam de posição, daquele jeito.

– Mas como diabos vocês sabem se eles se mexeram? – perguntou Marlow. – Tem tantos.

– Nossos computadores detectam irregularidades – explicou Seth. – Mas o computador não é tão apurado quanto a mente humana. Esses caras são gênios, têm memória fotográfica. Eles conseguem identificar quando alguma coisa na máquina mudou. E, quando o fazem, resetam, quebrando o contrato.

– Como Advogados – disse Marlow, assentindo com a cabeça.

– Ah, qual é – disse Annie, genuinamente irritada. – Você também, não. Não somos advogados, somos matemáticos quânticos. Tem uma diferença muito, muito grande.

– Desculpe – falou Marlow, assistindo enquanto ela caminhava através do holograma até o local onde estavam discutindo. Ela levou a mão para baixo, tocando em um dos filamentos com a luva.

– Definitivamente o nono – afirmou ela. – Confere?

– Confere – respondeu Tim. – Essa é a... seção 808-FR-408.2, subseção catorze, filamento nove. Pronta?

– Nasci pronta – disse Annie. Ela arrancou o filamento como se fosse a corda de um violão, e ele se mexeu, se soltando. Fez-se um estrondo sob os pés de Marlow, como se continentes se movimentassem muito abaixo da superfície. Algo pontiagudo perfurou a lateral de sua cabeça, como se tivesse levado uma picada, e Marlow estapeou a própria têmpora com a mão.

– É normal – avisou Seth. – Especialmente na primeira vez que o Motor é enganado. Ele não gosta nem um pouco.

– O que está acontecendo? – gemeu ele.

– Essa exibição está conectada com o Motor de verdade, com todo e qualquer filamento. Se eles mudam de posição aqui, também mudam de posição no Motor.

– Então é isso? – perguntou Marlow. – Meu contrato foi quebrado?

Seth riu, mas seus olhos estavam repletos de uma tristeza profunda.

– Se fosse tão fácil assim, eu teria três ataques cardíacos a menos e meu cabelo ainda teria a mesma cor que minhas sobrancelhas – disse ele, balançando a cabeça. – Não, com certeza não é só isso.

Tim arrastava os pés no chão, mais rápido agora, dando a ilusão de que estavam todos navegando em um rio de luz.

– Ali, o décimo oitavo – disse Tim, e eles arrancaram outro filamento. Algo escavou o crânio de Marlow mais uma vez, e ele fez uma careta. – Se o décimo oitavo já era, é melhor conferirmos o trinta e seis também.

– Cada contrato é diferente – contou Seth. – Às vezes alguns envolvem mil filamentos. Contratos mais complicados, como na última negociação de Pan, têm no total dezenas de milhares. Quanto mais pedidos você faz, mais difícil é localizar e consertar os filamentos. Para complicar ainda mais, os filamentos são exclusivos de cada indivíduo. Duas pessoas que desejaram a mesma coisa teriam contratos bastante diferentes. Alguém de idade mais avançada, como eu, infelizmente teria um contrato de milhões de filamentos. É por isso que macacos velhos não podem fazer negociações. E, quando muitas pessoas têm um contrato ao mesmo tempo, ele fica bastante confuso, impossível de diferenciar, e é por isso que não temos um exército à nossa disposição. Vamos, Marlow, vamos deixá-los trabalhar.

Tim e Annie se embrenharam cada vez mais fundo na máquina holográfica, gritando um para o outro enquanto navegavam pelo contrato dele. Quase pareciam estar jogando algum esporte de alta tecnologia, um tênis virtual – só que o prêmio era a alma dele. Marlow correu atrás de Seth, puxando as grades do elevador até fechá-las atrás de si.

– Quanto tempo eles vão demorar? – perguntou enquanto o elevador subia.

– Para fazer isso? Não muito. Algumas horas. Um pouco mais. – Seth viu a expressão de descrença no rosto dele. – Lembre-se: o Motor não quer que você trapaceie. Os contratos são feitos para serem inquebráveis. É só por causa da tecnologia que possuímos que temos a chance de fazer isso. A matemática aqui, as equações envolvidas na quebra do mais simples dos contratos, elas são de fundir a cuca. Alguns contratos levam os vinte e sete dias para serem quebrados.

– Vocês não poderiam, sei lá, fazer um contrato para saber como quebrar um contrato? – perguntou Marlow, sentindo-se genial por fazer essa sugestão. Seth balançou a cabeça enquanto o elevador parava.

– Nós tentamos – contou ele com uma expressão triste. – O Motor sabia que tentaríamos. Foi um contrato impossível de quebrar. Perdemos um Engenheiro, bem aqui. Pode fazer esse favor? Não tenho mais a mesma força de antes.

Marlow abriu as grades e Seth saiu do elevador, indo até a terceira porta corredor adentro.

– Aqui é onde você vai dormir – falou ele. – Sinto muito por não ser um hotel cinco estrelas, mas é confortável. Tente descansar. Se não estiver cansado, fique à vontade para usar nossa academia ou se sentar na sala de recreação. Mas, não importa o que faça, por favor, permaneça nas nossas instalações. O Motor é poderoso, mas discrição é nossa arma mais importante. Quanto menos pessoas souberem sobre nós, menor é a probabilidade de o Círculo descobrir nossa localização. Voamos bem longe do radar, tão perto do chão que arranhamos a barriga nas árvores.

– Sério? – disse Marlow, levantando uma das sobrancelhas. – Desde que os conheci, vocês explodiram um hospital e dinamitaram meio quarteirão em uma cidade de oito milhões de habitantes. Vocês não só não voam fora do radar como também explodem a coisa toda.

Seth soltou o chiado seco de uma risada.

– Nada a ver conosco – disse ele, gesticulando e piscando. – Os eventos a que você se refere são ataques terroristas, explosões de gás, acidentes de carro terríveis, desabamentos catastróficos e trágicos de prédios, colisões no ar, tumultos e debandadas. Esses são os eventos que saem nos noticiários, certo? E com certeza os jornais não mentem.

– Mas...

– Já basta, Marlow. Preciso ir, senão você vai ter que me carregar até a minha cama. Lembre-se: não saia daqui.

Ele se afastou em direção a outra porta.

– Obrigado, Seth – disse Marlow atrás dele. O velho acenou, depois desapareceu, a porta se fechando. Marlow ficou ali por um momento. Estava cansado, sem dúvida. Achava que nunca estivera tão cansado. Mas sabia que não haveria a menor possibilidade de conseguir dormir, não àquela hora, não com tanto poder em seu corpo. Ele partiu em direção à academia, querendo testar a si mesmo, querendo ver exatamente do que era capaz. Estava a meio caminho de lá quando Alceu saiu pela porta, secando o rosto suado com uma toalha. Os dois quase pularam de susto quando se viram, e Marlow foi o primeiro a se recompor.

— Agora não é mais tão durão, hein? – disse ele.

Alceu endireitou as costas, mas parecia com medo. O cara estava sob contrato – o braço de Marlow ainda doía no local onde tinha sido segurado por dedos telecinéticos fantasmas –, mas sabia que, se desse um soco nele como havia socado Hanson lá embaixo, poderia parti-lo em dois. O pensamento o nauseou, e ele relaxou o punho que nem percebera que tinha fechado. Alceu viu e fez menção de dar um passo à frente, jogando a toalha nos ombros para voltar à academia.

— Você não deveria ficar zanzando pelos corredores, *pateta* – disse ele. – Já não passou da hora de você ir pra cama?

— Já não passou da hora de *você* ir pra cama? – retrucou Marlow. Sabia que essa era provavelmente a pior resposta já proferida, mas estava cansado demais para pensar em algo melhor.

— Melhor que esteja no dormitório antes que Hanson vá atrás de você – disse Alceu. – Existem regras. Você não deve ficar dando mole por aí. O que estava tentando fazer? Encontrar a cama da Pan?

— Não estava...

— Estou falando para ir para o seu dormitório, novato – disse Alceu. – Está entendendo? É uma ordem.

Alceu saiu andando, esbarrando em Marlow com o ombro. O garoto se manteve firme, e o grandalhão foi embora marchando e resmungando.

— Se me desobedecer, vai ter que prestar contas a Hanson – falou Alceu enquanto caminhava até o vestiário. – E desista, ela não gosta de você.

Marlow ouviu o fluxo de água vindo de lá. Suspirou e deu alguns passos em direção à academia. Então parou. Preferiria comer o próprio excremento a ouvir ordens de Alceu e da aberração caolha que ele tinha como chefe. Além do mais, Alceu tinha razão. Seria bom ficar longe de Pan por um tempo, tentar preencher a cabeça com outra coisa.

Virou-se e voltou ao elevador, fechando as grades em silêncio antes de pressionar o botão que levava ao andar mais alto: a saída.

Hora de me divertir.

PUTA PUTA PUTA MERDA

Pan não queria nada além de conseguir dormir, mas Marlow estava impossibilitando isso.

Ele era a única coisa em sua cabeça, invadindo cada pensamento. Tentou resistir, mas ele era como um bicho cavando seu crânio, impossível de expulsar. Pensou em quão irritante isso era (*ele fica tão lindo quando sorri*). Sentiu o hálito dele, o resquício do gosto de vômito quando o beijou (*mas os lábios dele são tão macios, tão quentes*). Tentou se concentrar em todos os pontos negativos, em quanto o odiava, mas então o via lá, sorrindo para ela, aproximando-se para outro beijo, e sentia o coração derreter até se tornar uma massa quente e pegajosa, o estômago dando cambalhotas.

Praguejou, virando-se de lado. Sabia que no fundo não era culpa de Marlow (*nada poderia ser culpa dele, ele é perfeito – ai, deus, cala a boca, cérebro!*). Tinha sido Hanson. Ele sabia exatamente o que fazia, plantando aquela imagem na cabeça de Marlow logo antes de ele entrar no tanque. Já fizera aquilo antes, na primeira vez que Caminhão firmara um contrato – mas por sorte Caminhão tinha outras convicções, e o plano não funcionou. Hanson era um idiota, mas era um dos Engenheiros favoritos de Ostheim, portanto não havia nada que nenhum deles pudesse fazer em relação a ele.

Exceto Marlow. Ele o peitou, deu um soco na cara dele. Tão corajoso, tão forte.

Ela resmungou, colocando o travesseiro em cima da cabeça. Marlow a encarava na escuridão, aproximando-se para lhe dar um beijo, e a boca de Pan estava entreaberta, pronta... Jogou as cobertas longe e sentou, o coração martelando no peito, a pele fria de suor.

– Que droga!

– *¡Silencio!* – disse Noite do outro lado do dormitório. – Alguns de nós precisamos do sono de beleza.

Pan se jogou para trás e deitou de novo, batendo o punho na testa para tentar nocautear as imagens de Marlow. Ela sabia que era só o Motor mexendo com seus pensamentos, mas parecia tão *real*. Ela o amava. Queria gritar para os sete cantos: *Eu amo Marlow Green!* Mas não podia ser verdade, porque ela jurara nunca se apaixonar, nunca dar a ninguém poder sobre ela. De novo, não. Não depois do que havia acontecido na primeira vez.

Ela o viu, o cara que tinha conhecido quando fora levada para adoção, o cara que dissera que ela era especial, que a desejava mais do que a qualquer coisa no mundo, que queria possuir cada centímetro do corpo dela. E ela havia acreditado, até o ponto em que ele tentara tomar cada um daqueles centímetros para si. Tinha acabado de fazer treze anos e nem sabia que era capaz de cometer atos de violência, até que pegara a única coisa que conseguira encontrar – uma luminária de ferro e, com ela, o espancara até a morte.

Se Marlow estivesse lá, teria me salvado.

– Ai, cala a boca – disse ela à cabeça, o fluxo de emoções (amor, ódio, amor, ódio) se revirando no estômago, dando-lhe náuseas. Não, ela nunca se colocaria de novo naquela posição. No dia em que Herc entrara em sua cela de detenção, no dia em que lhe dera a escolha de quem ela queria ser, tinha sido a última vez que permitira a outra pessoa controlar sua cabeça, seu coração ou qualquer outra parte sua.

Com exceção deles, claro, Herc e Ostheim.

Ela não era tola. Sabia que eles a haviam manipulado. Era o que Herc fazia – pegava os adolescentes problemáticos, aqueles sob tutela do governo, os que tinham sido expulsos da escola, aqueles que estavam sentindo calafrios dentro de uma cela. Ela também sabia por quê. Aqueles eram os caras que não tinham nada a perder, os que haviam ficado sem escolha.

Marlow se encaixava no roteiro com perfeição. Tinham checado seus antecedentes enquanto ele estava apagado na torre em Manhattan: pequenos delitos criminais, tinha acabado de ser expulso da escola. Era o candidato-modelo a Engenheiro. Herc o teria recrutado logo de cara se não quisesse que ele fugisse para se tornar uma isca. *Mas graças a deus ele o recrutou, caso contrário eu não estaria no mesmo prédio que ele agora, não estaria tão perto dele, não poderia sair às escondidas do meu quarto agora mesmo e ir atrás dele...*

– Traidor – sussurrou para seu cérebro.

Mas ele era mesmo uma gracinha. Marlow. Muito novo para ela, claro, e irritante como o diabo. E o hálito dele fedia, e ele beijava bem mal, e seu cabelo era abominável. Voltou a sentar, examinando os pensamentos, imaginando Marlow. Apertou o rosto entre as mãos, mas não havia nada ali a não ser desgosto.

– Graças a deus – disse, limpando os lábios com o dorso da mão, um gosto amargo na boca. Os Advogados deviam ter quebrado essa parte do contrato de Marlow. Fechou os olhos, os pensamentos graciosamente esvaziados, o sono envolvendo-a como um cobertor aconchegante e confortável.

O alarme se enfiou no começo de um sonho, e Pan acordou num pulo, o coração quase sendo catapultado garganta afora. Noite já estava de pé, um borrão voando até a porta. Pan se esforçou para vestir uma calça, abotoando-a no caminho. Era raro o alarme soar, mas acontecia. Em geral, era um contrato que estava perto de expirar e precisava de ajustes emergenciais, outras vezes era um exercício de treinamento. Teve também uma ocasião em que Herc o acionara duas vezes tentando fumar às escondidas no banheiro.

Ele estava ali agora, de pé do lado de fora do quarto, parecendo que alguém o arrastara da tumba.

– Não há descanso para os maus, não é? – resmungou ele, passando a mão na barba por fazer. – Alguma ideia?

Ela balançou a cabeça, correndo para o elevador, amontoando-se ao lado de Herc, Noite e Esperança. Era uma descida desconfortável até o salão, e, quando ela abriu os portões, viu Hanson usando um novo par de óculos escuros. Ele parecia indignado e levantou a mão para Herc.

– Por acaso você sabe onde está seu último vira-lata? – perguntou ele.

Ai, que merda.

– Herc, você está com Marlow, não está? – explodiu uma voz vinda de alto-falantes ocultos. Pan ficou em estado de alerta ao reconhecer o sotaque de Ostheim. – Diga que ele está nas instalações.

– Ele está nas instalações – disse Herc.

– Não, Herc, ele não está – afirmou Ostheim. – Ele arrombou a porta.

Puta merda.

Herc praticamente se atirou sobre um dos monitores. Era a câmera de segurança do lado de fora da porta, mas não era a entrada do pátio. Um risco de luz cruzou a imagem, apenas por um segundo.

– De novo – disse Hanson. – Mais devagar.

O vídeo foi reexibido em velocidade menor, e Pan viu Marlow atravessando a rua às pressas, um sorrisinho pateta estampado no rosto. A fita seguia adiante, e Pan viu Marlow reaparecer perto do BMW azul lustroso de

Hanson – o mesmo modelo que ele mantinha em cada cidade conectada à Porta Vermelha. O garoto parecia estar riscando alguma coisa no capô do carro com uma pedra.

– O que é isso? – perguntou Pan. – Parece um foguete.

– Por que raios ninguém ficou de olho nele? – retrucou Hanson.

– Eu o deixei com Seth – respondeu Pan. – Ele...

– Aquele velho não saberia onde encontrar um monte de cocô mesmo que tivesse acabado de fazê-lo – disse Hanson. – Meu deus, Herc, essa é uma merda sem t...

– Mantenha a calma – interrompeu Herc. – Vamos atrás dele.

– Melhor se apressar – disse Ostheim. – E rápido, Herc.

– Por quê? – perguntou ele. – Para que a pressa? Tudo que ele vai fazer é aprontar um pouco. Que estrago ele poderia causar?

Hanson suspirou, os dentes cerrados, apontando para outro monitor. Estava cheio de dados, o tipo usado para identificar flutuações no código, e naquele momento estava enlouquecido. Herc observou a tela por um segundo e ficou três tons mais pálido.

– Porque temos Engenheiros na cidade, Herc – explicou Ostheim. – Engenheiros inimigos.

– Em Praga? – perguntou Pan.

– A porta não abriu para ele em Praga – disse Hanson. – Ela o deixou em Budapeste. É lá que o monitor está mostrando.

Puta puta merda.

– Pelo amor de... – disse Herc, as bochechas queimando. – Então tem Engenheiros em Praga, é isso?

– Não, Herc – respondeu Ostheim. – Acorde, eles estão em Budapeste, a quinhentos quilômetros de Praga. E, se eles pegarem seu garoto antes de nós, ele pode trazê-los até aqui.

Puta puta puta merda.

COMO DIABOS FOMOS PARAR EM BUDAPESTE?

Isso. É. Incrível.
Marlow não conseguia parar de sorrir enquanto corria noite adentro. Não tinha a impressão de estar indo particularmente rápido, mas, assim que começou a correr, tudo o mais se dissolveu até ficar em câmera lenta. As gotas de chuva caindo do céu ficaram quase imóveis, desafiando a gravidade, pendendo como ornamentos de joias. Os carros desaceleraram, passando de tiros de prata a lesmas, tão devagar que ele poderia subir no capô, olhar através do para-brisa e ver os motoristas, alheios a ele. Toda vez que corria, uma onda de choque partia dele como um tiro, levantando poeira e sujeira e fazendo as janelas tremerem nas esquadrias.
Quero correr mais rápido do que a velocidade do som.
O Motor lhe concedera o que tinha pedido.
Não havia muitas pessoas nas ruas àquela hora da noite, naquele tempo. E, para aqueles que as desbravavam, Marlow era um fantasma. Ele correu até elas, o mundo em câmera lenta começando a girar de novo apenas quando ele parou. Devia dar a impressão de aparecer do nada, porque os passantes sempre davam um pulo para trás, gritando, mortos de susto. Então ele partia como um raio, e o mundo rangia até quase parar, transformando as pessoas em estátuas de rosto sobressaltado. Ele riu da genuína alegria que era aquilo, da impossibilidade daquilo, enquanto voltava a correr mais uma vez.
Não fazia ideia de onde estava. Ao sair, não passou pelo mesmo pátio por onde entrara, e sim por uma estrada tranquila ao lado de um rio. No caminho até o Motor ele tinha ficado com um saco na cabeça, portanto nenhuma das ruas lhe era familiar, mas ele não se importava com o rumo que estava seguindo. Só era bom estar em movimento, ser a coisa mais veloz na noite.
Acelerou ao dobrar uma esquina, desviando de um casal que se movia em câmera lenta, e atravessou cambaleando uma rua de paralelepípedos.

Escorregou no asfalto molhado, a energia cinética lançando-o de encontro a um carro estacionado. Ele estendeu o braço para evitar a colisão, e sua mão deixou uma cratera na lataria do veículo, estilhaçando o vidro da janela. A suspensão do carro deu um forte solavanco, o alarme soando como se estivesse envolto em uma calda – lento e profundo –, até que o tempo voltou ao ritmo normal.

Uau. Ele olhou para o amassado no carro, depois para o casal assustado do outro lado da rua. Eles o encaravam, o queixo quase no chão, olhos arregalados, tentando entender o que tinha acontecido.

Marlow correu, e tudo virou um borrão, como se ele tivesse atingido a velocidade de dobra espacial. Atravessou a rua no tempo de uma batida de coração e deteve-se de novo, vendo o casal se afastar, atordoado, ambos aos gritos e em choque. Aos olhos deles, o garoto devia apenas ter sumido. Ele os deixou em paz, acelerando pela rua, passando por cima de um carro em movimento. Toda hora pensava que teria que parar em breve, toda hora levava a mão ao bolso para se assegurar de que a bombinha ainda estava lá, mas seus pulmões pareciam funcionar com duzentos por cento da capacidade, como se alguém os tivesse substituído por um carburador.

Ele acelerou, reduzido a um borrão enquanto atravessava em direção à calçada e abria caminho por entre os postes de luz. Não se lembrava de um único momento na vida, nem um momento sequer, em que tivesse se sentido tão extasiado, tão *livre*. Toda vez que abria a boca, uma risada escapava, leve e plena. Também não se lembrava da última vez que rira daquele jeito. Sentia como se aquela pudesse ser a primeira.

Passou correndo por um grupo de homens, todos bêbados, gotas de saliva paradas no ar como orvalho. Estava tão perto de um deles que pegou sua garrafa de cerveja, zunindo pela esquina antes de desacelerar. Deu uma olhada para trás, vendo o homem levar a mão ao rosto, o momento em que percebeu que a bebida tinha sumido, a expressão confusa ao observar as mãos e o concreto atrás dele. Marlow se apoiou na parede, chegando a roncar de tanto rir.

A cerveja estava gelada em sua mão, e ele a levou aos lábios. O cheiro o atingiu com força, fazendo-o se lembrar da mãe em casa, agarrada ao Bacardi. Estava a um mundo de distância daquele momento, em que ganhava as ruas mais rápido do que o próprio tempo. Arremessou a garrafa, vendo-a girar até prescrever um arco perfeito e cair em direção ao chão. Então correu e chegou à garrafa em um instante, pegando-a no ar. Cara, se pudesse manter aqueles poderes, seria um milionário, um astro do futebol americano, o único do mundo a jogar como zagueiro e receptor no mesmo time – no mesmo passe.

Arremessou a garrafa e correu para um parque, acelerando por entre as árvores, as folhas dançando sem peso em resposta. Respirando fundo, pulou no teto de uma van, usando-a como trampolim para atravessar a rua em um salto. Diante dele estava um morro, todo verdejante. Subiu aos pulos um lance da escada de pedra, subindo, subindo, subindo, como se escalasse uma montanha, como se corresse rumo ao céu.

Foi só quando a escada acabou que ele colocou o traseiro no chão, ofegante, mas não daquele jeito *agarrando-a-garganta-sentindo-como-se-estivesse-prestes-a-morrer*, como era de costume. Ele não fazia ideia de onde estava, mas uma cidade se espalhava abaixo dele, iluminada, dividida em dois por um rio largo e vagaroso banhado pelo luar. Marlow ficou ali por um momento, o ar fresco inflando os pulmões como se fosse um fole. Aquilo era loucura, uma loucura completa. Não podia ser real. Mas sentia o cheiro da cidade, de pó e graxa, e o suave aroma do rio. O toque quente de uma noite de verão aferroou sua pele, a pedra sob ele fresca e úmida. O ar era povoado por motores ao longe, uma sirene, e o diálogo hesitante dos primeiros pássaros que ousavam quebrar o silêncio da noite. Era real. Era tudo perfeita e lindamente real.

– Marlow?

A voz veio do nada, e o grito dele ficou entalado na garganta como uma espinha de peixe. Ele se sobressaltou, apenas as árvores atrás dele, a escuridão tão profunda que nada poderia estar lá, como se pudesse se colocar entre os troncos e se encontrar apartado da existência.

– Quem está aí? – perguntou ele. Provavelmente Herc ou Caminhão, certo? Tinham vindo buscá-lo. Talvez fosse Pan. Talvez ela tivesse sentido sua falta.

– Marlow, não corra, por favor.

Subitamente reconheceu a voz, mas não podia ser.

– Charlie? – indagou.

A folhagem farfalhou, um vulto tomando forma nas sombras a pouco menos de vinte metros de distância. Charlie pisou em um trecho iluminado pelo luar, parecendo um fantasma. Suas roupas estavam esfarrapadas, o rosto pálido e manchado de sangue devido aos ferimentos. Marlow fez menção de ir até ele, mas Charlie levantou as mãos, balançando um par de algemas.

– Não faça isso – disse Charlie, como se estivesse com uma bala na boca. – Por favor. Não se mexa, senão eles vão me matar.

O coração de Marlow entrou em frenesi. O garoto olhou para o lado, tentando tirar algum sentido da escuridão entre as árvores.

– Quem, Charlie?

Outro vulto emergiu das sombras, pisando com cuidado, mantendo Charlie entre ele e Marlow. Era o cara que estava na escola, Patrick.

– Quem você acha que é? – perguntou ele. – Achou que simplesmente fôssemos recolher nossas coisas e ir pra casa? Falei que iria atrás de você.

Patrick agarrou a garganta de Charlie e a apertou. Charlie tentou resistir.

– Solta ele! – disse Marlow, dando um passo à frente, pronto para correr até os dois. Era rápido agora, podia alcançar Charlie, podia arrancar a cabeça de Patrick com um único soco. Mas, antes que pudesse dar mais um passo, um terceiro vulto saiu do meio das árvores. Era uma mulher jovem toda vestida de preto, como um ladrão. Tinha cabelo ruivo e afastou as mechas dos olhos com uma das mãos. Na outra ela segurava uma pistola, que apontava para a cabeça de Charlie.

– Você é rápido – disse ela. – Estamos correndo atrás de você pela cidade toda. Mas não é mais rápido do que uma bala. Aproxime-se de mim, e Patrick quebra o pescoço do seu amigo. Se for até ele, eu puxo o gatilho.

– Eles vão fazer isso mesmo – disse Charlie. – Eles me espancaram até cansar, tentando descobrir aonde você tinha ido.

– Mas você não sabia – falou Marlow. – Eu não contei.

– Não, você me abandonou.

– Eu queria *proteger* você – disse Marlow, tentando ignorar o sorriso amargo de Charlie.

– É, Marlow, funcionou direitinho.

– Como vocês sabiam que estávamos em Praga? – perguntou Marlow.

– Praga? – retrucou Charlie, arquejando. – Estamos em Budapeste.

Como diabos fomos parar em Budapeste?

– Você tem uma chance de salvar a vida do seu amigo – disse Patrick, levantando Charlie do chão. O garoto chutava o ar como um enforcado, batendo pateticamente nas mãos que apertavam sua garganta como um torno mecânico. – Onde está o Motor?

– Não sei o que...

– Você o viu – disse a garota. – Você o *usou*. Onde está?

– Não sei – respondeu Marlow. – Por favor, eu não... Eles colocaram um saco na minha cabeça, não me deixaram ver.

– E quanto a esta noite? – disse Patrick, levantando Charlie ainda mais. – Onde está a porta?

Marlow revirou as lembranças em desespero, vendo uma rua, carros, um rio. Tinha corrido tão rápido que não prestara atenção de onde saíra nem para onde estava indo.

– Não faço ideia. Era só uma rua – respondeu ele. – Mas a porta, ela é vermelha, tipo um vermelho vivo. É tudo que sei, juro.

Patrick e a garota se entreolharam. O rosto de Charlie tinha manchas arroxeadas, os olhos começando a se revirar nas órbitas. *Eu vou? Eu fico?* Marlow se balançava sobre os calcanhares, o pânico detendo-o como uma camisa de força.

– Por favor – pediu ele. – Deixe-o ir. Ele está morrendo.

– Assim como deixou minha irmã ir? – disse Patrick. – Por quanto tempo vocês a torturaram?

– Eu não a torturei. *Nós* não a torturamos – contou Marlow, se perguntando quando havia começado a fazer parte desse *nós*. – O contrato dela expirou, não tivemos chance. Ela não contou nada pra gente. *Por favor*.

– Ele é inútil para nós – disse a garota, e levou a mão à orelha. – Negativo sobre o novato, fale para os escoteiros irem atrás de portas vermelhas, a leste do rio. – Ela ouviu por um segundo e depois assentiu. – Descarte autorizado.

Descarte?

Ela puxou o gatilho antes que Marlow pudesse piscar, a bala atingindo a barriga de Charlie. Ele gemeu, as mãos algemadas descendo até o ferimento, tentando se manter em pé.

Não!

Marlow começou a se mover, mas estava muito devagar. Patrick sorriu para ele, depois lançou Charlie ao ar. Sua força era fenomenal, e o amigo de Marlow saiu girando sobre o morro, um rastro de sangue esvoaçante atrás dele em direção à cidade abaixo.

– Esse é por Brianna – disse Patrick, avançando. – E esse é por você.

QUEDA LIVRE

Marlow viu Charlie girar por sobre a borda do morro e cair em direção ao rio. Não podia deixá-lo morrer, não daquele jeito. Ainda havia tempo.

Correu, o mundo desacelerando até começar a engatinhar – tão devagar que pôde ver gotículas do sangue de Charlie suspensas no ar, quase perfeitamente imóveis. Só tinha dado alguns passos quando algo se materializou à sua frente, fragmentos de ossos e pele se espiralando na chuva, a carne costurando a si mesma até que Patrick estivesse ali.

Marlow parou, derrapando, e se abaixou para desviar do punho de Patrick. Conseguiu se endireitar a tempo de ver o garoto desferir um soco de baixo para cima. Esse segundo golpe o atingiu nas costelas, a força do soco o tirou do chão em uma explosão de dor. Ele girou para trás, a cabeça indo para baixo e os pés para cima, e caiu de costas. Patrick se 'portou novamente, reaparecendo bem a seu lado.

Um tiro rasgou a noite, uma bala fazendo um buraco na pedra atrás de sua cabeça. Marlow abaixou, lutando para correr enquanto a garota disparava outra vez. Uma pluma de fogo em câmera lenta saiu do cano da arma, a bala logo atrás, abrindo caminho no ar.

Marlow sentiu uma silhueta se formar atrás de si. Patrick estava ali de novo, as feições de uma fera. Marlow atacou, um golpe de sorte que acertou o queixo do oponente, catapultando-o na direção das árvores. Ele não parou para ver onde o outro tinha caído, só se virou e correu pela noite gelada, uma onda de choque pulsando diante dele como uma explosão de canhão. Estava escuro demais para ver muita coisa, embora a lua lhe sorrisse, e não é que Charlie estava lá, uma silhueta em contraste com a vista da cidade, caindo em câmera lenta?

Marlow se projetou para a lateral do morro, saltando como um sapo por rochas e estacas, quase perdendo a trilha sob a escuridão. Ele era rápido, sim, e forte, mas sabia que, se caísse, se tropeçasse nas pedras e fosse parar nas ruas lá embaixo, estaria morto como qualquer pessoa comum. Diminuiu uma fração do ritmo, vendo o corpo de Charlie se debater rumo ao rio. Ainda poderia alcanç...

Algo trombou em suas costas, forte e rápido como um trem, e ele tropeçou. Rolou morro abaixo, Patrick a seu lado, socando-o com punhos de concreto. Um dos golpes acertou seu nariz, e o mundo ficou branco, uma supernova de luz que detonou bem no meio de sua cabeça. A dor veio logo depois, um inferno dentro do nariz quebrado. Tentou revidar, mas giravam com muita rapidez, batendo em pedras, em uma queda descontrolada.

Ouviu-se um solavanco repentino, e depois nada mais – nem pedras, nem chão, só a queda livre. A barriga de Marlow explodiu, e ele viu o solo correndo em sua direção, e um carro estacionado. Ele aterrissou no teto, amassando-o, e gemeu enquanto rolava para o chão. Uma lufada de ar repentina soprou atrás dele enquanto Patrick se 'portava, mas Marlow o ignorou, correndo como nunca, o mundo quase imóvel ao redor. O rio estava mais à frente, uma ponte, edifícios. Marlow olhou para o céu, nem sinal de Charlie. Seria tarde demais? Teria seu amigo se estatelado em alguma rua por ali?

Então, na altura dos telhados, um vulto escuro caía. Marlow pulou uma cerca, tomou impulso em um carro e projetou-se em direção ao rio. Preparou-se para a temperatura fria, mas, quando seu pé atingiu a água, ela era esponjosa, quase sólida. Correu por cima da água, Charlie quase entrando nela, tão perto, suspenso no ar como um fantasma. Marlow saltou e estendeu os braços para o amigo, esforçando-se para agarrá-lo em pleno ar. A cinética atirou ambos para a margem do rio, e eles rolaram na grama até parar.

Marlow retomou o fôlego, se debruçando sobre o amigo. Charlie estava em choque, os olhos abertos mas sem ver, o sangue pingando da boca. Sua camiseta estava ensopada, e, quando Marlow a puxou, viu um buraco. Pressionou as mãos no ferimento, mas o sangue vertia por entre seus dedos, quente como água fervente.

Ele agonizava.

– Ai, meu deus, Charlie – disse Marlow, as lágrimas queimando seus olhos. – Cara, sinto muito. Nunca deveria ter deixado você pra trás.

Charlie abriu a boca, mas tudo que saiu foi uma bolha de sangue. Marlow olhou ao redor, as janelas escuras e sem vida, a rua vazia. Queria pedir socorro, mas isso atrairia Patrick antes ainda do que uma ambulância. Tinha que carregar Charlie, levá-lo a um hospital. Marlow se abaixou para pegar o amigo, mas algo grande caiu na grama a poucos metros de distância, dando um banho de poeira nele. Era um poste, com sua base presa a meia tonelada de concreto, rolando ao lado dele como uma bola de demolição antes de atingir a lateral de um prédio.

Marlow examinou o céu, vendo outro poste voar por cima do rio como se tivesse sido lançado por uma catapulta. Patrick estava na outra margem, arrancando mais um poste do chão.

Marlow se esforçou para ficar em pé, o pedaço de concreto indo com tudo em sua direção. Deu um soco nele, e a explosão de estilhaços foi acompanhada de uma pontada de dor que irradiou do punho para a axila. Piscou algumas vezes para tirar a poeira dos olhos, mal tendo tempo para levantar as mãos antes do próximo poste. O garoto o segurou, e o impacto o jogou para trás, os calcanhares escavando trincheiras na poeira. Recuperou o equilíbrio e atirou o poste para o outro lado do rio, com tanta facilidade quanto se tivesse atirado uma bola de praia.

Foi um golpe descontrolado que caiu bem longe do alvo, soando como um sino de igreja ao bater na lateral da ponte. Patrick desapareceu, reaparecendo quase instantaneamente na outra margem do rio. Mas Marlow já corria para ele, tudo desacelerando. Ele se jogou em cima do garoto, e ambos caíram no rio.

O tempo retomou o ritmo normal, e ele sentiu o impacto, afundando, o frio como um chute nas tripas. Marlow tentou respirar, enchendo os pulmões de água congelante. Então bateu os pés para emergir, chegando à superfície a tempo de ver Patrick desferir um soco. O golpe atingiu sua têmpora, e por um instante tudo ficou preto. Quando o mundo voltou para o devido lugar, percebeu que estava submerso de novo, mãos em sua cabeça o empurrando para baixo.

Algo escuro e frio se esgueirava por sua mente – nada a ver com o rio. Ele engasgou e se debateu, mas a água o refreava e tornava impossível ver onde revidar. As mãos em sua cabeça apertavam com tanta força que sentiu o crânio ranger, prestes a se partir, fagulhas tomando sua visão. Teria gritado se restasse qualquer coisa em seus pulmões.

Ouviu estouros ao longe, e alguma coisa como um raio de sol rasgou a água. Outras coisas como essa se seguiram, e uma delas passou tão perto de Marlow que ele sentiu uma queimadura fria na pele. Ouviu um estrondo, e em seguida a pressão em sua cabeça desapareceu. Desbravou o caminho até a superfície e inspirou o máximo de ar que pôde. Patrick estava lá, a mão no ombro, parecendo fazer um grande esforço para permanecer boiando.

Mais tiros foram ouvidos, balas cortando a água, muito perto. Marlow olhou para a margem e viu um policial, um cara velho, uma pistola nas mãos trêmulas. Ele gritava algo que Marlow não entendia. Disparou de novo, e Marlow ouviu o zunido que a bala fez ao queimar o ar ao lado de sua orelha.

O garoto nadou, tentando fazer o mundo acelerar de novo. Mas não conseguia pôr os pés no chão, não conseguia *correr*. Patrick também estava em pânico, cansado demais para se 'portar; ambos tentando chegar ao lado oposto do rio. Mas o cara estava ferido, o sangue escoando do ferimento no ombro.

O policial gritava sem parar, disparando mais algumas rajadas. Então sua cabeça entrou em erupção, uma explosão carmesim, e ele desmoronou. A garota de cabelo ruivo desceu casualmente da ponte, a arma apontada para o rio.

– Patrick? – berrou ela, quase inaudível em meio ao fluxo de água. – Onde você está?

– Aqui! – veio a resposta da escuridão. – Ele está por ali, perto da ponte.

Pá-pá-pá, mais balas cortaram a água. Marlow encheu os pulmões e mergulhou nas trevas, nadando como um louco, sendo arrastado pela correnteza. Ele era um alvo ambulante ali. Nadou o máximo que pôde, até sentir a margem viscosa. Irrompendo da água, agarrou-se à margem, arfando, segurando em qualquer coisa em que pudesse se firmar.

Uma mão. Ele a agarrou, apertando o máximo que pôde, berrando em silêncio: *Por favor por favor por favor, me puxe!*, porque não restava nada nele.

Então a cabeça de Patrick surgiu acima da mão, ele estava pálido e exausto, mas ainda sorrindo.

– Peguei você – disse, e depois empurrou Marlow de novo para baixo d'água.

DANE-SE O PROTOCOLO

— Siga as sirenes, parece que a Terceira Guerra Mundial foi deflagrada por lá.

Caminhão dirigia o Defender, Herc no banco do passageiro dando ordens. Pan, Noite e Esperança estavam amontoadas no banco de trás, se segurando uma na outra toda vez que o carro derrapava ao dobrar uma esquina. Estavam sem o dispositivo de rastreamento, mas não era difícil imaginar onde Marlow se encontrava – tiros e explosões ressoando perto do rio.

— Será que essa merda consegue ir mais rápido? – gritou Herc mais uma vez. – Vamos lá, Caminhão, enfia esse pezão no acelerador!

Eles dispararam tão depressa por um cruzamento que Pan achou que estivessem decolando, por pouco não bateram em uma viatura da polícia que vinha na direção contrária. Caminhão deu um cavalo de pau para fazer uma curva fechada, e o SUV derrubou um ponto de ônibus no caminho. Pan avistou a ponte e, depois dela, as paredes do prédio do capitólio. Toda a área estava banhada de luzes vermelhas e azuis, pelo menos seis viaturas estacionadas ao longo da margem.

— Pelo amor de todas as coisas sagradas – resmungou Herc. – Tem como piorar essa confusão?

Aparentemente tinha: uma van da SWAT veio derrapando por uma rua à frente, acelerando depressa rumo ao caos.

— Tire esse da jogada! – ordenou Herc. Caminhão pisou no acelerador e o SUV rugiu atrás da van, ficando emparelhado com ela. Caminhão acenou para os policiais assustados, depois desferiu um soco através da janela, dando um enorme empurrão no veículo da SWAT, que subiu até se apoiar em duas rodas, mantendo o equilíbrio perfeito por um momento, antes de tombar de lado, uma viatura da polícia batendo na traseira dele. Caminhão moveu o volante até o Defender se firmar, Pan estava prestes a vomitar seus órgãos internos.

– Temos que chegar até ele rápido – disse Herc, pontuando o óbvio. – Estacione e *encontre ele*.

Caminhão pisou no freio, e o SUV cantou pneu até parar. Pan abriu a porta e saltou, vendo o rio através de uma brecha entre os prédios. Ela estava sem contrato, mas trazia a balestra, agora com um novo carregamento de flechas tirado da sala de armas do Ninho do Pombo. A maioria dos policiais estava do lado mais distante, gritando enquanto atirava aleatoriamente em direção à água. Estava escuro demais para ver se havia algo lá. Ela seguiu o fluxo do rio e distinguiu um vulto a algumas centenas de metros. Ele estava agachado à beira d'água, o braço estendido, querendo pegar alguma coisa.

Pegar ou afogar alguma coisa.

Ela correu, Caminhão saltando a seu lado para acompanhá-la, rugindo como um urso. Noite era um raio de luz zunindo por eles, indo diretamente para o vulto. Ele deve ter sentido a aproximação dela, porque olhou de um lado para o outro, o rosto iluminado pelo luar.

Patrick.

Ele se 'portou e Pan tocou a balestra, já pensando na possibilidade de ele reaparecer a seu lado. Caminhão passou como uma tempestade, agachando-se ao lado do rio e pescando alguma coisa na correnteza turva. Um segundo depois, tirou da água um saco mole de trapos, colocando-o com gentileza na calçada. Pan correu até lá, reconhecendo Marlow.

– Está respirando? – perguntou ela, agachando-se ao lado dele. Noite apareceu, arfando, os olhos indo da esquerda para a direita.

– *¡Hijo de puta!* – exclamou ela.

Pan pôs os dedos no pescoço de Marlow, sentindo uma pulsação fraca.

– Segure os braços dele! – ordenou a Caminhão. Ele fez o que lhe foi pedido, e ela estapeou o rosto de Marlow com força, e depois mais uma vez, e ainda outra, até que os olhos do garoto se abriram e ele vomitou bastante água em cima de si mesmo. Tinha resistido, sua força antinatural igualada à de Caminhão.

– Acalme-se – sussurrou Pan. – E cala a boca, temos que ir.

– Charlie – balbuciou Marlow. Ele soltou uma das mãos que Caminhão segurava e apontou para a margem mais distante, onde os policiais estavam enfileirados. – Charlie... ele está ali, *eles* estavam com ele.

– O quê? – retrucou Pan, se levantando. Essa notícia era péssima.

Ouviu-se o *pá* de um tiro, mais próximo dessa vez, e Caminhão de repente cambaleou para trás, agarrando o braço. Um jato de sangue atingiu o rosto de Pan, e ela emudeceu, limpando-se em seguida. Outro tiro, uma bala passou de raspão pela cabeça dela. Pan viu o reflexo de uma arma, uma garota ruiva na ponte.

— Pegue ela! — gritou Pan, passando a balestra para Noite, que partiu como um borrão de cores serpenteantes pelos degraus acima e pela calçada. A garota descarregou o resto do cartucho, mas Pan sabia que Noite seria mais rápida, as balas parecendo aviões de papel para ela. Noite voltou ao tempo normal e mirou a balestra no peito da garota. Com um clarão, Patrick apareceu na ponte, mantendo-se apenas por tempo suficiente para pegar a garota e 'portar ambos para longe. A flecha da balestra perfurou o espaço onde haviam estado, enfiando-se no metal da ponte.

Droga.

— Tudo bem com você? — perguntou Pan a Caminhão. Ele fez que sim com a cabeça, obviamente sentindo dor. — Precisamos ir.

— Charlie está lá — disse Marlow. — Ele está ferido, precisamos ajudá-lo.

— De jeito nenhum — sentenciou Pan. Era arriscado demais, havia muitos policiais.

Marlow se levantou, ainda grogue, e disse:

— Me deixe ir, eu posso buscá-lo.

Marlow não parecia capaz de buscar nem mesmo um graveto, quanto mais uma pessoa. Pan lhe ofereceu a mão, ajudando-o a se levantar. Os policiais deviam ter avistado Noite na ponte, porque alguns corriam atrás dela, berrando em húngaro. Alguém atirou, uma resposta ao pânico, e o projétil ricocheteou no corrimão ao lado de Noite. Ela reapareceu junto de Caminhão em um piscar de olhos.

— Eu o vi — contou ela, arquejando. — Seu amigo. Ele está lá na grama. Estão tentando ajudá-lo, parece que está muito ferido.

— Ele não vai sobreviver — disse Marlow. — Já está quase morto. Ele precisa do Motor.

Pan balançou a cabeça.

— Por favor, Pan — pediu ele. — Não quero que ele morra. Ele *não* pode morrer.

— Você precisa se desapegar — disse ela. — Essas coisas acontecem.

— Não — insistiu Marlow, dando um empurrão nela. Provavelmente ele tinha controlado a força, mas ainda parecia ter a potência de um touro. Ela cambaleou para trás, observando-o se afastar, e praguejou em silêncio. Então se virou para Noite.

— Você consegue buscar o amigo dele?

A outra garota riu, devolvendo-lhe a balestra.

– Precisa perguntar?

– Vá – disse Pan. – Vou levar os dois para o carro.

Noite se tornou um raio de luz, os pés tamborilando a superfície do rio, levantando respingos de água atrás dela. Pan correu atrás de Marlow e o segurou.

– Vamos buscar Charlie, você vem comigo.

Um motor rugiu, o SUV disparando em uma curva e subindo na grama. O cenho de Herc estava franzido atrás do volante enquanto o carro guinchava, até parar ao lado deles. Pan abriu a porta, se abaixando ao ouvir outro tiro, algo atingindo o teto do carro. Ela não sabia se eram os policiais ou a ruiva, e não estava interessada em descobrir.

– Entre! – gritou para Marlow. Ele parecia prestes a argumentar, mas ela levantou o pé e chutou o traseiro dele, fazendo-o tombar no piso do carro. Ela subiu depois dele, o veículo rugindo enquanto Caminhão também entrava.

– Onde está Noite? – perguntou Herc, o SUV tilintando à medida que as balas o acertavam. Pan se abaixou, protegendo a cabeça enquanto cacos de vidro choviam sobre seu cabelo.

– Dirija! – gritou para Herc. Ele pisou com tudo no acelerador, e o veículo arrancou num solavanco, balançando ao passar por cima de um canteiro de flores e através de uma barreira. Eles se desviaram em uma curva, e Herc puxou o freio de mão, fazendo o carro parar. Olhou para trás.

– Onde e...

Algo bateu na janela, deixando todos sobressaltados. Noite parecia exausta e trazia Charlie pela nuca. Pan se aproximou de Caminhão e abriu a porta; juntos içaram o garoto para dentro. Ele já parecia morto, encharcado de sangue e incrustado de sujeira.

– Ele passou por maus bocados no caminho, desculpe – disse Noite, enquanto Herc dava um gás novamente, a aceleração empurrando todo mundo contra os bancos. – Estava pesado demais para eu carregar, então tive que arrastá-lo.

Aquilo com certeza não tinha ajudado; as roupas do garoto estavam em farrapos, por baixo delas a pele estava rasgada e em carne viva. Pan tentou sentir o pulso dele, mas não o encontrou. Tentou de novo e achou alguma coisa vibrando no pescoço dele, fraca como as asas de uma borboleta. Marlow colocou a cabeça do amigo no colo, aos prantos.

– Sinto muito, sinto tanto – lamentou. Depois disse para Pan: – Podemos salvá-lo, só precisamos levá-lo ao Motor.

Ela abriu a boca para argumentar, mas depois a fechou. Era uma questão controversa de qualquer forma, porque era mais provável que o garoto já estivesse frio quando chegassem lá. Herc devia ter pensado a mesma coisa, porque se virou e se debruçou no encosto do banco, gritando acima do ronco do motor:

– Vamos fazer o que pudermos por ele, mas não podemos voltar direto para lá. Pode ser uma armadilha, eles podem estar nos seguindo. Temos um protocolo a seguir. – O carro cantou pneu ao fazer uma curva, entrando em uma via mais larga, o barulho de tiros ficando cada vez mais distante. – Sua escolha, moleque: quer deixar seu amigo em um hospital ou quer ficar com ele?

Pan se recostou, grata pela escolha não ser sua. Era por isso que ela não gostava de fazer amigos, o motivo pelo qual tentava manter distância emocional de Caminhão e de Noite, e também dos outros. Nessa área de atuação, mais cedo ou mais tarde, os amigos levavam tiros, facadas ou eram feitos em pedaços. Quantos já tinha perdido? Não tinha dedos suficientes para contá-los, mas já preenchera páginas demais do *Livro dos Engenheiros Mortos*. As mãos de Marlow cobriam o ferimento na barriga de Charlie. O sangue apenas gotejava, mas havia outras coisas saindo, o carro tomado pelo odor nauseante de intestino rompido.

– Por favor – pediu Marlow, sua expressão tão cheia de amor, tão cheia de medo que algo começou a crescer na garganta de Pan. Ela se virou para a janela quebrada, o vento açoitando seu cabelo, seu rosto, secando as lágrimas antes que pudessem cair. – O Motor pode salvá-lo, não pode? – perguntou. – Charlie pode pedir que seus ferimentos se curem, certo? Pan?

– Vamos fazer o que pudermos, Marlow – disse Herc. – Só se assegure de que ele esteja respirando.

Estavam em algum tipo de via expressa, e Herc mantinha a velocidade constante de cento e trinta quilômetros por hora, costurando o trânsito entre um carro e outro. Pan ouvia sirenes, mas elas estavam distantes, a leste, onde o alvorecer avermelhado começava a se derramar sobre o horizonte.

– Segure as pontas, Charlie – disse Marlow, apertando a mão do garoto, acariciando-a suavemente com o polegar. Havia sangue por todo lado. Duas viaturas passaram do outro lado da estrada, mas nem pararam para olhar, nem desaceleraram.

– Os demais estão bem? – perguntou Herc, aliviando a pressão no acelerador.

– Hum, *como assim?* – disse Caminhão. Sua mão estava no ombro, mas havia apenas um fio de sangue saindo dele. – Eu levei um *tiro*.

– Ah, cala a boca, Caminhão – falou Pan. – Você não deve nem ter sentido no meio daquela confusão. De qualquer modo, seu contrato vai remendar você.

– Pois fique sabendo que está coçando – resmungou ele, cutucando a ferida com um dedo gigante. – Um pouquinho. Pode infeccionar.

Pan e Noite reviraram os olhos. Herc falava de novo; devia estar com Ostheim na linha.

– Isso, conseguimos reaver o cachorro perdido... Ele está bem, dois agentes inimigos, possivelmente mais. – Olhou pelo espelho retrovisor. – Nada óbvio, mas podem estar nos seguindo do céu. Não dá para saber... É, beleza, então me avise, chefe. Ah, e conseguimos reaver outro filhote perdido, muito ferido, solicitando diretivas... É, praticamente acabaram com ele, deixaram-no para morrer...

Passaram por uma placa na estrada, e Herc diminuiu a velocidade, tentando lê-la. Então pegou a próxima saída, descendo a rampa. Pan olhou para trás – nenhum farol os seguia. Patrick podia ter ido atrás deles por um tempo, mas já estavam longe demais para qualquer um se 'portar – se tentasse, ele acabaria desaparecendo do nível da existência.

– Sua decisão, Ostheim – disse Herc. Então assentiu, suspirou alto e finalizou a ligação. – Hanson vai nos encontrar em cerca de um quilômetro e meio, vamos fazer o caminho em zigue-zague até o Ninho. Mas parece que a barra está limpa.

– Tão fácil assim? – indagou Caminhão. – Não é do feitio deles desistir da oportunidade de apagar um de nós.

– Eles não desistiram – disse Pan. – Eles atiraram em você, quase afogaram Marlow. Se tivéssemos chegado um minuto depois, estaríamos levando o corpo dele para casa num saco.

– Pelo menos eu teria finalizado meu contrato – disse Marlow, soltando uma risada, que saiu mais como um ronco. Pan olhou feio para ele.

Ops.

– Ah, pois é, talvez eu tenha esquecido de mencionar uma coisa – disse ela. – Morrer não libera você do contrato. Se morrer, eles vêm para a cobrança. Sinto muito.

Ela não sabia se o olhar que ele lhe deu a tinha deixado com vontade de rir ou de chorar. Ele balançou a cabeça em um gesto de desgosto e voltou a olhar para o amigo, acariciando o cabelo dele. E mais uma vez ela se sentiu grata por não ter amigos, família, ninguém para amar. Isso era ou não era uma das verdades indeléveis da vida? Se você ama alguém, mais cedo ou mais tarde essa pessoa vai acabar sangrando no banco de trás de um carro enquanto você foge de demônios.

Ou talvez aquilo se aplicasse apenas à vida *dela*.

Pan se virou para a janela, sem rir, nem chorar, nem *nada* – só vendo o mundo deixando pouco a pouco de ser preto e branco e ganhando cores à medida que o sol cauterizava seu caminho através da noite que morria.

SUA MISSÃO, CASO ESCOLHA ACEITÁ-LA...

Marlow andava de um lado para outro no dormitório, completamente exausto. Sua cabeça era uma tempestade de nuvens escuras, com uma densa névoa. Não conseguiria dormir, não até que soubesse que Charlie estava bem. Não até que soubesse que não o tinha assassinado.

Conferiu o relógio sem as horas, apenas aqueles numerais: *659:34:15:52*. O poder do Motor ainda tamborilava dentro dele, mas não lhe parecia mais agradável. Parecia mais um veneno, algo que alguém depositara em sua bebida – uma toxina que levaria vinte e sete dias para fazer suas tripas apodrecerem. Queria sacar uma faca e drenar o sangue contaminado. Sua pele estava em carne viva onde se arranhara na tentativa de arrancar o fedor da máquina.

Mas fora inútil. Estava em cada célula, em cada fibra de seu ser. Estava em sua alma.

Voltou a caminhar de um lado para outro, os pés batendo ritmados no chão. Caminhão dormia na outra extremidade do quarto, os roncos e os sopros parecendo baixo e bateria amplificados em uma caixa de som. Tinham levado horas para voltar, ziguezagueando por metade de Budapeste antes que Herc se sentisse confiante de que não estavam sendo seguidos. Entraram no Ninho por uma porta vermelha idêntica àquela de Praga – *literalmente* idêntica, era a mesma. A de Budapeste tinha sido instalada em uma parte da antiga muralha da cidade, e fizera as tripas de Marlow se revirarem como se tivessem sido empurradas até darem uma cambalhota enquanto ele atravessava a soleira.

Marlow não sabia onde os outros estavam – não tinha bancado exatamente o Sr. Popular na volta –, mas sabia que haviam levado Charlie até o Motor. Hanson tivera um chilique, mas fora vencido. Não que houvesse motivos, claro – Charlie ficara inconsciente durante os últimos trinta minutos de viagem, e, como observou Pan, o Motor só funcionava se você estivesse acordado.

– Vamos lá, Charlie – disse ele. – Por favor, fique bem.

Sentou na cama, mordendo os nós dos dedos. Tinha passado uma hora no chuveiro – a maior parte do tempo encolhido sob o vapor, aos prantos –, mas ainda sentia o cheiro do sangue nas mãos. Então levantou e começou a zanzar por ali, como um animal enjaulado. Não que isso estivesse muito longe da verdade, pensou. Haviam lhe ordenado que não saísse do quarto. Caminhão tinha ficado para manter os olhos nele, e Marlow imaginava que poderia dar uma escapulida àquela altura, apenas sair dali correndo com tudo – afinal, agora corria mais rápido do que a velocidade do som –, mas aonde iria? E quem acabaria morrendo por sua causa dessa vez? Não, melhor ficar ali, assim nenhuma merda pior aconteceria.

Caminhão soltou um pum barulhento e rolou na cama, adormecido, murmurando algo sobre um macaco. A bala que atingira o grandalhão tinha saído do outro lado, e ele fora costurado. Já estava quase curado, por conta dos benefícios do seu contrato.

O som de passos surgiu do lado de fora, e a porta do dormitório se abriu. Marlow esperava ver Pan, mas foi Hanson quem entrou, a passos largos, um celular na mão.

– Como ele está? – perguntou Marlow.

– Estou com cara de quem se importa? – retrucou Hanson. – Jamais deviam tê-lo deixado entrar. Até onde sabemos, ele pode estar trabalhando para eles.

Marlow zombou:

– Ah, claro, e eu sou a cueca do Hugh Hefner. Por favor, me fale como ele está.

– Presumo que foi você quem esculpiu um foguete no meu lindo BMW, não foi?

– Eu? – disse Marlow. – De jeito nenhum, cara, nunca desfiguraria uma coisa que pertence a um cara tão legal. De qualquer forma, me pareceu mais um pênis.

Hanson endireitou as costas e chegou tão perto que Marlow viu as órbitas oculares vazias atrás das lentes coloridas. Ele cheirava a algo doce – doce demais, como fruta muito madura, a ponto de começar a apodrecer.

– Sabe há quanto tempo faço isso? – perguntou ele. – Mais de quarenta anos.

Marlow franziu o cenho. Não era possível que ele fosse tão velho, ele parecia ainda estar na casa dos vinte – tinha uma aparência cansada, sim, mas jovem.

– Já vi mais gente morrer do que você poderia imaginar. Amigos. Inimigos. Não importa. Morte é morte. E eu faço o que faço porque tem seu valor. Porque salvamos mais vidas do que destruímos. Se não fosse por nós, este mundo seria um inferno, literalmente. Você não faz ideia do tamanho da burrice que fez hoje, saindo daqui do complexo. Se soubesse o perigo em que nos colocou, se soubesse o que estava em jogo, apontaria uma arma para sua cabeça agora mesmo e estouraria seus miolos.

Marlow sabia que o britânico tinha razão, mas ainda assim sentiu os pelos se eriçarem, a fúria esmurrando seu estômago como algo tentando abrir caminho com suas garras para sair. Deu de ombros, como se não tivesse nenhuma preocupação na vida.

— Talvez devessem colocar algumas janelas aqui, então — sugeriu ele, odiando-se por falar aquilo, mas incapaz de impedir que as palavras jorrassem de sua boca. — Comprar um Xbox ou algo do tipo. Este lugar é *chato* pra caramba.

Hanson ignorou Marlow e empurrou o celular para ele.

— Ostheim quer falar com você.

Marlow pegou o telefone. Não tinha certeza se queria falar com o sujeito, pois sabia que levaria outro sermão. Hanson estava para sair, mas antes se virou e falou:

— E, *cachorrinho*, não fale com ele como fala com o restante de nós. Ele vai acabar com você.

Marlow engoliu em seco, esperando o som dos passos se dissipar antes de erguer o celular. Por um segundo, pensou que a ligação tinha caído, porque não ouviu nada, nem mesmo o zunido de estática ao fundo. Havia apenas um silêncio profundo, como se tivesse ficado surdo de um dos ouvidos. Estendeu o maxilar, a surdez parecendo se espalhar para o crânio, deixando toda a lateral da cabeça entorpecida.

— Marlow — disse a voz, e ele quase gritou. Parecia que o homem estava dentro do quarto, sussurrando. A voz era aguda, o sotaque desconhecido, europeu. O silêncio voltou a pesar sobre Marlow, que abriu a boca para responder, apenas para não se sentir sufocado por ele.

— Oi — disse o garoto, a voz tão fraca, tão insignificante. Ele tossiu e falou mais alto: — Ostheim, certo?

— Ao seu dispor — respondeu Ostheim. — E me chame de Sheppel, por favor. É um prazer, enfim, conhecer você. Soube que nos colocou em uma enrascada hoje.

— Não foi minha culpa — disse Marlow. — Não sabia que não podia sair do Ninho. — A mentira parecia pender no ar como um cheiro ruim, e ele se afastou para não respirar desse ar. — Olha, eu...

— Bem está o que bem acaba — interrompeu Ostheim. — A verdade é que não há perigo real, apenas um protocolo. Eles não podem adentrar nosso

Motor, nós não podemos adentrar o deles. As máquinas só abrem por dentro. É só uma dança que fazemos, cada lado tentando enfraquecer o outro. Sabe o que é uma guerra de atrito?

Marlow balançou a cabeça em negativa, gesto que Ostheim deve ter imaginado.

– É um conflito prolongado em que cada lado procura aos poucos levar o inimigo à exaustão por meio de uma série de ações de pequena escala. Em outras palavras, é olho por olho; matamos um dos deles, eles matam um dos nossos, e assim por diante. Por muito, muito tempo, Marlow. Por centenas de anos. Duas das máquinas mais poderosas já criadas, e as usamos para atingir uns aos outros.

– Mas por quê? – perguntou Marlow. – Por que não trabalham juntos? Cara, vocês poderiam comandar o mundo, poderiam ser, tipo, ricos e tal. Poderiam ser as pessoas mais poderosas do planeta. Não entendo.

– Poder e riqueza. Você se parece com eles, Marlow. Isso é tudo que você quer?

Dã, ele quase disse, mas mordeu a língua. A voz de Ostheim era baixa, gentil, quase reconfortante, mas havia algo logo abaixo da superfície, algo sombrio e perigoso, como as profundezas repletas de tubarões de um oceano tranquilo.

– Não – disse Marlow. – Quer dizer, seria irado. Mas o que mais existe? Pelo que vocês estão lutando?

– Estamos lutando por tudo. E com isso quero dizer tudo mesmo.

– O mundo – respondeu Marlow.

– Mais que isso – ressaltou Ostheim. – Muito mais. Se o Circulus Inferni levar a melhor, eles vão abrir os portões do inferno, encher o mundo de demônios. Você tem ideia de como são frágeis os muros que separam nossos mundos? Tem ideia de como estamos perto do outro lado e das coisas que vivem nele? Eles estão aqui hoje, à nossa volta, dimensões separadas pela mais singela fração de espaço, os pontos costurados por magia ancestral, pelas primeiras leis do universo. Só é preciso um único corte, e tudo vai se romper. Demônios vão inundar nosso mundo, e todos seremos presas deles.

Marlow passou a mão nos braços para afastar o calafrio, sentando-se na cama. Suas pernas não pareciam fortes o suficiente para sustentá-lo. Imaginou como seria isso, aquelas coisas se desprendendo das paredes, do chão. O mundo seria uma ilha de carne estraçalhada em um oceano de sangue.

– E não é só isso – continuou Ostheim. – Não é só de morte que estamos falando. Os demônios não se importam com sangue e ossos. É nossa alma que os alimenta. Entende, Marlow? Se os portões se abrirem, todas as pessoas na Terra vão perder seu eu interior, sua essência. Todos vão queimar pelo resto dos tempos.

Marlow enxugou o suor da testa. Teve que fechar os olhos para se proteger da repentina onda de náusea e vertigem. Todas as pessoas – sua mãe, Charlie, Pan, *ele*.

– Entende agora por que é importante ouvir? – perguntou Ostheim. – Por que temos regras?

Ele assentiu.

– Que bom. Mas, como eu disse, se não houve danos, não há infração. Também soube que você lutou bem esta noite, que quase apagou um Engenheiro inimigo.

– Não – disse Marlow. – A menos que *quase apagou* seja a mesma coisa que quase ser afogado.

– Você ainda está aqui para contar a história, e isso não é um feito desprezível quando se trata de lutar contra alguém como Patrick Rebarre. Herc fez bem em recrutá-lo. Ele viu algo em você. Viu que é um homem corajoso. Certo?

Marlow sentiu as bochechas queimarem e olhou para o chão. Um homem corajoso? Não, era o oposto disso. Quantas vezes tentara fugir? Quantas vezes tinha abandonado e traído aqueles a quem amava para salvar a própria pele? Ele era Marlow Green, um covarde.

– Você pode não saber – disse Ostheim, mais uma vez parecendo pescar os pensamentos diretamente da cabeça de Marlow –, mas está aí dentro de você, e eu preciso disso. Preciso de homens corajosos, Marlow. Pode me ajudar?

– Acho que sim...

– Que bom. Tenho algo que preciso que você faça. Uma missão. Acho que conseguimos rastrear Patrick. Ele está em movimento, mas está ferido. Preciso que vá atrás dele.

– Está bem – disse Marlow, escutando as batidas de sua pulsação nos ouvidos.

– Pan, Caminhão e Noite vão com você. Marlow, não preciso te explicar a importância disso. Se pegarmos Patrick, poderemos encontrar uma forma de entrar no Motor deles.

– Está bem – falou Marlow. – E o que acontece? Se conseguirmos entrar?

– Nós o destruiremos – respondeu Ostheim. – Deixaremos tudo em pedaços e levaremos a coisa toda para o fundo do oceano.

– Então venceremos – supôs Marlow, assentindo. – Eles também querem fazer isso? Destruir o nosso Motor?

– Não – disse Ostheim. – Eles precisam do nosso Motor. Se os dois Motores se unirem, vão ter a chave para derrubar as barreiras entre os mundos.

Uma rajada de medo o atingiu, seguida de uma pontada repentina de emoção, poderosa demais para identificar. Era quase *excitação*.

– E não podemos só... Você sabe, destruir o nosso Motor? Impedir que eles se apossem dele?

Ostheim soltou uma risada, o som baixo e cortante como uma faca atravessando um bife.

– Poderíamos, mas isso seria o mesmo que abrir mão das nossas armas nucleares, na esperança de que os inimigos também o façam.

Marlow concordou, ainda sentindo aquela pontada, aquela comichão insuportável de excitação no peito.

– Ignore essa sensação, se puder – aconselhou Ostheim. – É fácil esquecer que os Engenheiros foram criados para isso, para trazer a união entre os mundos. Pode ouvir isso? É o que o Motor quer que você faça: una-o com a outra máquina infernal. Se não der ouvidos, essa sensação vai desaparecer.

Marlow era capaz até de ouvi-la, um murmúrio que parecia vir de dentro dele, arranhando seu crânio.

– Vá – disse Ostheim. – Seja corajoso. Volte quando a missão estiver concluída e souber que fez parte da manutenção da segurança deste mundo. Você é um Engenheiro. O destino deste mundo está em suas mãos.

Marlow fez que sim com a cabeça. Poderia ser corajoso.

Poderia ser corajoso, *sim*.

– Agora vá ver seu amigo. Ele saiu do Motor e ainda está vivo, mas foi por pouco. A batalha dele está longe de acabar, mas ele está no caminho certo.

– Obrigado – disse ele, invadido por uma onda de alívio gélido, mas a ligação tinha sido cortada, aquele silêncio imenso sendo substituído pelo assobio discreto de uma linha vazia. Manteve o telefone próximo à orelha por mais um instante, depois o jogou na cama.

Um Engenheiro. Ainda havia tantas perguntas a fazer, tanta coisa que não entendia. Mas pelo menos tinha uma ideia melhor sobre seu papel naquela guerra, e do motivo pelo qual lutavam. E pelo menos Charlie estava longe daquele bosque.

Saiu do quarto e avançou pelo corredor. Hanson o esperava no elevador e fechou as portas atrás de Marlow antes de pressionar o botão.

– O que ele disse? – perguntou Hanson enquanto desciam.

– Pediu que contasse a você que está demitido – respondeu Marlow.

Hanson se enrijeceu, mas não respondeu nada, só esperou o elevador parar e então abriu as portas. Marlow saiu para um corredor que ainda não tivera a oportunidade de explorar. Apenas uma das portas nele estava aberta, e ele caminhou na direção dela, adentrando uma sala que poderia pertencer a um hospital. Havia seis leitos, e em um deles jazia seu único amigo – maltratado, ferido e adormecido.

– Charlie? – disse Marlow, correndo até ele. Só depois notou Pan sentada ao lado da cama. – Ele está bem?

Ela deu de ombros.

– Conseguimos acordá-lo com uma injeção de adrenalina no coração – contou Pan. – Ele estava consciente e ciente quando entrou. Sabia o que fazer. Se me perguntar, acho que foi uma decisão estúpida. Ele poderia ter negociado qualquer coisa.

– O que ele negociou? – perguntou Marlow, sentando-se na beirada da cama. Charlie parecia melhor do que da última vez que o vira, o que só podia ser positivo. Ainda lembrava uma escultura feita de ferimentos e ossos quebrados, mas sua respiração era regular, e o monitor cardíaco que zunia ao lado da cama mantinha um ritmo forte.

– Ficar vivo – respondeu Pan. – Ele repetiu isso para mim uma dúzia de vezes antes de o deixarmos entrar.

– Então por que ele ainda está apagado?

– Não sei. – Ela suspirou. – Ele estava lá, à beira da morte. Talvez tenha chegado perto demais dela. Coisas ruins podem acontecer quando você usa o Motor para prolongar a vida. Talvez tivesse sido melhor pra ele morrer.

Marlow ia começar a argumentar, mas acabou entendendo o que ela dizia.

– Os Advogados podem quebrar esse contrato, não podem? – perguntou ele. Ela não respondeu. – *Não podem?*

– Estão investigando no Motor agora – disse ela. – Estão dando tudo de si. Esse é um contrato difícil de quebrar, e eles nem sabem se isso é tudo que ele negociou. Pode ter sido qualquer coisa; não sabem nem por onde começar.

Marlow praguejou. Não apenas tinha arrastado Charlie para aquela tempestade de merda, não apenas quase o levara à morte, mas também condenara a alma dele ao inferno por toda a eternidade. Pegou a mão de Charlie, a pele do garoto fria e úmida, como se já fosse um cadáver.

Eu sinto muito, disse sem dizer.

– Você falou com Ostheim? – perguntou Pan. Ele fez que sim com a cabeça. – Então sabe que precisamos partir.

– Não posso deixá-lo aqui.

– Não há nada que você possa fazer por ele – disse ela, levantando-se. – Eles vão fazer o possível.

– Só me dê um segundo, está bem? – pediu Marlow. Pan assentiu e saiu do quarto.

– Vou fazer um novo contrato – disse ela, suspirando. – Me encontre no cercado. Não demore.

Então ela se foi. Marlow segurou a mão de Charlie por mais um momento.

– Aguenta firme, tá? – sussurrou ele, acariciando a mão do amigo com o polegar. – Não posso fazer isso sem você, cara. Não posso fazer nada disso.

Ele se levantou, fazendo menção de sair, mas sentiu os dedos de Charlie apertando os seus. Os olhos do garoto se entreabriram. Ele lambeu os lábios ressecados, resmungando alguma coisa que podia ser uma palavra ou apenas um suspiro.

– O que é, Charlie? Precisa de água? Morfina ou algo do tipo?

Charlie balançou a cabeça devagar, lambendo os lábios, engolindo em seco ruidosamente. Era evidente que sentia muita dor, fazendo caretas enquanto tentava formar as palavras.

– Cuidado... Marlow... – disse ele.

– O quê? – Marlow se inclinou, tão perto que sentiu as próximas palavras em sua orelha.

– Toma cuidado – disse Charlie. Os olhos tinham se fechado, o monitor cardíaco marcava um ritmo mais acelerado.

– Vai dar tudo certo, cara – disse Marlow, se dirigindo para a porta. – Prometo, vai ficar tudo bem. Vou chamar o médico.

Charlie não abriu os olhos, mas seu sussurro chegou a Marlow do outro lado do quarto.

– Eles estão mentindo pra você.

PARTE III
QUANDO MUNDOS COLIDEM

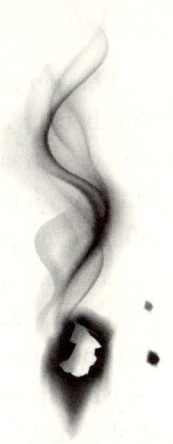

DE VOLTA PRA CASA

Pan odiava desembarcar nos Estados Unidos. Era sempre como voltar no tempo.

Os motores do avião diminuíram a potência e ela desafivelou o cinto, alongando-se como um gato. Tinha dormido a maior parte da viagem – todos dormiram – e, apesar de ter comido o pão que o diabo amassou nos últimos dias devido ao fuso horário, sentia-se relativamente desperta, apenas o familiar fluxo do Motor fazendo-a sentir-se dolorida. Flexionou os dedos com cuidado, para não pensar muito no que tinha negociado dessa vez. Um único pensamento tortuoso, e acabaria com o avião e todo mundo nele.

Sem contar uma boa porção do aeroporto.

Espreitou através da janela enquanto o avião taxiava em direção à pequena torre. Aquele era o ponto que sempre temia – viaturas guinchando ao fazer a curva, helicóptero descendo. Na primeira vez que tinha viajado de avião, ela era uma criminosa, e Herc a transformara em uma fugitiva ao arrancá-la da cela. Ainda era procurada por seu crime original, e desde então não se podia dizer que ela mantinha discrição. Tinha perdido a conta de quais eram seu delitos aos olhos da lei àquela altura: *incêndio criminoso*, confere; *roubo*, confere; *agressão*, com certeza; *roubo de carros*, muitas, muitas vezes; *homicídio*...

Desse ela não tinha perdido as contas. Sabia exatamente quantas vidas havia tirado, e cada uma delas abria um buraco em seus sonhos toda noite.

Mas era tudo em nome do dever, *certo*? Pelo menos era o que dizia a si mesma quando eles vinham chamá-la, o rosto dos mortos em quem atirara, os que esfaqueara, atropelara, e aqueles que tinham sido destruídos pelos demônios porque ela não tinha chegado a tempo de salvá-los. Se não fizesse o que fazia, o mundo sucumbiria. Todas aquelas mortes haviam mantido os portões do inferno fechados. Essa consciência era a única coisa que preservava sua sanidade.

O avião parou com um solavanco, e Pan se aproximou da porta, travando uma batalha com a alavanca até abri-la. A escada se abaixou automaticamente, e ela desceu saltitando para o calor, a poluição e o barulho de uma tarde tórrida em Nova Jersey. Ostheim já tinha enviado suas ordens, molhado a mão dos oficiais aeroportuários. Era bem difícil entrar nos Estados Unidos sem ser detectado, mas não era como se os Infernais não tivessem dinheiro suficiente para isso – acontece que negociar uma pequena fortuna com o Motor era um dos contratos mais fáceis de quebrar. E mesmo o mais caxias dos oficiais estava disposto a fazer vista grossa se seu bolso fosse recheado com bastante dinheiro. A saída deles para o serviço de campo estava garantida.

– Queria que eles dessem um jeito de colocar uma Porta Vermelha por aqui – disse Noite, massageando as costas com as mãos enquanto descia a escada. – Quer dizer, será que é tão difícil assim?

Redirecionar os caminhos que davam acesso ao Motor, reescrever a magia ancestral que o mantinha fora do espaço, fora do tempo. Era basicamente a coisa mais difícil que se podia tentar. Mas Noite tinha razão: colocar uma Porta Vermelha no meio de Manhattan seria bem mais fácil do que uma viagem de avião de nove horas entre um contrato e outro.

Mas pelo menos assim não era preciso atravessar a genuína maldade para chegar aonde se estava indo.

Noite desceu os degraus com suavidade, seguida por Caminhão, cuja corpulência quase não lhe permitia passar pela porta do avião. Ele desceu fazendo o chão estremecer, de olhos semicerrados, ainda um pouco adormecido. O grandalhão estava *sempre* um pouco adormecido.

– Leve todo o tempo que precisar – disse Pan para ele, batendo o pé no chão com impaciência. – Pode curtir o caminho. Não estamos mesmo numa missão nem nada do tipo.

– Segure as pontas aí, Pan – disse Caminhão, oscilando de um degrau a outro. Ele olhou para o cabelo curto dela e resmungou: – Ops, tarde demais.

– Estou morrendo de rir – respondeu Pan, sentindo-se exposta demais ali no aeroporto, como se voltasse ao passado, com sangue nas mãos e policiais a caminho. – Sério, precisamos ir. E alguém arranque o Marlow da droga do banheiro.

O refúgio ficava em um prédio sem elevador em Hoboken e claramente não era usado fazia muito tempo. Era como entrar em um mausoléu, cheio de poeira e escuro, as cortinas pesadas bem fechadas para manter o calor do lado de fora. A única mobília que havia na sala de estar era um sofá, ainda envolto em plástico, e Caminhão gritou "É meu!", antes de se jogar nele. Pan ficou impressionada ao ver que o chão não se abrira em um buraco e que eles não caíram no apartamento do andar de baixo. Esperou todos entrarem antes de fechar a porta e girar a tranca.

– Por que esses lugares são sempre tão sombrios? – comentou Noite, puxando as cortinas. A luz inundou a sala como uma barragem que se rompe, levantando ondas de poeira. Pan tinha certeza de ter visto alguns ratos fugindo para o rodapé. É, os Infernais podiam ser mais ricos do que Creso, mas eram mais mesquinhos do que o Tio Patinhas. Afinal, um quarto no Intercontinental com certeza não levaria o caixa à falência.

Ela tossiu em meio à abundante poeira e foi até a cozinha, jogando a bolsa na bancada. Através da janela engordurada viu outro prédio, uma cópia daquele onde estavam. Depois dele, do outro lado do Rio Hudson, estava Manhattan, banhada pela luz do sol. Ela se perguntou o que aconteceria se simplesmente descesse a escada, atravessasse o rio, desaparecesse em meio ao calor e fizesse o melhor que podia para esquecer o Motor, Ostheim e os mortos. Olhou para o relógio. *654:32:20:11*. Seriam vinte e seis dias de glória, uma eternidade no inferno. Era uma das regras – se desaparecesse sem avisar durante um contrato, os Advogados não o quebrariam.

Não vale a pena, Pan.

Além do mais, parecia mesmo que teriam a chance de capturar Patrick. A batalha em Budapeste o deixara ferido, mas aquilo era outro assunto. O rapaz acreditava que eles tinham sido os responsáveis pela morte da sua irmã, e pelo jeito isso o havia enlouquecido, forçando-o a se tornar um desertor. Se Patrick estava em busca de vingança, estaria sozinho e agiria com imprudência, e tudo isso fazia dele um alvo mais fácil de encontrar. Talvez aquela fosse a missão que acabaria com tudo, que a libertaria. Ela abriu a bolsa, piscando para afastar a luz do sol dos olhos. O notebook era de última geração, e ela o ligou, conectando-se com o Ninho do Pombo por meio de uma conexão segura via satélite. O rosto de Herc apareceu, e ele não parecia nem um pouco feliz.

– Desculpe, número errado – disse Pan. – Acho que me conectei com um asilo.

– Pan – disse Herc.

– Seu neto está aí? O nome dele é Herc, cabelo branco, o rosto parecendo uma luva de beisebol mastigada por um cachorro...

– Pan, está tarde, estou cansado e ficarei feliz em matar todos os Advogados deste lugar e deixar vocês para os demônios se não parar com isso.

– Desculpe, vovô – disse ela, incapaz de impedir que um sorriso se espalhasse pelo rosto. – Chegamos, conseguiu alguma coisa?

– Ele está em Manhattan – contou Herc, acariciando a barba por fazer. – Estamos monitorando todos os canais, e ele está na parte alta. Ele não está se escondendo, Pan.

– Algum sinal de Mammon?

– Nada, mas fique de olho. Aquele imbecil nos pegou de surpresa da última vez.

– Pode deixar, chefe. Fique descansando aí, coloque os chinelos, ponha alguma coisa legal para tocar no gramofone.

– Vai se f...

Ela cortou a conexão, alongando-se na pequena poça de luz do sol ao lado da janela. Aquele lugar era mesmo nojento e a fazia se lembrar do apartamento onde crescera, uma espelunca no Queens. A lembrança fez sua pele se arrepiar, e ela logo a afastou e seguiu para a sala de estar. Noite e Marlow olhavam pela janela, conversando em voz baixa. Caminhão parecia adormecido. Ela quase sorriu ao ver aquilo, mas depois se lembrou dos outros – os caídos, aqueles que tinham sido assassinados bem diante dos seus olhos, e aqueles que tinham sido arrastados aos chutes e gritos para o inferno. Não se tinha amigos naquela área de atuação. Não se podia criar vínculos.

– Herc vai nos contar quando tiverem ele sob a mira – disse Pan. Marlow se virou para ela, apenas uma silhueta em contraste com a cidade reluzente.

– Quando vai ser isso?

– Não tão cedo – respondeu ela, indo até o sofá e chutando Caminhão até ele, relutante, abrir espaço. Ela se jogou no móvel, batendo as pernas com impaciência. A espera era sempre a pior parte. – Aproveite pra descansar. E, Marlow?

– Oi?

Ela lhe lançou o olhar mais brutal de que foi capaz.

– Não quero ver você desaparecendo de novo, viu?

Ele sorriu para ela.

– Claro.

DESAPARECENDO MAIS UMA VEZ

Estar de volta a Staten Island era como acordar de um sonho, uma sensação muito boa. Ao sair do terminal de *ferryboat* para a noite amena e agradável, Marlow se viu desejando que os eventos dos últimos dias tivessem sido algum tipo de alucinação. Uma máquina que o deixava brincar com as leis fundamentais da física? Demônios que iam atrás de você depois disso? Era loucura. Talvez tivesse dormido no *ferry*, embalado por pesadelos, enquanto a embarcação balançava ao atravessar a baía. Ali, naquele momento, com as pessoas passando por ele com rapidez – turistas tirando fotos, engravatados indo para casa depois de uma noitada na cidade, crianças cansadas berrando –, não podia conceber a existência de monstros. Era só ele, no lugar onde passara a vida inteira.

Mas o novo celular vibrou pela quarta vez, ele viu a mensagem de Pan – *Volte já pra cá, Marlow, última chance* –, e o mundo virou de cabeça para baixo de novo como um avião acrobático. Claro que era real. Ele tinha visto, sentido, levado uma boa surra quase até a morte. Ainda podia sentir o poder do Motor vibrando dentro dele; sabia que era só começar a correr que o tempo iria desacelerar para acomodá-lo. Olhou para o relógio, aqueles números em implacável contagem regressiva, e pensou no que aconteceria quando chegassem a zero, que tipo de coisa viria atrás dele.

É, os monstros *definitivamente* existiam.

Digitou uma resposta rápida: *não vou demorar*. Depois guardou o celular no bolso e partiu. Tecnicamente, não tinha desobedecido Pan; ela tinha falado que não queria vê-lo desaparecendo de novo, e não vira – ela tinha pegado no sono no sofá antes que ele saísse. Além do mais, ele precisava ir para casa, precisava ver como a mãe estava.

Poderia ter pegado um ônibus, embora àquela hora do dia fosse mais rápido ir andando. Mas era mais longe do que tinha imaginado, e, até chegar à sua rua, o sol já pairava acima dos telhados, aninhado nas árvores, dando a impressão de que a ilha pegava fogo. Suas pernas protestavam enquanto subia os degraus de casa, mas havia uma música em seu coração que ele não ouvia pelo que parecia uma eternidade. Ele sorria quando abriu a porta.

– Ei, mãe! – chamou, entrando no ambiente fresco. – Donovan, aqui, garoto!

Ouviu o familiar arranhar de unhas na madeira, depois um latido gentil vindo da sala de jantar. Donovan escorregou ao fazer a curva, a língua pendendo, a cauda abanando, e Marlow se apoiou em um dos joelhos e deu tapinhas nas pernas para chamar o animal.

– Vem cá, D., que saudade.

O cachorro parou, a cauda caindo como a lâmina de uma guilhotina. Ele deu alguns passos desajeitados para trás, virando a cabeça para o lado e ganindo para a escuridão do fim do corredor.

– Ei, seu bobo, o que foi? – perguntou Marlow, se aproximando. O pelo da nuca do cachorro ficou eriçado, a pele ao redor da boca se retraiu para revelar os dentes. Donovan ganiu de novo, e em seguida latiu, duas vezes, o tipo de latido normalmente reservado para cães afoitos no parque.

Ou para estranhos.

– Ei, carinha, sou eu – disse Marlow, dando tapinhas nas pernas novamente. Quando desaparecia por uns dias, Donovan pulava em cima dele, aquela língua rosada tentando arrancar a cabeça dele de tanto lamber. Mas agora os olhos do cachorro estavam arregalados e brancos, e havia definitivamente um rosnado se formando em sua garganta. Marlow se levantou, e Donovan se encolheu, recuando para a parede, aquele rosnado soando como um gerador. Latiu de novo, e uma espuma branca surgiu em sua boca.

– Melhor ir embora – disse uma voz dos fundos da casa, a mãe, as palavras enroladas. – O cachorro vai te deixar em pedaços.

– Mãe, sou eu! – gritou ele. – Marlow.

Passos, suaves e lentos. O cachorro olhou para o lado, ganiu, lambeu os lábios. Então a mãe estava lá, espreitando do corredor. Havia um copo de Bacardi em sua mão, e ela balançava como se estivesse no mar. Mas era bom vê-la. Marlow sorriu, dando um passo na direção dela, mas Donovan latiu mais uma vez, os pelos totalmente eriçados.

– Meu deus, mãe – disse ele, tentando rir para quebrar o clima. – O que você tem dado pra ele comer?

A mãe não respondeu, só ficou olhando para ele, observando-o como se ele fosse um programa de TV com um apresentador ruim. O único barulho na casa era aquele rosnado pulsante vindo da garganta de Donovan.

– Mãe? – disse Marlow, as tripas se revirando. Ela se inclinou para a frente, o rosto formando uma careta.

– Marly?

– É – respondeu ele. – Sou eu. O que está acontecendo? Desculpe ter ido embora. Estive num lugar. Consegui um… um emprego. Devia ter ligado, mas você não acreditaria…

– Não é ele – sussurrou a mãe, as palavras quase perdidas em meio ao rosnado de Donovan.

– O quê?

– Você não é ele – disse ela, apontando o copo para ele com tanta violência que derramou um pouco do líquido na cabeça do cachorro. Donovan nem percebeu, avançando com aquelas patas grandes, latindo com selvageria. Marlow deu um passo para trás, batendo na porta. – Você não é meu filho, não é meu Marly.

– Mãe, *por favor* – disse ele. O cachorro ainda se aproximava, e Marlow buscou a maçaneta. – Donovan, garoto, sou *eu*.

O cachorro começou a correr, e Marlow abriu a porta, tropeçando ao sair e puxando a porta para fechá-la atrás de si. Donovan trombou com ela, as garras arranhando a madeira. Marlow engatinhou para trás com o traseiro no chão, quase rolando degraus abaixo. Antes que conseguisse levantar, ouviu a mãe atrás da porta, gritando:

– O que você fez com ele? O que você fez com o meu menino?

Ele se afastou, indo para a rua e levando as mãos aos ouvidos.

– Você não é meu filho, você o matou, você matou meu Marly!

Aquilo *não* podia ser real.

– Você matou meus meninos, meus meninos.

Ele se virou, cego pelas lágrimas, sem se importar com o lugar para onde estava indo. Só precisava tirar aquela voz da cabeça, aquele lamento horrível, apavorado, desesperado.

– Meu Marly! Meu Marly! Você o matou!

Uma buzina soou, pneus cantaram, e ele viu um carro perto dele; o motorista, com o rosto vermelho, lhe mostrava o dedo do meio. Marlow avançou antes que soubesse o que fazia e deu um soco que fez o carro girar no ar como se fosse feito de papel laminado. O veículo capotou, fazendo o percurso de uma onda de faíscas pela rua até por fim parar. Marlow ficou imóvel, balançando a cabeça, e perguntou-se se deveria pedir socorro. Então outro carro parou, e alguém começou a gritar com ele. Portas se abriram ao longo da rua, uma voz feminina berrou para alguém chamar a polícia.

Marlow correu, com a certeza de que havia monstros no mundo.

E de que ele era um deles.

CONFISSÕES

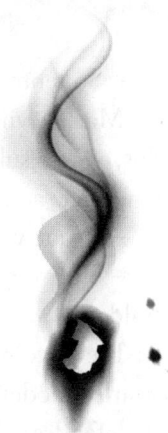

— Experimente esta – disse Pan, apontando para a ladeira.

Caminhão dobrou em uma esquina com o carro roubado, buzinando para uma van de entregas que bloqueava as duas faixas. Cansados de esperar e querendo evitar outro incidente como o de Budapeste, foram para Staten Island em busca de Marlow. Ela planejava atirá-lo no porta-malas e mantê-lo lá até que tudo acabasse. Por sorte Marlow não era exatamente inteligente ou sutil. Ela imaginou que tivesse ido direto para casa.

— *Já encontraram ele?* – rosnou Herc no ouvido dela através do canal aberto com o Ninho do Pombo.

— Caramba, Herc – retrucou ela. – Precisa perguntar a cada trinta segundos?

— É ele ali? – perguntou Noite, debruçando-se sobre os dois bancos da frente e apontando. Pan olhou e viu Marlow mais adiante, cambaleando ladeira abaixo, uma expressão vazia no rosto.

— Aquele não é Marlow – disse Caminhão, levando o carro para o meio-fio. – Aquilo lá é um zumbi.

— Caminhão – disse Pan –, lembro que quando você firmou seu primeiro contrato ficou tão chateado que fugiu e invadiu a padaria do Empire.

— Nunquinha – respondeu ele, negando com um gesto de cabeça. – Não fui eu.

— Foi, encontramos você encolhido num canto, chorando como um bebê.

— Deve ter sido outra pessoa – disse Caminhão, mexendo-se no banco em desconforto.

— Você tinha comido catorze *donuts*.

— Foram dezoito – resmungou ele. – Mesmo assim, não era eu.

Pan abriu a porta e sentiu o fresco ar noturno.

— Circulem pelo quarteirão – instruiu ela. – Vou falar com ele.

– Só tente não o matar – disse Noite enquanto partiam.

Marlow vinha em sua direção pisando forte, os olhos injetados e arregalados, o peito subindo a cada inspiração. Estava à distância de um braço quando a notou e, ao fazê-lo, virou-se, furioso, e enxugou o rosto.

– O que você quer? – perguntou ele, fungando como um bebê.

– Vim ver como você está – respondeu ela. – Ver se precisava trocar a fralda.

Ele se voltou para ela, os punhos fechados, e ela deu um passo para trás. Marlow poderia arrancar a cabeça dela naquele instante se quisesse – e, se ela se defendesse, reduziria metade da rua a pó.

– Você não sabe como é – disse ele.

– Ah, é, eu nunca, *nunca* estive na sua pele. – Ela tentou engolir o resto do sarcasmo, inspirando fundo e expirando devagar. – Marlow, todos nós sabemos como é. Vamos lá, saia da rua, vamos conversar.

– É? – retrucou ele. – Conversar sobre o fato de minha mãe não me reconhecer e meu cachorro ter tentado estraçalhar minha garganta?

Conte até dez, Pan, pensou ela, chegando até cinco antes de perder a paciência. Pegou o braço de Marlow e o puxou até um beco entre duas fileiras de casas. O sol já tinha desaparecido, restando apenas uma mancha de um alaranjado cinzento no horizonte, e não havia luz na rua ali. Marlow era uma silhueta escura, os olhos tristonhos reluzindo ao crepúsculo. Ele se entregou à tristeza, choramingando. Ali, na escuridão, ele podia ser qualquer um deles. Podia ser *ela*. Pan quase o odiou por isso.

– Olha, Marlow, faz parte do que o Motor faz, ele não...

– Eu posso tê-los matado, Pan – desabafou ele.

– O quê? Matado quem? – perguntou ela, mantendo a voz em um sussurro. Alguém em uma das casas acendeu a luz do andar de cima, lançando um brilho amarelo-pálido no beco.

– Uns caras, num carro. Eu... – Ele fungou, escavando o chão com o tênis. – Não tive a intenção.

– Alguém viu você?

– O quê? – Ele desviou o olhar, e ela tomou isso como um sim.

Droga.

– Tinha câmeras?

– Não, acho que não. Como eu ia saber?

– Talvez porque você tenha olhos? – disse ela, mordendo a língua tarde demais. – Olha, você conhece a regra número um, Marlow. Ninguém pode saber.

– Você só se importa com isso? – retrucou ele. – Ninguém pode saber. Meu deus, Pan, eu posso ter *matado* alguém.

– Olha, Marlow, eu sei como é, sei como se sente *mal*.

– É? – replicou ele.

– É. – Ela inspirou fundo novamente, depois abriu a boca e deixou as palavras escaparem antes que pudesse evitar. – Eu estava no sistema de adoção uns anos atrás. Um cara decidiu que gostava de mim, que me *desejava*, e não tinha ninguém para impedi-lo. Então eu o impedi. Eu o impedi de fazer qualquer coisa que quisesse. – Ela engasgou, lembrando-se do estalo baixo que o crânio dele fizera ao se partir, o corpo inteiro se contorcendo como se estivesse sendo eletrocutado. – Eu o matei, porque foi a única forma de pôr um fim àquilo.

Marlow a observava com atenção, o beco de repente silencioso e imóvel, como se todo o mundo tivesse congelado. Ela segurou a grade, apertando-a com tanta força que quase podia senti-la beliscar sua pele. Mas era melhor sentir dor ali do que a agonia esmagadora em seu peito.

– Eu sei quanto dói – disse ela.

– O cara era uma aberração – comentou Marlow após um momento, mordendo os nós dos dedos. – Já devia esperar por isso. Mas eles, não. Eu nem os conhecia. Não devia ter descontado neles.

– Não devia – concordou Pan. – Mas descontou. E não pode voltar atrás, mas pode compensar isso.

Ele a encarou, e ela podia ver o desespero ali, a necessidade de consertar tudo. Marlow era um idiota linguarudo e rebelde, sem dúvida, mas tinha um bom coração.

– Herc escolheu você por um motivo – disse ela. – O que estamos fazendo é mais do que salvar uma vida. Estamos tentando salvar o mundo. *Todo o mundo*. Se não fosse por nós, por mim, por você, Caminhão, Noite, Herc, Ostheim, cada um dos Infernais, e mesmo aquele filho da mãe do Hanson, não restaria mais ninguém. Os Motores seriam reunidos, e o mundo inteiro estaria em um trem expresso rumo ao inferno. Você entende isso?

Marlow assentiu, inspirando fundo e estremecendo.

– Uma vida, Marlow. É um saco, mas está feito. Sabe qual é o melhor jeito de superar isso? Salvando mais um milhão de vidas. Um bilhão. Somos os únicos que podem fazer isso.

– É – disse ele, esforçando-se para inspirar. – Somos os mocinhos.

O beco foi iluminado quando um carro parou no final dele, o motor ronronando.

– Mas e quanto à minha mãe? – perguntou Marlow. – O que aconteceu com ela?

– Não foi com ela – respondeu Pan, pressionando o dedo no peito de Marlow. – Foi com você. É o Motor. Quando você o usa... você muda. Tem que lembrar, Marlow, tem que lembrar o que ele é. Você fez um trato com o Diabo, ou pelo menos com uma coisa tão ancestral quanto o Diabo, tão antiga e maléfica quanto ele.

Ela fechou os olhos, visualizando a piscina do Motor, a escuridão, a criatura que ficava lá, observando, toda vez que ela firmava um contrato.

– Está dentro de você e o altera. De forma positiva... – ela olhou para ele e deu de ombros – ...e de forma negativa também. Algumas vezes as coisas são piores do que em outras. Algumas pessoas sentem mais, especialmente se elas conhecem você, se elas o *amam*. Animais também, como seu cachorro. O sentido deles é bem mais aguçado do que o nosso. Mas depois isso vai embora.

– Quando os Advogados quebram o contrato? – perguntou ele, cheio de esperança.

– Sim. – Caminhão deu um toque no farol, e ela desviou os olhos, piscando para afastar os pontos de luz da visão. – Quer dizer, desde que eles *consigam* quebrá-lo.

– Ah, sim, claro – disse ele, quase sorrindo. – Desde que os demônios não peguem você antes.

Ela não esperava por aquele sorriso, e seu rosto doeu ao tentar manter o maxilar cerrado. Deu um soco forte no ombro de Marlow.

– Ai – disse ele, fazendo um biquinho. – Não precisa ser tão escrota.

– E você não precisa ser tão bebezão – disse ela.

Ele sorriu.

– *Que gracinha* – disse uma voz no ouvido dela, fazendo-a se sobressaltar. Era Herc, no canal aberto; ela tinha se esquecido completamente dele. – *Vocês dois podem ir para o carro? Nós o encontramos.*

– Onde? – perguntou ela, levando uma das mãos à orelha.

– *Em São Patrício, Quinta Avenida.*

– A catedral? – indagou Pan, indo para o carro.

– *Não, o clube de strip* – retrucou Herc. – *Claro que é a catedral. Andem logo, não queremos correr o risco de perdê-lo.*

Pan não achou que isso seria um problema. Tinha um péssimo pressentimento de que Patrick queria ser encontrado.

– Sozinho?

– *Você vai descobrir se chegar lá a tempo, não é mesmo?*

Pan resmungou baixinho, abrindo a porta do carro e deixando Marlow entrar primeiro. Subiu em seguida, e ele olhou para ela.

– Somos os mocinhos? – perguntou ele.

Ela fez que sim com a cabeça.

– Sim, Marlow, somos os mocinhos. Agora vamos lá fazer o que os mocinhos fazem. – Caminhão acelerou, o carro cantando pneu antes de partir. – Dar porrada em alguns vilões endemoniados.

NEGÓCIOS INACABADOS

– É aqui.

Não que Noite precisasse dizer. A Catedral de São Patrício estava do outro lado da rua como um cadáver em uma festa. Uma escultura de ossos, torres góticas se esticando no céu noturno como dedos esqueléticos. Seu tamanho era reduzido se comparado às glamorosas torres de escritórios em aço e vidro em volta dela e ao enorme Rockefeller Center do outro lado da rua, mas de alguma forma a construção parecia a maior do local, uma espécie de importância que passava a impressão de que até mesmo o maior dos arranha-céus estava curvado em reverência.

A catedral também emanava uma vibração maléfica dos infernos.

– Alguém mais está sentindo isso? – perguntou Caminhão. – Parece que um cavalo acabou de me dar um coice no esfíncter.

Era uma boa forma de descrever. O corpo inteiro de Pan parecia tomado por uma coceira interior, como se seu sangue tivesse sido substituído por penas. Se já não soubessem que Patrick estava no edifício, saberiam naquele momento, a presença do Motor enviando pulsações pela noite, fazendo-a estremecer.

As pessoas "normais" também sentiam aquilo, porque aquela parte da Quinta Avenida estava deserta. A multidão que costumava apinhar a rua tinha se reduzido a um fio de gente, e aquelas poucas almas passavam por ali com rapidez; uma mulher começou a correr até atravessar a rua Quinquagésima, agarrada à barriga e olhando para trás com medo. Era da natureza humana evitar a maldade, um sinal de alerta no sangue, e naquele momento aquele alerta gritava como uma sirene.

– Ele não está nem tentando se esconder – observou Pan. Era um mau sinal, pois a única razão que o faria desejar se exibir para os inimigos era para tentar atraí-los a uma armadilha.

Ou era isso, ou ele queria apenas chamá-los para a briga.

– Ele quer a gente aqui – concordou Caminhão.

– Herc – disse Pan, falando para o microfone no colarinho –, tem certeza de que não há sinal de Mammon? Ou de outros Engenheiros?

– *Mammon, não, com certeza.* – Veio a resposta. – *Difícil saber quanto ao resto. Você sabe o que o solo sagrado faz com as leituras. Patrick pode ter companhia, é preciso ter cuidado.*

Pan assentiu, flexionando os dedos e sentindo a carga, como se tivesse mergulhado as mãos em um balde de água superfria, com bolhas de água fervente. Era difícil acreditar no poder que havia ali, codificado nos próprios genes pelo Motor. Um safanão poderia muito bem abrir um buraco em basicamente tudo. Era excitante, mas também desconcertante, como segurar uma granada sem o pino. Ela não tinha levado a balestra dessa vez – carregar uma arma como aquela quando se tinha um poder como o dela era pedir para ter problemas.

– *E, pessoal* – disse Herc –, *pelo amor de deus, tentem ser discretos, está bem?*

– Claro – respondeu ela.

– Ah, sim, não se preocupe – acrescentou Caminhão. – Você conhece a gente, somos silenciosos como ratos-do-campo.

Pan estava com um pé na rua quando Marlow agarrou seu braço.

– Espere – pediu ele, os olhos arregalados e reluzentes como a lua. – Não sei o que estamos fazendo. Não sei qual é o plano.

– O plano? – disse Caminhão, batendo com o punho gigante na palma da outra mão. – Descer a porrada nele.

– *Não* – interveio Herc. – *Tragam esse cara com vida, para que possamos fazer algumas perguntas. Precisamos das informações que ele pode nos dar para tentar chegar ao Motor deles. Vocês me ouviram? Com vida.*

– Claro – respondeu Caminhão, fazendo um gesto de aspas com os dedos –, com vida.

– *Eu vi isso* – disse Herc, embora não houvesse como ter visto.

– Mantenha os olhos abertos – disse Pan para Marlow. – Patrick está enfurecido pelo que aconteceu com a irmã dele. Isso vai deixá-lo irritado, mas também imprudente. A raiva faz isso. Espere até que ele exponha uma fraqueza, então ataque.

– De jeito nenhum – acrescentou Caminhão. – Não vou esperar nada. Vou descer a porrada nele.

– *Caminhão!* – gritou Herc, tão alto que machucou o ouvido de Pan.

– É, mas qual é o plano? – perguntou Marlow. – O que vamos fazer?

– Como o grandalhão disse: descer a porrada. Ah, e tentar não morrer.

– Descer a porrada, tentar não morrer? – repetiu Marlow, balançando a cabeça. – Ótimo.

Ele ainda resmungava quando cruzaram a rua deserta. Em algum lugar ao longe, uma tempestade de verão se formava, trovões e relâmpagos castigando desde o Bronx até o norte. Estava quente ali, e a pele de Pan formigava. Estava quente *demais*, como se algumas camadas entre aquele mundo e o dos inimigos tivessem sido retiradas. Por um segundo, perguntou-se se deveria dar meia-volta e partir. *Sempre* havia um segundo em que aquele pensamento cruzava sua mente. Mas logo o deixou de lado. A garota tinha feito uma escolha havia muito tempo, a escolha de fazer a coisa certa.

Aquela *era* a coisa certa.

Além do mais, para onde iria?

– Quer encontrar uma entrada pelos fundos? – sugeriu Noite. Pan balançou a cabeça em negativa, marchando até os degraus que levavam às imensas portas de bronze. Estavam abertas, uma luz suave vertia de lá de dentro.

– Não – disse ela. – O babaca quer brigar, então vamos brigar.

Ela subiu os degraus e observou o interior da igreja. Não havia luzes, mas devia haver mil velas queimando no centro do edifício, dando a impressão de que a catedral pegava fogo. Embora fosse noite, a luz da cidade que não dorme inundava o lugar através das enormes janelas. Pan não viu nem um sinal de vida sequer, apesar de que, com a tremeluzente luz das velas, era difícil ter certeza.

Mas ele estava lá, ela sentia a presença do Motor como uma faca em sua alma.

Pan passou pela soleira, um suor frio brotando em sua pele. A náusea revirou seu estômago, como sempre acontecia quando ela adentrava um solo sagrado com o Motor no sangue. Sempre que isso acontecia, ela quase esperava ver o próprio corpo em chamas, mas felizmente não era assim que funcionava. A catedral se abriu ao redor dela, acima dela, bem maior do que aparentava ser. Era como uma caverna, o teto abobadado perdido em sombras, as colunas como uma vasta e primitiva floresta. O silêncio era tão profundo que era quase uma força física, e ela estendeu o maxilar para destampar os ouvidos.

Olhou para trás e viu os outros em seu encalço. Noite assentiu para ela, indo para a direita, flanqueando uma fileira de longos bancos de madeira. Caminhão seguiu para a esquerda, o ruído de seus grandes tênis contra o piso de pedra polida era o único som no edifício. Pan foi direto para o centro, devagar, o coração vibrando como uma corda estourada. Mais à frente, no meio da catedral, estava a plataforma elevada do santuário, banhada por uma meia-luz cinzenta e fria. Havia um vulto ali? Pan piscou, tentando entender o que havia na penumbra.

– Patrick? – chamou ela, a voz tão alta que assustou a si mesma. O chamado ecoou pelo espaço vazio como um pássaro encurralado.

– Tem certeza de que isso é uma boa ideia? – sussurrou Marlow, tão perto que pisava na sombra dela.

– Patrick – disse Pan, ignorando o moleque –, sabemos que está aqui.

Uma leve agitação adiante, algo que poderia ter sido uma risada abafada. Pan olhou para os lados e viu Caminhão e Noite espreitando através da escuridão.

– Temos negócios inacabados, eu e você – disse ela.

Algo estourou em uma das extremidades da catedral, como plástico-bolha. Uma onda de ar quente passou por ela, que reconheceu a onda de choque que um 'Portador fazia ao se rematerializar. Com certeza havia uma silhueta ali, de pé diante do altar. Ela se moveu, e Pan viu que não era apenas uma silhueta, mas duas. A garota parou, flexionando os dedos, se perguntando se devia atacar naquele momento, enquanto ainda tinha chance, queimando os dois até virarem pó. Mas não o fez. Ordens eram ordens.

– Negócios inacabados – disse uma voz vinda da escuridão crepuscular. – É, eu diria que essa é uma boa forma de descrever.

Patrick desceu os degraus e se deteve, arqueado e exausto. Parecia que não dormia fazia uma década. Estava com as mesmas roupas que usava em Budapeste, e elas estavam cobertas de sujeira. Quando ergueu o rosto, seus olhos eram dois bolsões de escuridão, porém fuzilavam Pan com tanta intensidade que ela teve vontade de sair correndo. Mas manteve o pé no chão, engolindo com força, sentindo Caminhão, Noite e Marlow à sua volta.

– Vai vir sem resistir? – perguntou ela. – Facilitar um pouco a nossa vida?

Patrick sorriu, uma meia-lua ensandecida com dentes. Depois balançou a cabeça.

– Para me torturarem também – replicou ele –, como fizeram com minha irmã? Para me assassinarem e me mandarem para o inferno?

– Qual é, Patrick? – disse ela. – Você conhece o jogo. Você faz um trato e mais cedo ou mais tarde paga o preço. Não se pode trapacear com o Diabo para sempre.

– Não – disse ele, inspirando e depois soltando um suspiro longo e triste. – Mas você não devia tê-la levado. Ela não teria morrido se você não a tivesse levado.

– Seus Advogados deviam ter quebrado o contrato dela – argumentou Pan. – Não ouse nos culpar por isso.

– É, deviam tê-la deixado com vida para contar a vocês como nos encontrar. – Patrick deu um passo à frente, apontando o dedo. Ela vacilou, o medo fazendo uma centelha elétrica se soltar de seu dedo e ir para o piso de mármore. O som de estática ecoou pela catedral, uma fumaça acre subindo até suas narinas. Patrick não ficou impressionado.

– Brianna nunca foi forte – disse ele. – Ela teria falado. Tivemos que abrir mão dela. Vocês não podem saber a localização do nosso Motor.

– Vocês não podem escondê-lo para sempre – retrucou Pan. – Vamos fazer você falar. E, se não falar, outra pessoa vai. Mais cedo ou mais tarde, *vamos descobrir*.

– Talvez – disse Patrick. – Mas não estarão lá para ver. Nenhum de vocês. Acabou para vocês. Para todos nós.

– Que chatice – comentou Caminhão do corredor. – Vamos logo descer a porrada nele.

Pan abriu a mão, sentindo a carga elétrica se avolumando.

– Ele tem razão, Patrick, não viemos aqui para bater papo.

– Não – disse ele. – Vocês vieram aqui para pagar pelo que fizeram com ela.

– É isso que viemos fazer? – perguntou Pan. – Você nos trouxe aqui para se vingar?

– Não – respondeu ele, olhando para trás, para o segundo vulto no altar. – Brianna – chamou em voz baixa. – Brianna, chegou a hora.

Brianna?

O vulto atrás de Patrick emitiu um ruído, um rugido grave e gutural como o de um urso. Depois se moveu, ou pelo menos *tentou* se mover, os membros débeis como os de um boneco. A coisa se contorceu, o corpo todo tendo grandes espasmos por um momento antes de cambalear para a luz.

Ai, meu deus.

Era Brianna Rebarre, a gêmea de Patrick. Mas havia algo errado com ela. Seu rosto era como o de uma boneca de retalhos mal costurada, com um dos lados inchado de forma grotesca. Seu corpo estava torto e quebrado, como se ela tivesse acabado de ser retirada de um acidente de carro. Estava nua, mas sua pele era tão chamuscada e tão cheia de cicatrizes que ela parecia ter se vestido com a carne de um cadáver. O cabelo tinha sofrido de tudo, menos caído, pedaços pendendo em mechas finas e engorduradas. Os olhos estavam vidrados e cegos. Olhos mortos.

– Ah, Patrick – disse Pan, cambaleando para trás, se segurando em um banco para não cair. Da última vez que vira a garota, ela estava sendo devorada até se partir em duas, consumida depois pelo fogo. – O que você fez?

Ela sabia exatamente o que ele tinha feito. Havia negociado por ela. Fizera um trato para trazer a irmã do inferno. Era uma das primeiras regras, uma das coisas que você nunca podia pedir. *Você não pode trazer os mortos de volta à vida*, dissera Ostheim no Dia Um. *É impossível.* Tudo que se podia fazer era conjurar uma lembrança deles, um verme recheado de podridão e gosma, algo frio, velho e *errado*.

E, sem sombra de dúvida, sem *nenhuma* sombra de dúvida, não se podia trazer os mortos do inferno. Porque, quando isso acontecia, eles traziam algo com eles.

– É o único jeito – disse Patrick, sorrindo. Seus olhos também tinham um brilho vítreo, o olhar de alguém que fora empurrado da borda de um precipício. Somente Mammon seria doentio a ponto de permitir que alguém fizesse um trato com o Motor naquele estado de espírito. Ele tinha condenado o próprio Engenheiro a uma eternidade de sofrimento.

– Você sabe que eles não podem quebrar esse contrato – disse Pan. – Esse contrato é difícil demais. Você está ferrado.

Ele deu de ombros, observando Brianna se arrastar ao descer os degraus. Ela pisou em falso e caiu, tombando com um ruído que era como o de um saco de lixo explodindo no meio-fio. Devagar e dolorosamente, ela recolheu os próprios cacos e se levantou.

– A vida não significa nada sem ela – disse Patrick. – Viemos para este mundo juntos, e acho que partiremos dele juntos.

– Vocês vão passar o resto dos tempos no inferno juntos – disse Pan. – Assim Mammon pode fazer as coisas do jeito dele.

– Melhor do que a outra opção – retrucou Patrick. – Melhor do que o que vocês e Ostheim propõem.

– Claro – falou Pan. – O fim do mundo é muito melhor.

Ele olhou de volta para a irmã, piscando os olhos pretos como petróleo.

– Você não entende, não é? Está tão cega para a verdade que não consegue sequer ver pelo que está lutando.

– Não ouse – replicou ela. – Você é o vilão nesta história, não eu. Ostheim só tentou fazer o que era certo.

Patrick riu, balançando a cabeça.

– Todo esse tempo lutando pelo lado errado. Você devia ter se juntado a nós, Pan. As coisas que poderíamos ter dado a você...

– É, uma irmã morta e um bilhete só de ida para o parquinho do Diabo. – Ela soltou uma risada sem nenhum traço de humor. – Cara, eu com certeza tomei a decisão errada. Só nos diga onde podemos encontrar o Motor de vocês. Pelo menos assim seus últimos minutos na Terra não vão ser gastos comigo dando uma surra em você.

– Tarde demais – disse Patrick. – Vocês nunca vão saber. Nunca vão saber como estavam errados.

A impaciência corroía a alma de Pan, que deu um passo à frente, a energia estalando entre seus dedos, o corpo inteiro crepitando. Aquela era a questão em negociar habilidades eletromagnéticas: era tão desconfortável quanto pôr um terno de fios eletrificado.

– É – disse ela. – Como adivinhou? Nós quatro contra você e um verme. Parece que as suas chances são boas.

Patrick apenas sorriu para ela. Brianna havia cambaleado até ele, quase se dobrando para a frente, os olhos parecendo prestes a saltar das órbitas e se quebrar no piso. Mesmo então Pan era capaz de perceber que eram gêmeos, embora Brianna fosse como um reflexo de espelho que tivesse apodrecido, uma sombra retorcida que se desprendera de Patrick. Ele parecia saber disso, porque a olhava com uma expressão de profunda tristeza.

– Não a trouxe de volta, apenas – contou ele com a voz baixa. – Eu fiz dela algo terrível.

Brianna endireitou as costas como uma velha, o som de ossos se quebrando ecoando pela catedral. Ela entoou aquele rugido forte e depois, sem aviso, jogou a cabeça para trás e guinchou. O barulho foi tão alto que era quase físico, um punho dando um soco na escuridão do teto, terrível e interminável. Poeira e destroços choveram enquanto Pan cambaleava para trás, mãos cobrindo as orelhas, aquele grito como um tornado subindo pelos ares. O som cessou, e a cabeça de Brianna voltou para baixo. Seus olhos queimavam, literalmente chiando nas órbitas. A catedral foi tomada pelo cheiro de carne tostada e enxofre.

– Eu fiz dela um monstro – disse Patrick, limpando as lágrimas dos olhos. – Eles são seus, Brianna. Aproveite.

Brianna gritou mais uma vez, e o inferno chegou.

DESCER A PORRADA, TENTAR NÃO MORRER

Marlow gritou.

A única coisa que era capaz de fazer. O uivo agudo da garota fez o piso da catedral se partir, mármore e pedra se erguendo como uma enorme onda. As vibrações ameaçavam quebrar seus ossos, o barulho era insuportável. Teve tempo de ver Pan se lançar para o lado, um grande bloco de tijolos atingindo o crânio dela, então o próximo foi ele, um tsunami de poeira e detritos que avançava como um trovão.

Alguma coisa bateu na lateral de seu corpo, fazendo-o escorregar para o chão. Ele cobriu o rosto com as mãos.

– É mais fácil lutar com os olhos abertos – disse Noite, e ele olhou para o lado e a viu lá, agachada perto dele. Atrás dela, a onda de detritos rolava para a parede perto da qual ele tinha estado, fazendo todo o edifício tremer. Um lamento em forma de uivo se ergueu acima dos destroços, e Marlow precisou de um instante para perceber que o órgão da igreja desmoronava, os tubos emitindo notas irregulares enquanto tombavam no piso.

Noite o ajudou a se levantar, e ele teve que segurar outro grito na garganta. No meio da catedral, Brianna era uma estátua de fogo, queimando da cabeça aos pés. Ela não parecia notar, dando um passo à frente e estendendo os braços. Um jato de chama azulada foi lançado, engolfando as primeiras fileiras de bancos em uma explosão de madeira. Uma onda de choque de calor incendiou o ar, tão quente que Marlow sentiu o cabelo crepitar mesmo a dez metros de distância. Ele levou a mão ao rosto, piscando para se livrar das lágrimas.

Quando olhou de novo, viu Pan engatinhando para longe do fogo, as roupas chamuscadas, o rosto sangrando. Ela rolou de costas e atirou alguma coisa na garota, um relâmpago branco bifurcado que crepitou para cima, errando o alvo e quebrando uma das janelas em uma chuva de cacos de vidro. O edifício balançou de novo, resmungando em protesto, a força de um trovão quase abrindo o crânio de Marlow. Brianna estendeu os braços, e de suas mãos jorrou mais uma fonte de fogo líquido. Alguma coisa bateu nela, um raio de luz que só podia ser Noite. O impacto derrubou a garota em chamas, o fogo lambendo e crepitando como napalm, tão quente que incendiava o piso de pedra.

Marlow começou a correr, o tempo rastejado em silêncio, o fogo queimando em câmera lenta, quase bonito ao se curvar para cima, dançando no próprio calor. Desviou-se de pedaços de reboco e argamassa que pendiam suspensos no ar, acelerando pelo corredor central e detendo-se quando se aproximou de Pan. O tempo retomou o ritmo normal com um solavanco nauseante, ruídos e fúria voltando a explodir.

O calor ali era insano, fazendo bolhas surgirem na pele dela, e ele a pegou pelas axilas. Havia certa eletricidade em Pan; era como segurar um fio elétrico, mas ele se manteve firme, arrastando-a para trás. Ela disparou outra onda ensurdecedora de eletricidade, que atingiu Brianna no peito e a fez dar piruetas para trás.

– Não! – gritou Patrick, sumindo com um *pop* baixo.

– Cuida... – Foi tudo o que Marlow ouviu Pan dizer antes que o ar se rompesse perto dele e Patrick aparecesse. O 'Portador deu um soco na barriga de Marlow, lançando-o para cima. O mundo girou, e o garoto caiu em um banco com força suficiente para transformá-lo em lascas. Foi como se Patrick tivesse chegado e agarrado seus pulmões, porque, quando tentou respirar, se deu conta de que não conseguia. Ganiu como um cachorro maltratado, puxando o ar até que seu plexo solar voltasse a funcionar.

O que diabos estava fazendo? Ele ia morrer.

Mãos em cima dele, levantando-o do piso como se ele fosse uma criança pequena. Então estava no ar novamente, atingindo uma das pilastras de pedra e caindo no piso. A dor não podia ser comparada a nada que já tivesse sentido, atingindo-o na coluna como uma serra circular. Levantou-se com esforço na mesma hora em que Patrick se 'portara de volta para o mundo, os dentes à mostra, os olhos tomados por uma fúria que fez Marlow desejar soltar um grito de novo.

– Peguei você – disse Patrick, envolvendo a garganta de Marlow com a mão. O garoto desferiu um soco, mas Patrick se desviou dele. Investiu contra o inimigo outra vez, contorcendo-se contra a mão de ferro, a escuridão começando a espreitar sua visão periférica.

Algo explodiu na cabeça de Patrick, e ele soltou a garganta de Marlow, cambaleando para longe. Caminhão estava lá, segurava um banco de seis metros de comprimento como se fosse um taco de beisebol. Ele o girou novamente, e o banco se partiu em dois nas costas de Patrick, jogando-o pelo corredor como um saco de ossos. Marlow não hesitou e também pegou um banco. Era inteiro de carvalho, mas leve como uma pluma; lançou o objeto, que prescreveu um arco na direção de Patrick. O banco ricocheteou na lateral de um pilar e chocou-se contra a coluna do 'Portador com tanta força que Marlow pensou tê-la arrancado do tronco dele.

Marlow levantou o banco de novo para outro golpe, mas Patrick se 'portou. Marlow prescreveu um giro completo, esperando que ele reaparecesse. A catedral estava em chamas, uma corrente de fogo que quase chegava ao teto. Brianna estava de volta, transpondo as chamas, o corpo todo cintilando em sua mortalha ardente. Um buraco negro se abriu na fornalha que era seu rosto, e ela gritou de novo, uma força física que ecoou pela igreja, erguendo bancos do piso e espalhando-os.

Marlow não via Pan em lugar nenhum daquele oceano de fumaça e estava a meio caminho de berrar o nome dela quando um ramo de eletricidade explodiu do outro lado do edifício, atingindo Brianna, que caiu de costas. Ela ficou deitada no chão, se contorcendo. Pan deu passos largos em meio à fumaça que espiralava, o desejo de morte estampado no rosto. Levou a mão para trás como se fosse arremessar uma bola, então a lançou para a frente com uma careta. Toda a catedral se iluminou como o sol estivesse nascendo, e Marlow protegeu os olhos com as mãos para não ser cegado pela luz. O barulho era incrível, um milhão de fogos de artifício explodindo ao mesmo tempo.

– Vamos lá!

Caminhão o agarrou pelo braço, arrastando-o pela igreja até onde Brianna se contorcia. Marlow tossiu para tirar a fumaça dos pulmões, piscando algumas vezes, os olhos lacrimejantes e doloridos pela luz estrondosa, tentando ver aonde estava indo.

– Pegue aquela ali! – gritou Caminhão, apontando para uma coluna. Ele correu até a pilastra mais próxima e se jogou contra ela como um defensor derrubando um atacante no futebol americano. A coluna se partiu ao contato, uma rachadura que foi descendo do teto. Marlow foi até a outra coluna e deu um soco nela, o punho perfurando a pedra, fazendo estilhaços voarem. O teto acima deles roncou e envergou. Marlow deu mais um soco, e a coluna se quebrou, desabando em direção ao piso e trazendo com ela metade do teto. Caminhão se aproximou da parede para tentar se proteger das pedras que caíam. Marlow também correu, o mundo girando mais devagar. Desviou-se dos escombros enquanto avançava pela catedral, tropeçando em um banco quebrado e sendo arremessado ao ritmo normal do tempo. Poeira e sujeira choveram em cima dele, o teto se desintegrando mais adiante.

Um pedaço de madeira e pedra do tamanho de um carro se soltou, caindo no piso. Pan lançou seu poder, e um relâmpago cortou um segundo pedaço, ainda maior, que caiu sobre Brianna com um estrondo abafado. Pedaços menores se seguiram, enterrando a garota viva – ou morta, ou o que quer que ela fosse. Pan parou de disparar raios, balançando as mãos como se estivessem quentes, o rosto uma máscara de dor. Ouviu-se um lamento do outro lado do corredor, e Marlow viu que era Patrick, uma expressão tão repleta de ódio que parecia demoníaca.

– De novo, não! – gritou. – De novo, não! De novo, não!

Então Noite estava ali, bloqueando sua visão e dizendo:

– Temos que ir, o prédio vai cair.

Marlow pegou a mão dela e se levantou, todas as células do corpo doendo. Pan cambaleou até eles, as mãos tão chamuscadas que podia servi-las em um churrasco. Ela cheirava a tempestade de verão, e Marlow estendeu os braços para ampará-la, a pele dela quente contra a dele. Ela abriu a boca para dizer alguma coisa, mas parou, olhando para a pilha de destroços onde Brianna tinha sucumbido.

A pilha se mexia.

Algo se empurrou para sair dali, um talo vermelho e fino que poderia ser uma planta. A coisa se esticou, e Marlow viu que era um braço, desnudo até o osso, com restos de carne pendurados. Cinco dedos mutilados se estenderam como pétalas, balançando para a frente e para trás como se acenassem. Os soluços de Patrick tinham virado outra coisa, uma gargalhada lunática que se erguia acima do bramido das chamas, acima do zumbido nos ouvidos de Marlow.

– Isso não é nada bom – disse Pan.

Que eufemismo. A montanha de destroços balançava e, com um estalo de sacudir os ossos, partiu-se em duas. Brianna apareceu na abertura, o corpo tão alquebrado que era impossível de reconhecer. Sua pele tinha se rompido em uma dúzia de lugares, órgãos arroxeados e gosmentos pendiam para fora, balançando com suavidade enquanto ela se movia. Mas aquilo não a impediu de começar a correr na direção dos três. A mandíbula desdentada estava pendurada como um galho quebrado, e a garota gorgolejou através dela uma única palavra sanguinolenta que poderia ter sido o nome do irmão.

Pan esticou os dedos, lançando um raio de luz fria, mas Brianna foi mais rápida, saltando para o lado como uma aranha enquanto o chão virava pó atrás dela. A garota sumiu em meio à fumaça, embora Marlow ainda escutasse as mãos e os pés dela batendo na pedra, se movendo rápido, rodeando-os.

– Vocês estão todos mortos! – gritou Patrick, ainda rindo. – Acabou pra vocês!

– Pessoal, podem ir lá calar a boca dele? – pediu Pan, tentando limpar o rosto, mas na verdade espalhando mais fuligem por ele. Sua voz estava trêmula, porém o olhar era de lucidez. – Eu fico com o verme.

Marlow assentiu, respirando fundo e indo para onde Patrick estava. Nunca na vida tinha se sentido tão fraco, nunca tinha sentido tanta dor. A morte o espreitava, pairando acima de seus ombros, quase à vista. E a morte também era a última de suas preocupações. Porque, aonde estava indo, o fogo era mais quente do que aquele que queimava ali.

– Acabou pra vocês! – gritava Patrick, preenchendo o ar com uivos ensandecidos. – Acabou pra vocês!

É.

Marlow tinha um mau pressentimento de que ele tinha razão.

VERME DE MERDA

Pan correu, tropeçando nas pedras soltas. Do teto ainda choviam pedaços de reboco, tudo se despedaçando. E, para piorar, ela ouvia sirenes se aproximando com rapidez do lado de fora. O lugar em breve seria inundado de policiais e bombeiros, e Herc faria pedacinhos dela.

Se sobrevivesse, claro.

Ouviu gritos, olhou para o lado e viu Marlow e Noite indo e voltando do tempo real enquanto atacavam Patrick. Ela os deixou encarregados disso. Tinha preocupações maiores. Os fundos da catedral eram um paredão de chamas, como se o edifício tivesse sido esculpido a fogo. Teve que semicerrar os olhos, porque o fogo reluzia, e manter a mão para cima para se proteger do calor. Alguma coisa cintilou lá, um vulto tentando correr no piso destruído. Pan abriu os dedos e sentiu a energia se formando; o ar crepitou quando lançou uma descarga dolorosa de eletrostática. O raio se chocou contra o fogo, criando uma tempestade de luzes e chamas. Brianna já tinha se afastado, movendo-se inacreditavelmente rápido apesar dos ossos quebrados.

– Onde você está? – murmurou Pan, ignorando a agonia em suas mãos. O suor escorreu em seus olhos, sangue também, embora não se lembrasse de ter se ferido. Passou a mão no rosto e se movimentou de lado pela extensão da catedral, tentando dar sentido às sombras que tremulavam atrás dos pilares restantes. Brianna era um verme, o pior dos piores. Era capaz de qualquer coisa, mas não tinha alma, não tinha mente. Era uma loucura de crueldade e horror que Patrick tinha conjurado e libertado.

Ali. Algo corria entre os pilares, e Pan foi para lá, saltando por cima de um banco virado. O vulto se ergueu nas sombras, esticando-se, alto demais para ser humano. Ao se aproximar, Pan viu que o corpo de Brianna se desenrolava, a coluna se alongando. A pele da garota se rasgou, a metade de cima do corpo se soltando, subindo como uma cobra em um cesto. Tripas escaparam para o chão, o fedor de intestinos rompidos fazendo Pan ter ânsia de vômito.

Brianna gritou, e Pan se jogou para o lado quando um punho sólido passou por ela. Levantou-se em um impulso, desviando-se para o lado, mantendo o pilar entre ela e a garota. A cabeça destroçada de Brianna espreitou pela lateral da coluna. Seu pescoço era o de uma cobra, quatro vezes maior do que deveria ser, a pele retesada e rasgada de forma a revelar cordões de tecido muscular liso. A mandíbula pendente balançou, e fragmentos de palavras caíram como dentes cuspidos. Seus olhos tinham se queimado, restando apenas buracos no crânio arruinado, mas ela ainda olhava diretamente para Pan.

– Isso, aproveite – disse Pan. – Você vai daqui direto para o inferno.

O lábio superior de Brianna – o que restava dele – se curvou, o mais perto que conseguiu de um sorriso. Definitivamente havia vida naquelas órbitas oculares, mas Pan entendeu que não pertencia a Brianna. Outra coisa olhava para ela, algo muito, muito pior do que um verme.

Pan lançou as duas mãos para a frente. Relâmpagos partiram da ponta de seus dedos, escavando o pilar; eram tão brilhantes que, mesmo de olhos fechados, sentiu o mundo explodir em brancura. Continuou até sentir que os dedos queimavam, até só restarem tocos, então parou, cambaleando para trás.

Havia um buraco na lateral da catedral, a escuridão entrando pela abertura. Pan podia ver a rua e o rombo no prédio na calçada em frente. Fagulhas voavam de cabos rompidos, poeira de tijolos se espalhava. Não havia sinal de...

Alguma coisa se moveu adiante, uma aranha descendo as patas sobre o que sobrara do teto. Brianna estava sem uma das pernas, mas ainda era rápida, um emaranhado de tendões e pele retorcendo-se na direção de Pan.

Ela despencou.

Caiu sobre Pan, um saco molhado e fedido que fustigava seu corpo e se contorcia. Pan grunhiu, tentando empurrá-la, sentindo os dedos de Brianna furarem seu peito, seu pescoço, sentindo a mandíbula pendente da garota roçar seu rosto. Alguma coisa perfurou sua barriga, e o mundo de repente era feito de fogo frio. O toco do fêmur de Brianna estava alojado em sua carne, se empurrando mais fundo. Os dedos dela tinham varado a pele de seu peito, como se a garota tentasse se enfiar dentro dela, tentasse vesti-la como um casaco.

– Não! – vociferou Pan, desferindo socos. Seu punho arrancou uma prega solta de pele da bochecha de Brianna, que grudou nos nós de seus dedos, mas a criatura nem notou, o corpo cambaleante, os ossos arranhando Pan.

Ela pôs a palma da mão no rosto de Brianna e soltou uma explosão de energia. Fez-se um som como o de uma melancia estourando, e a cabeça de Brianna desapareceu em uma chuva de sangue e ossos. Seu corpo se contorceu com violência, e um espasmo a percorreu. Pan a empurrou para longe, gritando enquanto os ossos de adaga da garota se soltavam de sua carne. O que estava em sua barriga ficou preso, e Pan o pegou com as mãos e o puxou até se desprender com um ruído gorgolejante.

A coisa que era Brianna era um monte de carne agora, revirando-se pelo caminho até o buraco na parede da catedral, como uma galinha sem cabeça. Pan se obrigou a levantar, tentando apoiar os pés no piso. O mundo girava, e ela caiu de joelhos, sangue escorrendo dos ferimentos, gotejando no piso e evaporando na pedra quente. Apoiou as costas em um banco e ficou sentada, tentando recuperar o fôlego. O fogo tinha tomado todo o lugar. A morte não podia estar longe. Pelo menos os demônios se sentiriam em casa quando fossem buscá-la.

– Podem vir – disse a eles, se perguntando se morrer em uma catedral daria à sua alma uma chance de lutar no inferno, mas sabendo que não faria a menor diferença. Levou a mão ao ouvido. – Caminhão?

Nada.

– Noite?

Nada, a não ser estática. *Droga, por que eu tenho que fazer tudo?* O verme já estava quase fora da catedral, e outra coisa acontecia com ele. Os fragmentos de pele que restavam pareciam estar inchando agora, como se alguém inflasse o cadáver de Brianna com uma bomba de ar. Uma bexiga vermelha e úmida abria caminho pelo coto do pescoço, um amontoado de olhos cheios de pus subindo no meio daquela massa desordenada. Pan praguejou, rangendo os dentes enquanto se levantava com esforço. Agarrava a barriga como se estivesse segurando os últimos vestígios de vida, indagando a si mesma se seria capaz de sair da catedral, sabendo o que aconteceria se não conseguisse.

– Volte aqui, seu verme de merda – disse ela, limpando o sangue da boca.
– Eu ainda não acabei com você.

ACHO QUE PRECISAMOS MATAR ESSA COISA

Marlow estava em pleno ar novamente, e nem sabia como. Deu um jeito de levantar as mãos antes de atingir as portas da catedral, passando através delas e caindo com tudo na rua. Pensou ter sentido alguma coisa dentro dele se partir, as costelas de repente feitas de chumbo derretido. Rolou até parar perto de um carro, olhou para cima e viu um policial encarando-o, o queixo do homem quase no chão.

– Oi – tentou dizer, mas só saiu um gemido. O policial lutava com sua arma, puxando-a do coldre, e Marlow abriu a boca para se explicar, desejando contar que estavam lutando do mesmo lado.

Então Patrick estava lá, se 'portando no ar. Ele deu um soco no policial, que saiu voando. Patrick pegou a viatura e a levantou acima da cabeça, os dedos abrindo buracos na lataria como se o veículo fosse feito de manteiga. Marlow saiu rolando do caminho bem na hora em que o carro desceu, espatifando-se perto dele, fazendo uma cratera no asfalto. O garoto se esforçou para se levantar e disparou ao passar por outro policial, que caiu para trás em câmera lenta, em choque, parecendo estar sentado em pleno ar.

A dor em suas costas era forte demais, e ele teve que parar, o tempo voltando ao ritmo normal. Ouviu-se o barulho de metal sendo moído quando Patrick jogou o mesmo carro para o outro lado da rua. Marlow levantou os braços a tempo de se defender dele, sendo lançado para trás pelo impacto. Quando conseguiu se recuperar, Patrick já tinha sumido.

– Aonde ele foi? – perguntou Noite, se materializando perto dele. Ela parecia exausta, e colocou as mãos nos joelhos para retomar o fôlego. – Ah, ele está ali.

Marlow olhou e viu um caminhão de bombeiros deslizando na direção deles em uma onda de faíscas. Marlow se lançou sobre Noite, levando ambos para o chão enquanto o veículo quase passava por cima da cabeça deles, à distância de um toque, arrancando árvores e placas antes de bater na lateral de uma loja da Banana Republic. Patrick entrou no campo de visão em um clarão, implacável, agarrando o caminhão e girando-o de forma a desenhar um arco amplo e letal. Marlow tentou se mexer, mas não foi rápido o suficiente, o veículo mergulhando em sua direção e catapultando-o rua afora. Ele ficou deitado, o mundo girando.

– Levanta, preguiçoso! – gritou Caminhão, passando por ele e envolvendo Patrick em um abraço de urso. Noite também estava lá, deitada sobre o garoto como se ele fosse uma bola de pilates. Patrick resmungou e sumiu, reaparecendo no instante seguinte na calçada do outro lado da rua. Ele cambaleou, apoiando o braço na parede da catedral, parecendo estar a três passos da morte. Então Caminhão se virou para ele, atirando o veículo dos bombeiros em sua direção como se fosse uma lança. Patrick não se 'portou dessa vez, apenas desviou para o lado enquanto o veículo acertava a catedral. Era como uma bola de demolição grande demais para o edifício em chamas, e metade da Catedral de São Patrício desabou como um castelo de areia atingido pelas ondas.

– Não o perca de vista – disse Caminhão, o corpo inteiro balançando ao atravessar a rua. Mas era tarde demais; quando a poeira baixou, Patrick não estava mais ali.

A cabeça de Marlow ia da esquerda para a direita enquanto tentava acompanhar para onde Patrick tinha se 'portado. *Ali*, movimento na lateral da catedral, alguma coisa surgindo da fumaça. Marlow semicerrou os olhos para ver o que havia na escuridão. Fosse o que fosse, não era Patrick. Não podia ser humano, podia? O espaço onde a cabeça devia estar era apenas um buraco grosseiro, e uma protuberância grotesca emergia do toco.

– O que é *isso*? – perguntou Noite, se apoiando nele.

A criatura engatinhou até a rua, uma profusão mutilada de pele e ossos que parecia ter perdido a batalha contra um triturador de madeira, um alto-forno e um rolo compressor ao mesmo tempo. Estava trêmula, esforçando-se para permanecer em pé com seus membros amputados. E, definitivamente, havia algo acontecendo dentro dela, formas inacreditáveis pressionando o que sobrara da pele.

– Eu não sei – disse Marlow, tentando manter o conteúdo estomacal dentro do corpo. – Mas acho que precisamos matar essa coisa.

O volume do toco no pescoço da criatura inflava como um balão, uma massa de carne parecendo couro, salpicada de veias escuras. Havia olhos ali, vários deles, grandes e leitosos como clara de ovo. Um buraco se abriu abaixo deles, uma mandíbula enorme e desdentada que atacava o ar. A coisa proferiu um gemido de sirene tão alto e grave que Marlow não exatamente ouviu, mas sentiu na sola dos pés.

– É, *com certeza* precisamos matar essa coisa – disse ele, rangendo os dentes para evitar a dor. – Vá você.

Algo explodiu da criatura. Era um membro gordo e articulado que devia ter cerca de dois metros de comprimento, e dele escorria uma gota de sangue escuro. Na ponta havia uma mão metade humana, metade reptiliana, uma mescla de dedos atarracados e garras como lâminas, dúzias delas. Outro desses se seguiu, saindo da geleia que era a caixa torácica destruída de Brianna, um membro feito de músculos e tendões. Eles se expandiam inacreditavelmente rápido, inchando, a pele se esticando para acomodá-los.

O tronco da criatura também crescia, como se algo tivesse sido chocado no interior do cadáver da garota. Aquela coisa se projetava para fora, preta e lustrosa como a couraça de um carrapato. Aquilo já estava do tamanho de um cavalo, e novos membros continuavam brotando. A besta cambaleava, instável, incapaz de controlar o próprio volume, a boca pendendo aberta, mastigando o céu com as gengivas, os olhos se esticando, esbugalhados.

– Não, obrigada – disse Noite. – Pode ir você.

– Não, imagina, ela é toda sua – retrucou Marlow.

O mundo foi envolvido por uma explosão branca, e ele levou as mãos ao rosto para se proteger da força do impacto. Raios elétricos chamuscavam o caminho desde a catedral, fazendo o ar virar fogo frio ao perfurarem a besta. Seu couro de inseto rachou e foi cuspido, e a coisa se apoiou nos membros traseiros atrofiados. Pelos pretos – não, *espinhos*, grandes como os de um javali – emergiam do couro, eriçados como os de um porco-espinho.

Outra explosão de descarga eletrostática, fagulhas de raios rasgando a noite. Eles açoitaram a parte de trás da criatura, que pôde ouvi-los, um som como uma bola de canhão dilacerando o ar. A coisa começou a correr, a rua inteira tremendo com a força dos passos.

Noite mergulhou para o lado enquanto a criatura avançava pelo caminho. Marlow se jogou na outra direção, mas não com velocidade suficiente, recebendo uma cabeçada daquela criatura com cara de bunda enquanto ela passava. Foi como ser atingido por uma composição do metrô, e o mundo girou em círculos descontrolados, até que Marlow caiu de costas no chão.

Ele precisou de um segundo para entender onde estava, o mundo tão escuro que pensou que o impacto poderia tê-lo deixado cego. Mas olhou para cima e viu focos de fogo, e o pânico foi abafado por uma onda de alívio. Gemeu, sentando-se, e percebeu que estava dentro de uma loja – tinha sido jogado através da parede. Deu graças ao Motor por mantê-lo vivo – *por favor, por favor, por favor, não pare de funcionar agora* – e se levantou com esforço.

A rua era uma zona de guerra. O fogo da catedral se espalhava, jorrando como lava. O outro lado da Quinta Avenida não estava muito melhor; a estátua de Atlas tinha sido derrubada, e havia um grande rombo no saguão do Rockefeller Center. Caminhão vinha correndo, e Pan também. Ela esquadrinhou a rua e o avistou.

– Alguma chance de você nos *ajudar* de verdade? – gritou ela.

Ele escalou os escombros e saiu da loja, espanando poeira e destroços do cabelo. Mais adiante na rua, os policiais tinham cercado o perímetro, mobilizando-se com rapidez. Ainda não havia sinal de Patrick, mas o imbecil tinha que estar em algum lugar por ali. Marlow começou a correr, depois parou, levando uma das mãos às costelas. Havia algo enfiado naquele lugar, pois toda vez que inspirava parecia que estava sendo esfaqueado. Foi mancando até o Rockefeller Center.

– O que era aquilo? – perguntou a Pan.

– Um verme – respondeu ela, esfregando as mãos escurecidas na calça. – Um verme horrível. É isso que acontece quando você traz alguém de volta do inferno.

Alguma coisa explodiu no prédio, e o alarme de incêndio começou a retinir. Gritos escapavam pelo rombo na parede, primeiro um ou dois, depois tantos que eram quase como um segundo alarme a soar no ar noturno.

– Onde está Noite? – perguntou Pan.

Marlow olhou de um lado para outro, dando de ombros.

– Acho que ela está lá dentro – respondeu Caminhão. – Acho que a coisa está indo atrás dela.

Pan praguejou, respirando fundo, depois escalou os escombros da parede demolida. Marlow a seguiu, vendo o saguão destruído, cabos soltando faíscas e água jorrando dos canos. Havia o que pareciam ser sacos rasgados no chão, mas, enquanto eles vasculhavam os escombros, Marlow percebeu que eram pessoas, pisoteadas no mármore até sobrar só uma massa amolecida. Ele pôs a mão na boca, o nariz invadido pelo odor da morte.

– Ali – disse Caminhão, apontando. Não que precisasse fazer isso, a criatura tinha deixado um buraco no outro lado do saguão, e na parede depois dele um túnel de destruição que dava para a rua de trás. Marlow podia ouvir o prédio acima protestando, ultrajado, se esforçando para permanecer em pé após as pernas que o sustentavam terem sido amputadas. Então ouviu-se outro barulho, trovejadas de passos gigantes, que ficavam mais altas, cada vez mais próximas.

Noite subitamente surgiu. Ela desacelerou o ritmo da corrida e caiu de joelhos. Em sua cabeça havia um ferimento que sangrava muito; parecia tão pálida que talvez metade de seu sangue já tivesse se esvaído. Ela ergueu a cabeça e os viu.

– Está...

Vindo, imaginou Marlow, mas ela não teve tempo de terminar antes que um segundo rombo aparecesse na parede mais distante e um tsunami de carne surgisse com violência. A besta parecia ter dobrado de tamanho, grande como um vagão do metrô, a boca cavernosa enorme o bastante para engolir os três de uma só vez. Avançava feito um rinoceronte, grunhindo, aqueles olhos de peixe esbugalhados.

Pan disparou um arco elétrico que acertou o pescoço da criatura, mas ela nem sequer pareceu notar, abaixando a cabeça como um touro e abrindo caminho pelo saguão. Caminhão baixou os ombros e avançou, atingindo a besta com um impacto de fazer os ossos tremerem; a criatura se desviou diretamente para Marlow.

Puta m...

Ele deu um passo para o lado no último segundo, agarrando a primeira coisa que viu pela frente. Era um punhado de olhos do tamanho de uma bola de futebol, e eles explodiram em sua mão, uma gosma quente se espalhando por seus dedos. Ele foi puxado até os pés saírem do chão e se segurou na órbita ocular, dando socos na criatura com a outra mão, cada golpe deixando uma cratera em sua carapaça. A coisa rugiu, sacudindo para que ele a soltasse, e correu de volta pela parede frontal do prédio. Tijolos caíram no rosto de Marlow, e ele se soltou, girando até estar de volta ao chão. Parecia que uma granada tinha sido acionada em seu peito.

A coisa que uma vez fora Brianna derrapou até parar, as garras da mão cavando trincheiras na Quinta Avenida. Ainda se expandia, inchava. Então se virou para Marlow e bufou, dando a impressão de que investiria contra ele mais uma vez. Ouviram-se uma série de disparos e o ruído de pele sendo rasgada, um tiroteio em cima da besta. Os policiais se moviam pela rua, dezenas deles abrindo fogo.

Não teriam a menor chance.

A besta se pôs em movimento mais uma vez, o corpo inteiro tremendo ao se jogar contra eles. Marlow viu os dois primeiros policiais sendo triturados até se tornarem carne moída antes de se virar, a fúria borbulhando dentro dele. Sentiu uma mão em seu ombro, viu Pan ali, o rosto intenso e determinado.

– Que merda vamos fazer agora? – perguntou ele.

– Não sei – respondeu ela. – Nunca lutei com algo parecido. A droga daquela coisa é invencível. E não consigo falar com Herc ou Ostheim; alguma coisa cortou a comunicação.

– Temos que fazer algo – disse Marlow, ouvindo os gritos dos policiais, o deleite doentio da besta ao uivar para a noite.

– Ah, é? – retrucou ela. – E o quê, Marlow? O que você sugere?

Ela o olhava como se ele fosse o maior idiota da face da Terra, e ele não a desapontou, deixando o olhar ir para o chão, como se pudesse encontrar uma resposta na poeira.

– Não há nada que possamos fazer – disse Caminhão. – Só esperar que ela se distraia por tempo suficiente para que a gente fuja e consiga reforços.

Um clarão surgiu na rua destruída, Patrick parado em meio a um ciclone de poeira. Ele se esforçava para ficar em pé, um fio de vômito escorrendo por entre os lábios. Então se virou e olhou na direção deles.

– Brianna! – gritou com a voz fraca, inspirando profundamente. – Brianna! Eles estão *aqui*!

– Isso não é bom – disse Caminhão.

Patrick chamou de novo, e dessa vez a besta que um dia fora sua irmã gêmea respondeu com um rugido. O verme desceu a rua aos trancos e barrancos, cada passo como um tiro, aquele rosto de acidente de trem fixo em Marlow.

– Corra – disse Pan, enquanto a criatura avançava. Marlow não esperou que ela repetisse a ordem; ignorando a dor nas costelas, se virou e deu no pé. O mundo desacelerou até uma feliz quietude e silêncio, mas apenas por um momento. Logo ele ficou sem energia, o corpo completamente drenado lançando-o de volta ao caos. Cambaleou ao longo da lateral do prédio, esquivando-se ao dobrar a esquina que levava à Quinta Avenida. Mal teve tempo de retomar o fôlego antes que a parede a seu lado entrasse em uma erupção de pedra e vidro, a besta rugindo ao passar por ele, balançando o enorme corpo para se livrar dos escombros do Rockefeller Center.

Havia pessoas ali, Marlow observou, escoando dos prédios – turistas e funcionários, gente que trabalhava até tarde. O verme avançou sobre eles como uma raposa em um galinheiro, as garras do tamanho de um carro triturando-os na poeira. A criatura proferiu outro som, que era ainda mais aterrorizante que um uivo – um *uh-uh-uh* profundo e gutural que só podia ser uma risada. Era insuportável.

Basta.

Marlow inspirou fundo e saltou nas costas dela, agarrando punhados de carne e puxando-os para cima. Ela resistiu sob ele como um touro gigante, mas ele se segurou com firmeza, cerrando o punho e dando socos em sua pele. A besta era como um saco repleto de esgoto, arrebentando-se a cada toque, uma inundação de gosma preta rançosa jorrando no rosto, na boca dele. O garoto a ignorou, ainda mais decidido, segurando qualquer coisa que conseguisse e arrancando-a do lugar.

A criatura rugiu, o som que um dragão proferiria, alto o bastante para estilhaçar as janelas do prédio do outro lado da rua. A coisa se balançou, e Marlow perdeu o chão, agarrando-se no ferimento que tinha aberto, girando no ar enquanto ela se abaixava e se contorcia. Mas aquilo foi demais, e seus dedos escorregaram. Ele caiu, dando um jeito de pousar sobre os pés, girando os braços para manter o equilíbrio.

Caminhão apareceu, armado com um poste de metal que tinha tirado da rua. O grandalhão girou o taco improvisado e atingiu um dos braços da criatura. O verme recuou, choramingando, e Caminhão bateu com o poste uma segunda vez, acertando em cheio o rosto, e mais uma vez, e outra.

Fez-se um clarão de luz quando Noite escalou as costas da criatura, uma das órbitas oculares da besta entrando em erupção e jorrando pus. Ela se movia lá em cima rápido demais para que Marlow pudesse vê-la, mas estava aprontando com o rosto daquela coisa, mais e mais daqueles olhos explodindo, litros de fluido respingando no asfalto. A coisa levantou uma das mãos para atirar Noite longe, mas a garota era rápida demais, jogando-se antes no chão e rolando. A criatura se avolumou sobre ela, sobre todos eles, pisando com força suficiente para partir a rua em duas.

Pan tinha razão. Ela era indestrutível.

Caminhão enfiou o poste no flanco da criatura como uma lança. Ele lutou para arrancá-lo, mas Marlow o deteve.

– Não! Deixe aí!

Correu para a calçada, pegou outro poste e o arrancou, correndo e lançando-o como um dardo no tronco da criatura. Não foi um golpe certeiro, e o poste não era tão afiado, mas a força do golpe cravou o objeto na lateral da besta. Ela grunhiu como um mamute ferido, tombando para o lado, choramingando. Marlow já tinha arrancado outro poste e o atirou com a mesma força, perfurando a garganta da coisa.

– Pan! – gritou ele, olhando para os lados. Onde diabos estava ela?

Um clarão de luz de cegar os olhos cortou o ar, e dedos de eletrostática crepitaram na besta. Pan veio a passos largos da lateral do Rockefeller Center demolido, fazendo uma careta ao provocar o inferno ali. Ela devia ter lido os pensamentos de Marlow, porque concentrava o ataque nas lanças enfiadas na pele da criatura, milhões de volts queimando o caminho até as tripas daquela coisa como se fosse um espeto de churrasco.

Pan estremeceu, e o fluxo elétrico foi interrompido. Ela inspirou e depois levantou as mãos, voltando a disparar. A luz estava mais fraca, mais débil, como se a garota estivesse ficando descarregada. Marlow notou que a camisa dela estava ensopada de sangue. Não fazia ideia de como ainda estava em pé.

O verme estava deitado de barriga para cima, as garras arranhando o chão, arranhando o ar, os olhos cegos piscando, ensanguentados. A criatura proferiu um gemido baixo, patético, que quase fez Marlow sentir pena.

Mas não chegou a tanto.

Ele correu até o próximo poste e o desenraizou como uma árvore, uma raiz de concreto sólido. Depois deu meia-volta, pronto para dar o golpe final, pronto para salpicar de miolos infernais a Quinta Avenida inteira.

Não...

O verme se levantava, grunhindo com o esforço, erguendo-se sobre os pés. A criatura envolveu com uma garra um dos postes enfiados em sua carne e o puxou, levando junto pedaços enegrecidos de órgãos e músculos. Tirou os outros dois e então começou a correr, retirando-se pela rua, deixando um rastro de destruição pelo caminho através da parede da torre do Rockefeller.

Pan flexionou os dedos, mas estava fraca demais, produzindo apenas um feixe de faíscas. Caiu de joelhos no chão, respirando pesadamente. Marlow aproximou-se dela, e Caminhão e Noite chegaram na mesma hora. Todos sangravam, com ferimentos diferentes, arfando e cambaleando como se toda a cidade de Nova York fosse um barco que estivesse naufragando rapidamente. O poder do Motor os mantinha inteiros, mas por quanto tempo mais?

– E agora? – perguntou Marlow.

– A escrota... forte demais – disse Pan, sua voz parecendo o som de folhas secas sendo chutadas pela rua.

Uma dúzia de janelas na torre se estilhaçou, poeira vertendo delas. Pessoas começaram a jorrar dali, uma onda de gritos e choros.

– Não podemos quebrar o contrato dela ou algo assim? – sugeriu Marlow. – Fazer os demônios irem atrás dela?

– Ela não é um Engenheiro – disse Pan com uma risada amarga. – Ela não fez nenhum contrato. Aquela coisa escapou do inferno, e não tem nada...

Ela inclinou a cabeça, os olhos indo de um lado para outro, em grande reflexão. Estendeu a mão e deixou que Marlow a puxasse, depois se aproximou dele, dando-lhe um beijo na bochecha. Mesmo com todos os ferimentos que tinha sofrido, aquilo foi o que quase fez o coração do garoto parar.

– É isso, é isso que precisamos fazer. – Ela sorriu. – Para um idiota, você é um gênio.

– O quê? – perguntou Marlow, enquanto ela partia mancando pela rua. – Não entendi. O que foi que eu falei?

Mais ruídos vindos de dentro do Rockefeller, o som de um navio naufragando. Marlow foi atrás dela, a mão segurando as costelas.

– O quê? – repetiu.

– Podemos matá-la! – gritou Pan para ele. – Podemos mandar aquela garota de volta para o inferno.

E Marlow quase teve tempo de sorrir antes que ela acrescentasse:

– Mas um de nós vai ter que ir com ela.

ACABE COM ELA!

Pan corria envolta em fumaça. Sentia-se dissolver, como se a energia eletrostática que disparara a noite inteira a tivesse deixado oca por dentro e o que restasse dela fosse apenas uma casca vazia. Sabia que não poderia continuar por muito mais tempo – o Motor fazia milagres, mas até isso tinha limite. Se prosseguisse, ela se autoeletrocutaria da existência.

Mas não podia parar. O verme transformaria a cidade em destroços de ossos e sangue.

Seguiu mancando, sentindo uma mão em seu braço. Marlow. O moleque parecia mal, tensionando o rosto a cada passo que dava. Mas tinha lutado bem, não havia como negar. Ela fez menção de sacudir o braço para afastá-lo, mas percebeu que iria para o chão se o fizesse. Então se apoiou nele, os quatro atravessando a rua rumo ao Rockefeller, seguindo o rastro de carnificina.

– Alguém está conseguindo falar com Herc? – perguntou ela. Tinha tentado ligar o rádio duas vezes ao sair da catedral, mas a linha estava muda. Nem sinal de Herc, nem sinal de Ostheim.

– Tudo caiu – respondeu Caminhão. – Não tive mais notícias desde que entramos na São Patrício. Deve ser problema no satélite.

Ela esperava que fosse isso, pois nunca tinham perdido a conexão antes.

– Se estiver ouvindo, Herc, você nos deve um bom aumento depois de hoje. *Sem contar uma festa de aposentadoria.*

Chegaram ao buraco na parede do Rockefeller. O arranha-céu estava à altura do nome, esticando-se para o alto. Ela se concentrou na abertura, que tinha a aparência da boca de uma caverna. As luzes lá dentro tremeluziam, ligando e desligando, revelando corpos empastados no chão. Não havia sinal de Brianna, mas Pan a ouvia, aqueles uivos demoníacos sacudindo as fundações do edifício.

– O que você quis dizer? – perguntou Marlow enquanto escalavam os destroços. – Por que alguém precisa ir para o inferno com ela? Quem?

Aquela era uma boa pergunta, e a resposta era inevitável. *Eu*, pensou ela, e de repente parou, olhando para trás, para a noite, consciente de que aquela poderia ser a última vez que sentia o ar fresco na pele, que via o luar. Seu coração de repente passou a pesar uma tonelada, escorregando no peito, cada vez mais pesado.

Você sabia que aconteceria uma dia. Você participa do jogo, você paga o preço.

É.

Tomou fôlego lentamente, arrepiada, e continuou, escorregando e tropeçando nas pedras soltas, no chão liso de sangue. Em certo ponto, perdeu o chão, a mão mergulhando em alguma coisa quente e úmida. Ela a retirou, um grito latejando na garganta diante do horror de tudo aquilo. E, por um momento, não achou que fosse ter forças para levantar novamente. Melhor ficar ali deitada, ouvindo os sons da noite moribunda.

Então Marlow e Caminhão estavam lá, cada braço seu sendo levantado por um deles, deixando-a em pé.

– Qual é o plano, Pan? – perguntou Caminhão. – Melhor nos deixar por dentro para não correr o risco de na próxima vez você cair nos braços da morte.

Ela abriu a boca para responder, mas foi interrompida por um uivo vindo de algum lugar no interior do prédio. O verme parecia ferido. Pan pensou ter ouvido outra coisa também, uma voz mais alta do que a tempestade. Da próxima vez que falou, foi um sussurro:

– Herc me contou uma vez que tem apenas uma coisa que os demônios querem mais do que uma alma que pertence a eles: uma alma que escapou. – Alguma coisa passou rápido atrás de um monte de escombros, uma mulher coberta de sangue, os olhos tomados pela loucura. Ela não tinha um dos braços, e a outra mão cobria o ferimento que jorrava sangue enquanto ela trançava os pés em direção à rua. – O verme está à solta – continuou Pan. – Patrick tirou a alma da irmã do inferno, e isso deixa os demônios muito furiosos.

– Está dizendo que precisamos chamar os demônios aqui? – disse Noite. – Mostrar para eles onde encontrar a prisioneira fugitiva?

Pan assentiu.

– E é aí que mora o problema – observou Caminhão. – Porque a única forma de trazê-los aqui...

– É se o contrato de algum de nós expirar – completou Marlow, e Pan pôde ver pela expressão dele que a ficha estava caindo. – Ou se um de nós morrer.

Bingo.

O teto do salão tinha sido arrancado, um buraco que se esticava pelo que deviam ser quatro ou cinco andares. Poeira e destroços choviam, e, quando o verme bramiu de novo, o som veio de algum lugar lá em cima. Dessa vez Pan distinguiu com clareza uma voz, embora fosse baixa demais para que entendesse o que dizia. Não sabia nem se o plano ia funcionar. Os demônios eram bem focados quando vinham atrás de alguém. Não dava para saber se eles notariam a presença de Brianna ali.

Mas qual era a alternativa? Deixar Brianna tumultuar Manhattan inteira? E depois? Um verme daqueles poderia destruir toda a Costa Leste se quisesse. Quantos morreriam? Não podia viver com esse peso na consciência, na alma.

Não que a alma fosse continuar sendo dela por muito tempo.

Abriu caminho aos chutes pelo caos até a escada, subindo aos trancos e barrancos até o terceiro andar e espiando da porta. Havia um buraco no teto ali, e ela subiu mais uma vez, chegando ao próximo andar. Dessa vez, ao abrir a porta de incêndio, viu movimento mais à frente em meio à escuridão da torre. Levantou a mão, sinalizando para os outros ficarem quietos.

– ...fazer isso, tive que fazer. – A voz estava ali perto dela, e Pan teve certeza de que pertencia a Patrick. – Eles mereceram, a gente precisava...

Um rugido, como se o verme respondesse. Quanto de Brianna ainda havia ali?, Pan se perguntou. Quanto era dela, e quanto era loucura infernal e putrefata?

– Quero que faça isso, Caminhão – disse ela, olhando para o grandalhão. Ele precisou de um momento para entender o que ela dizia, depois negou com um gesto de cabeça.

– De jeito nenhum, de jeito nenhum, Pan. Eu vou levar o tiro dessa vez.

– Caminhão, você não conseguiria levar o tiro porque seria capaz de tentar comê-lo – disse ela, esboçando um meio sorriso. – Faça isso, está bem? Estou cansada de tudo, na verdade. Esmague minha cabeça. Um soco. Não quero ver na hora.

– Pan...

Ela pousou a mão no braço dele e o encarou, balançando gentilmente a cabeça.

– Está tudo bem, estou pronta.

– Ninguém está pronto pra isso – disse ele.

Marlow se aproximou deles, as mãos em volta da barriga. Embora a asma não existisse mais, ele ainda chiava.

– Não me sinto muito bem – disse ele.

– Ah, coitadinho – retrucou Pan. – Quer ficar aqui enquanto ligo para sua mamãe?

Ela não esperou pela resposta, só passou pela porta e entrou nos restos destroçados de um escritório. Os barulhos vinham de outra parte do espaço, atrás da parede do fosso do elevador. Ela cerrou o punho, sentindo a energia se formar, preparando-se para outra briga. Caminhão podia agir naquele momento, mas ela queria se assegurar de que era mesmo Brianna quem estava ali. Nada seria pior do que ser arrastada para o inferno e depois perceber que o verme não estava lá.

Contornou uma mesa, ouvindo Patrick com mais clareza.

– ...tudo bem, vou cuidar de você, ainda podemos fazer isso, só...

Alguma coisa caiu no chão atrás dela, e um grito escapou de seus lábios antes que pudesse evitar. Ela virou, abaixando-se e vendo Marlow postado ao lado da mesa, um monitor de computador despedaçado a seus pés.

– Não foi culpa minha – disse ele, as palavras quase soterradas por um rugido de fazer tremer os ossos vindo do outro lado do cômodo. Ouviu-se o som de pés galopando, então o fosso do elevador foi detonado como se tivesse sido explodido com C-4. O verme veio como um bate-estaca, a boca do tamanho de uma casa, as costas carnudas roçando o teto, os olhos pendurados e inúteis.

– Ah, que se dane – ela ouviu Caminhão dizer, e viu o grandalhão correndo na direção da criatura. Ele se abaixou como se fosse atacar com tudo, trombando com a besta como dois trens indo de encontro um ao outro. Os dois bateram na parede, atravessando-a e caindo na noite.

– Não! – gritou Pan, correndo para a beirada do edifício a tempo de vê-los atingir o solo. Então a coisa que era Brianna explodiu, as tripas apodrecidas jorrando pela Rockefeller Plaza. Não havia sinal de Caminhão.

– Brianna!

Patrick caminhou confuso pelo fosso de elevador destruído. Movia-se como um morto-vivo, mancando e sangrando profusamente, os olhos ainda tomados por uma esperança lunática. Pan estava com a mão para cima, pronta para desferir um raio de energia, para fritar aquele imbecil de uma vez por todas, mas ele passou por ela como se a garota nem existisse, a caminho da janela. Por um segundo, ela pensou que ele também fosse cair. Mas ele só olhou para baixo, o vento soprando nele como se tentasse terminar seu trabalho.

– Brianna – disse ele aos soluços. – Nãonãonão. – Ele se virou, apontando o dedo para ela. – Você...

Pan recuou diante do ataque dele, uma explosão de eletrostática rebentando de seus dedos como um chicotada. Tarde demais ela percebeu que ele não a atacava, mas estava se 'portando, metade dele já apagada, como se fosse um fantasma. O raio circulou o corpo-fantasma dele, deixando apenas uma espiral de fumaça onde ele estivera.

Alguma coisa zumbiu na praça, um eco de seu ataque, o crepitar de um raio lá embaixo. Então Patrick gritou – um som tão estridente e cheio de dor que Pan teve que tampar os ouvidos.

– Vamos lá! – gritou Noite, voltando para o caminho de onde tinham vindo. Pan ia segui-la, mas sentiu o corpo sendo levantado, os braços de Marlow embaixo dela como se a carregasse porta adentro no dia de seu casamento. Ele pisou na janela e eles caíram, Pan fechando a boca para impedir que o estômago voasse garganta afora. Aterrissaram com um impacto forte, mas Marlow amorteceu a queda e a colocou no chão com delicadeza. Ela se preparou, formando uma nova carga, pronta para lutar.

O verme tentava se levantar, suas laterais literalmente separadas, órgãos da cor de alcatrão vertendo no chão. Caminhão estava por baixo, e Pan quase chorou de alívio ao ver o grandalhão sentar. Patrick gritou mais uma vez, e Brianna inclinou seu rosto abominável, choramingando. Pan esquadrinhou a praça, encontrando Patrick. E, mesmo depois de tudo que havia testemunhado naquela noite, aquela foi a coisa que a fez se curvar, que a fez esvaziar o conteúdo do estômago no chão.

A parte superior do corpo de Patrick crescia na praça como se fosse uma planta atrofiada, um mastro de bandeira se projetando para fora do ombro. Metade de um pé estava presa do lado de fora da pedra, se contorcendo. Não havia sangue. Era como se ele tivesse se fundido ali, uma estátua ganhando vida. E era isso que havia acontecido, ela percebeu. O ataque dela o fizera errar a mira. Ela o tinha feito se 'portar direto no solo. Todo o corpo de Patrick tremia, o horror escorrendo de seus olhos. Ele abriu a boca e guinchou, de alguma forma o barulho mais alto que Pan já tinha ouvido. Ela pôs a mão na boca para impedir que o próprio grito escapasse.

Eu não fiz isso, eu não fiz isso.

O verme se arrastou pela praça, mas não em sua direção. Ela se afastou para deixá-lo passar, a criatura se movendo rumo aos gritos do irmão. A besta o cheirou e soltou um lamento grave e repleto de aflição. Depois sucumbiu ao lado dele, que ficou pequeno, o rosto cego aninhando o corpo dele. Um de seus pés, maior que um carro, apalpou Patrick, como se tentasse soltá-lo. Ele gritou novamente, segurando uma das garras que faziam as vezes de dedos.

O ar começou a martelar quando um helicóptero apareceu acima da praça, o som das sirenes preenchendo a cidade inteira. Pan o ignorou. Eles tinham tempo. Tinham que finalizar aquilo.

Patrick agonizava rapidamente, o rosto sem cor. Ele tossiu sangue, engasgando ao tentar respirar. Ela se sentiu nauseada ao vê-lo ali, fixado como uma borboleta de coleção. Mas ele tinha merecido. Era um de seus inimigos. A coisa que um dia fora sua irmã estava deitada perto dele, arfando como um cavalo moribundo. Ele se segurou nela como um homem que estivesse se afogando seguraria uma boia, encarando Pan com um olhar de pura fúria.

– Última chance – disse ela. – Fale como podemos acessar o Motor de vocês. Faça a coisa certa antes de morrer.

Patrick soltou um ruído que poderia ter sido uma risada. Suas mãos penderam para as laterais do corpo, e ele pareceu desistir, repousando a cabeça na pata do verme.

– Pelo menos não preciso esmagar sua cabeça – disse Caminhão. Ele estava ensopado de tripas do verme, o vapor saindo dele e subindo para a noite. O alívio que atingiu Pan, a consciência de que não precisava morrer, era tão doloroso quanto doce. Não conseguiu se alegrar com isso. Havia um aroma marcante no ar, mais forte que o da fumaça, o mesmo odor sulfuroso de antes. Ela examinou a rua, esperando que os demônios surgissem, vindo cobrar o que lhes era devido.

– Por favor – pediu Noite –, só fale pra gente, e tudo isso pode acabar.

– Já acabou – disse Patrick, um chiado seco que Pan mal escutou. O rosto dele se retorceu até formar algo que talvez fosse um sorriso. – Encontramos o Motor de vocês.

O mundo parou de girar. Pan de repente imergiu em silêncio. Seu coração bateu em descompasso, parando pelo que pareceu uma eternidade antes de voltar à vida. Ela perdeu o equilíbrio, e apenas Caminhão a manteve em pé.

– É, claro – disse ela.

– Tente... – Ele parou, tossindo sangue. O cheiro de enxofre ficava mais forte, queimando as narinas de Pan. – Tente contatá-los. Não estão conseguindo, não é mesmo?

– Do que ele está falando? – perguntou Noite.

– Está falando merda – respondeu Pan. – Mas não por muito tempo. Eles estão a caminho para buscar você, Patrick. Está sentindo?

– Não me importo – disse ele, uma lágrima descendo por seu rosto, traçando uma linha em meio à poeira e ao sangue. – Fiz minha parte. *Nós* fizemos. E pelo menos agora vamos juntos. – Ele acariciou a mão de Brianna. – Podemos cuidar um do outro.

– Fez sua parte? – retrucou Pan. – Como assim?

Ele tentou se ajeitar, mas estremeceu com tanta força que a pele se soltou do chão. Ouviu-se o som de algo se rasgando, a parte superior de seu corpo se desprendendo. Abaixo havia uma mescla inacreditável de concreto e carne, infernalmente unidos.

– Só tínhamos que atrair vocês para cá – sussurrou ele. – Para distraí-los. Os outros cuidaram do resto. Abriram a porta.

– Pode parar – disse Pan. – Não é verdade. Não pode ser. Ninguém consegue entrar no Motor.

– A menos que você os deixe entrar – disse Patrick. – A não ser que você abra a porta por dentro.

– Do que está falando? – perguntou ela, e seus dedos eram um emaranhado de luz crepitante.

De algum lugar no alto ouviu-se o esmagar de pedras, uma chuva de poeira. Ela quase os via, os demônios, se proliferando atrás da camada de realidade, abrindo caminho freneticamente para que pudessem cobrar a alma de Patrick e reclamar a de Brianna. Pan deu um passo para trás. Patrick se virou para Marlow, os olhos entrando e saindo de foco.

– Obrigado – murmurou ele.

– O quê? – retrucou Marlow. – *Pelo quê?*

– Você pôs fim à guerra – disse Patrick. – Você permitiu que isso acontecesse.

Marlow levantou as mãos, balançando a cabeça.

– Juro, eu não faço ideia do que ele está falando. Não permiti que nada disso acontecesse.

– Você, não – disse Patrick, suas palavras se limitando quase a um suspiro. – Seu amigo. Charlie.

Pan sentiu como se o tempo tivesse parado, tudo desacelerando até a singularidade de um pesadelo.

– Não – disse Marlow. – Ele nunca... É impossível.

– Ele abriu a porta – contou Patrick. – Permitiu que entrássemos.

– Não é verdade – retrucou ele. – Ele não faria isso.

Mas Pan podia ver a incerteza ali, a dúvida. Ela praguejou, o terror crescendo em seu interior como uma onda fria e sombria. Patrick levantou a mão, falando para o rádio no colarinho.

– Está feito – disse ele. – Falem para ela. Por favor. Quero ver a expressão nos olhos dela antes de partir.

O fone de ouvido dela zumbiu, então surgiu uma voz que ela conhecia muito bem. Alceu.

– *Pan.* – Ele chorava. – *Ai, meu deus, Pan, ele deixou que eles entrassem, deixou que eles entrassem, eles estão todos...*

Um tiro de pistola, tão alto que ela teve que tirar o receptor do ouvido, que retinia. Chamou Alceu, segurando o fone, tentando entender o que estava acontecendo. Mas só havia estática. Ela olhou para Noite, os olhos da garota arregalados e brancos, tomados pelo horror. Até Caminhão estava assustado, o grandalhão todo trêmulo. Pan olhou para Marlow, pronta para arrancar a cabeça dele, mas o moleque parecia ter dez anos de idade, as mãos levantadas em postura de defesa.

– Eis o que vai acontecer – disse Patrick, acariciando a pata da irmã. – Eles vão quebrar o contrato de vocês. Depois virão pegá-los. Vocês não serão capazes de lutar contra eles, pois estarão indefesos. Mammon vai pegar todos vocês. Mas não você. – Ele olhou para Pan. – Seu contrato vai continuar em vigor. Quero que pense em Brianna. Quero que pense nela pela quantidade de horas que restar para você. Quero que pense nela quando vierem te buscar.

Ela olhou para o relógio. *649:43:20:18*. Aquilo não podia estar acontecendo. *Não podia* estar acontecendo. Caiu mais poeira da torre do Rockefeller, um grito fraco, distante, demoníaco. O verme levantou a cabeça, farejando o ar, proferindo outro grunhido pesaroso. Patrick abraçou a irmã com força.

– E, quando vierem atrás de você – sussurrou ele –, estaremos esperando.

NO INFERNO

Aquilo não podia estar acontecendo.

O Circulus Inferni tinha encontrado o Motor deles. Tinha invadido a Porta Vermelha. Estava lá *dentro*.

– Estaremos esperando – repetiu Patrick, então seus olhos se fecharam, as mãos caindo molengas nas laterais do corpo. O verme o cheirou com seu rosto gigante, abraçou o meio corpo do irmão com força suficiente para desgrudá-lo da pedra como um chiclete. A criatura abriu a mandíbula e soltou um monstruoso uivo de pesar para o céu.

O uivo de Brianna se encontrou com um guincho vindo do topo do Rockefeller. Havia algo lá em cima, desprendendo-se do prédio, uma criatura feita de tijolo e vidro. Era apenas uma sombra em contraste com a noite, mas movia-se com rapidez ao descer pela lateral do edifício. O demônio abriu a boca e soltou um grito agudo como o som de metal sendo cortado.

– Vamos! – gritou Noite, desaparecendo em um raio de luz. Pan se afastou, vendo um demônio abrir caminho com as patas para descer pela fachada do prédio. Outro surgia dos escombros, feito de lajes de pavimentação, canos e cabos elétricos. A coisa se sacudiu como um cachorro molhado, depois atacou, aterrissando no verme e cravando suas garras nele. A coisa que era Brianna ladrou, se debatendo para tentar se livrar do demônio.

Mais demônios foram aparecendo, e já havia uma dúzia deles, duas talvez – mais do que Pan já tinha visto. A praça se dissolvia enquanto eles brotavam do chão, da rua, dos edifícios. Eles convergiam para Brianna, numerosos como formigas ao escalar o corpo açoitado dela. O solo estava esquentando, os mastros de bandeira da praça se encolhendo. Pan cambaleou para trás, os sapatos grudando na pedra que derretia. Ela mal enxergava o verme agora, já oculto sob os demônios, tantos que suas garras e mandíbulas formavam uma grande engrenagem de horror.

Alguns tinham avistado Patrick e se espalhavam, se derramando e percorrendo o corpo que esfriava. O chão reluzia de tão ardente, a ponto de Pan ter que desviar os olhos, como se observasse o núcleo de um vulcão. Mas ela ainda ouvia os gêmeos, um par de vozes gritando enquanto eram arrastados para o inferno. E ela também teve que sufocar um grito na garganta, pensando que poderia ter sido ela no lugar de Patrick. Pensando que *por pouco* não tinha sido ela.

E sabendo que um dia *seria* ela.

Ouviu-se um repentino rugido, um helicóptero sobrevoando a praça em uma onda de calor e ruído. Ele desceu de uma vez, o ar se dividindo quando alguém lá dentro começou a disparar uma metralhadora. Os demônios explodiram até virarem pó e poeira, as balas cravando buracos no solo macio e reluzente. Mas era tarde demais, a maioria deles já tendo caído sem vida após terminar seu trabalho. Haviam se desfeito, apenas pedaços de pedra, rocha, vidro e metal derretendo na terra também derretida.

Alguns revidaram, avançando para o helicóptero. O piloto entrou em pânico, o rotor da cauda acertando uma das torres destruídas do Rockefeller. O helicóptero pendeu desajeitadamente para um dos lados e caiu na rua. O rotor girou sobre o asfalto por um segundo antes de se soltar, e o helicóptero deu cambalhotas rumo à Quinta Avenida, mergulhando em uma fileira de viaturas na esquina. A gasolina jorrava para todo lado, escorrendo do tanque rachado do helicóptero, perigosamente perto do inferno.

Caramba.

Pan disparou, vendo Marlow mais à frente, próximo do fim da rua. Ela o seguiu, *por favor, por favor*, quase lá, quando o mundo todo ficou branco. A explosão tirou seus pés do chão. Uma onda de som se seguiu, uma explosão que ameaçou transformar cada osso do corpo de Pan em massa de pão. Ela atingiu o chão e rolou, tudo ficando escuro por um momento.

Acabou. Vocês estão acabados. A voz em sua cabeça podia ser a de Patrick, podia ser a sua. *Morra logo, caso contrário serão vinte e seis dias de espera pelo inevitável.*

– Não – murmurou ela, com tudo tremendo. Alguém a pegou, braços grandes que a levantaram. Marlow tentando apagar as chamas de suas costas – *meu deus, estou pegando fogo* – e a conduzindo para longe.

– Vamos dar o fora daqui – disse Marlow.

Noite e Caminhão de alguma forma tinham conseguido sair da carnificina e estavam mais à frente, acenando para eles. Passaram pelo Radio City e entraram na Avenida das Américas juntos, apoiando-se uns nos outros como crianças em uma floresta. Todas as janelas da rua tinham sido estilhaçadas, e o ar estava repleto de alarmes disparados. A iluminação também fora destruída.

As pessoas ainda escorriam dos prédios, e um punhado de policiais tentava controlar o fluxo na escuridão. Pan correu para a debandada, depois desacelerou até começar a caminhar, levando a mão à barriga para esconder o ferimento que havia ali. Misturaram-se à multidão o melhor que puderam, sendo pastoreados pela Rua Quinquagésima. Havia mais pessoas lá, amontoadas na calçada, filmando a cena com os celulares. Surpreendentemente, algumas riam.

Só em Nova York.

Pan também teve vontade de rir, abrir a boca e uivar até que estivesse vazia, até que os pulmões parassem de funcionar. Mas manteve os dentes cerrados, tentando impedir que a risada saísse, tentando impedir que tudo saísse, sabendo que, se começasse a gritar, talvez nunca mais parasse.

– Aonde vamos? – perguntou Noite. – Ai, meu deus, o que faremos agora?

Nada. Patrick tinha razão, o jogo estava acabado. Pelo menos os outros teriam seu contrato quebrado, pelo menos a alma deles estaria a salvo. Pan olhou para o relógio mais uma vez. Dali a seiscentas e quarenta e nove horas viriam atrás dela.

– Por aqui – disse Caminhão, guiando-os para a Broadway. Duas viaturas passaram a leste, indo para a catedral, mas nenhuma parou. Outro helicóptero sobrevoava o local mais à frente, estava mais alto no céu, fora de perigo. Já tinham percorrido metade da rua quando Pan se lembrou de respirar. Foi como se o ar estivesse em chamas, o peito queimando. Ela colapsou em cima de Marlow, que a sentou na beirada de um canteiro. Ele parecia devastado, como se fosse um dos que tivessem sido arrastados para o inferno.

– Vamos encontrar Ostheim, ele vai saber o que fazer – disse Noite, dando passos para a frente e para trás.

Ostheim. Ele provavelmente a mataria na hora quando descobrisse o que tinha acontecido. Mas Noite estava certa, era a única coisa que podiam fazer. E logo, porque, se o Círculo realmente estivesse de posse dos dois Motores, seria questão de tempo até encontrarem um jeito de reuni-los, abrindo os portões para sempre. Então o mundo inteiro ficaria parecendo o centro de Manhattan, imerso em sangue e fogo.

– Uma coisa de cada vez – disse Pan. – Primeiro precisamos sair da ilha. Caminhão?

– É pra já – respondeu ele, arrastando-se para o outro lado da rua, até um Lincoln estacionado, arrebentando a janela do veículo com um soco.

– Sinto muito, Pan – disse Marlow, inspirando fundo. – Eu não fazia ideia. Ele era meu *amigo*.

– Marlow, fique de boca fechada até descobrirmos o que aconteceu.

O motor do carro ganhou vida quando Caminhão fez ligação direta. Pan se levantou, trêmula, sem querer a ajuda de Marlow, mas consciente de que não conseguiria atravessar a rua sozinha. Juntos, acomodaram-se no banco traseiro do carro, e Marlow fechou a porta. Caminhão deu a partida, o carro acelerando com suavidade pela Sétima Avenida, virando a oeste na Rua Quinquagésima Primeira. Caminhão buzinou e abriu passagem pelo trânsito, indo até a Nona Avenida.

Viraram à esquerda, rumo ao centro da cidade e ao Túnel Lincoln. Pan avistou um orelhão antigo na esquina e se debruçou para a frente, dando um tapinha no braço de Caminhão.

– Pare ali um segundo.

Ele o fez, e ela saiu do carro, gemendo de dor. Discou o número do serviço de telefonista, informando seu nome e solicitando uma chamada a cobrar para a Europa, um número que ela sabia de cor.

O telefone tocou. E tocou. E tocou. *Por favor, Herc, por favor, atenda, por favor, esteja vivo.*

– Quer que eu continue tentando? – perguntou o telefonista.

– Sim – retrucou Pan.

Tuuu. Tuuu. Tuuu.

Ele está morto. Ele está morto. Ele...

– Tomara que seja você, Pan. – A voz de Herc era como um raio de luz dourada cintilando na noite. A barragem de Pan se rompeu, e ela desmoronou, aos prantos, apenas aliviada por ouvi-lo, muito aliviada. – Pan?

– Chamada a cobrar de Pan em Nova York – informou o telefonista. – Você aceita a...

– Sim, caramba, cai fora! – vociferou Herc. – Pan, meu deus, achei que estivessem mortos.

– O que está acontecendo? – perguntou ela, quase incapaz de articular as palavras em meio aos soluços. – O Motor...

– Já era – disse ele. – Os idiotas tinham um Cavalo de Troia, Charlie. Ele deve ter negociado alguma coisa imensa quando usou o Motor, porque não fomos capazes de detê-lo, nenhum de nós. Ele abriu a porta, e Mammon estava lá. Não conseguimos lutar contra eles, não sem vocês.

– Foi uma armadilha – disse Pan, secando os olhos. – Patrick usou uma isca para nos atrair. Meu deus, Herc, como foi que não percebemos nada disso?

– Vocês estão bem? – perguntou ele. – Alguma baixa?

– Nós sobrevivemos – respondeu Pan. – Patrick está morto. Brianna também, de novo. Onde você está?

– Eu escapei – disse ele. – Por pouco. Foi um caos. Eles estão mortos, Pan.
– Quem?
– Todo mundo. Alceu, Esperança, os Advogados. Mammon os matou. Acho que Hanson escapou, mas perdi o contato com ele.
– Meu deus. – Ela teve que se segurar no telefone para não cair. Todo o seu corpo tremia. – Não.
– Não consigo contatar Ostheim – disse ele. – E eles estão atrás de mim, Pan.
– Onde você está?
– Não sei. A Porta Vermelha me cuspiu em algum lugar, não tive tempo de ver onde.

Um carro passou, cheio de caras, o som bombando dentro do veículo.

– Herc – ela murmurou –, eles estão com os dois Motores, vão destrancar os portões.

– Podemos impedi-los – disse ele, embora suas palavras soassem vazias. – Temos tempo, Pan.

Ela checou o relógio, aqueles dígitos em uma implacável contagem regressiva a caminho do zero.

– Na verdade – disse ela –, *eu* não.

Ele grunhiu, um barulho que podia ter sido um soluço. Ela ouviu o som dos pés dele batendo, o clique de uma porta, e, quando voltou a falar, sua voz era um sussurro:

– Preciso ir, Pan. Saiam do país, voltem para a Europa, se puderem. Encontrem Ostheim, vamos descobrir o que fazer.

Gritos vindos do outro lado da linha, um ruído que podia ter sido o de um tiro.

– Preciso correr – disse Herc. – Pan, fique bem. Eu... fique bem.

Então ele se foi.

Ela ficou parada por um momento, ouvindo a estática na linha, desejando poder alcançar Herc, agarrá-lo e arrastá-lo até Nova York.

Fique em segurança, pensou ela, recolocando o fone no lugar e voltando para o carro. Caminhão, Noite e Marlow a encararam em expectativa.

– Isso tem cara de más notícias – disse Noite.

Pan abriu a boca para mentir para eles, dizer que ficaria tudo bem, mas os soluços eram como pássaros engaiolados que enfim ganhavam liberdade. Não era capaz de detê-los. Não soube dizer quem a carregou até o carro, quem a levou nos braços e a sentou no banco. Ela se limitou a se entregar a esses braços e chorar, abraçando-os com tudo o que tinha, seu corpo não mais sendo dela, e sim uma máquina quebrada que arfava, soluçava e tremia enquanto deixavam Manhattan.

MELHOR O DIABO CONHECIDO

A pedra onde ele se sentava era fria e desconfortável, lisa por causa das algas. Algumas estrelas brilhavam através da poluição de luz que pairava sobre Nova York. Embora fosse verão, o ar tinha esfriado. Mas a verdade é que Marlow nunca se sentira tão aliviado por estar em qualquer lugar na vida. Em comparação com o calor ardente de uma alma sendo arrastada para o inferno, o frio era bom. Era grato por poder sentir qualquer coisa. Depois do dia que haviam tido, não era pouco.

Mas o alívio tinha vida curta. Não acreditava no que tinha acontecido, no que ele tinha feito. Não podia ter sido Charlie. Ele não faria aquilo nem em um milhão de anos. *A menos que o tenham pegado de jeito, a menos que o tenham forçado.*

Estremeceu, mordendo o nó dos dedos por um segundo antes que o gosto de sangue e sujeira o fizesse cuspir. Estavam sentados diante de um pequeno lago arborizado a oeste de Nova York, em algum lugar tranquilo. Caminhão os conduzira pelo Túnel Lincoln e depois haviam partido para a Pensilvânia, embora Marlow não fizesse ideia de onde estavam. Caminhão e Noite estavam procurando outro carro. Melhor prevenir do que remediar. As saídas de Manhattan e das cidades próximas tinham sido fechadas, as forças de Segurança Nacional haviam sido acionadas. Acompanhavam tudo pelo rádio no caminho, e era um retrato de horror – uma série de ataques coordenados na Catedral de São Patrício, no Rockefeller Center, em Staten Island. Todo mundo falava em terrorismo. Mesmo as testemunhas da cena relataram bombas explodindo, tiroteios nas ruas. Ninguém mencionou demônios ou pessoas com superpoderes. Não, era bem mais fácil acreditar em uma mentira convincente do que em uma verdade impossível.

Melhor o diabo conhecido.

Pan estava sentada a uma curta distância, jogando pedras na água, inquieta. Mesmo em meio à semiescuridão, Marlow podia ver quanto ela estava devastada. Os ferimentos físicos já diziam por si sós. O corpo inteiro dela estava coberto de bandagens apertadas que Noite tinha roubado de uma farmácia no centro da cidade, mas o sangue ainda escapava através do tecido no peito e na barriga, transformando-a em um cartão do Teste de Rorschach. Marlow a observava, perguntando-se o que isso diria sobre si mesmo. Nada que já não soubesse, suspeitou.

Mas eram as feridas mentais as mais óbvias. Até aquele dia, Marlow tinha achado que o núcleo emocional de Pan tivesse sigo congelado, os dutos lacrimais selados a gelo. Mas ela tinha chorado durante todo o trajeto, por mais de uma hora, o pranto desesperado sendo suavizado até se tornar soluços baixinhos, e depois suspiros choramingados e entrecortados. Embora estivesse em silêncio agora, seu rosto estava marcado por linhas profundas, e ela roía as unhas como se não tivesse comido nada em um mês. Volta e meia olhava para o relógio, e Marlow sabia o que ela estava pensando. Os demônios viriam atrás dela, e não havia absolutamente nada que pudesse fazer.

Ele também tinha suas próprias feridas. Seu peito irradiava dor, e estava ensopado de sangue. Mas quanto era dele e quanto era de outras pessoas, ele não sabia.

Ainda assim, o que era mesmo que as pessoas diziam? As cicatrizes só provam que você foi mais forte do que aquele que tentou matar você.

Pan fungou, e seus dentes batendo eram o ruído mais alto que se ouvia na noite. Marlow se levantou, depois desistiu e sentou, mas em seguida se levantou de novo, arrastando-se pelos cascalhos soltos e sentando-se perto dela. Ele estava sem jaqueta, mas pressionou o corpo junto ao dela, colocando o braço em seus ombros.

Devagar, Marlow.

Ela o afastou, quase com força suficiente para derrubá-lo da pedra.

– Desculpe, você parecia estar com frio – disse ele, sabendo muito bem que o ar da noite nada tinha a ver com aquilo. Aquele era o tremor que você tinha quando a vida te dava um soco inesperado.

– Eu poderia estar nua no Ártico e mesmo assim não ia querer você perto de mim – retrucou ela, abraçando a si mesma. – Você causou tudo isso. Nunca vou te perdoar.

– Não causei, não – disse ele, mas a culpa era como uma faca sendo enfiada em sua barriga. – Eu não sabia, Pan. Não entendo por que ele fez isso.

Charlie. Ainda era impossível entender o que tinha acontecido. O Círculo devia ter feito uma lavagem cerebral nele, usado algum tipo de controle mental. Era a única explicação, não era? Viu Charlie deitado no chão perto de Fresh Kills, com álcool injetado nas veias, implorando para Marlow levá-lo. Pan tinha razão, era tudo culpa dele.

Sinto muito, Charlie, pensou, os braços em volta de si mesmo para resistir aos tremores que sacudiam seu corpo, para resistir à noite, para resistir ao mundo.

– O que vai acontecer agora? – perguntou Marlow. – Nós o encontraremos, certo? Encontraremos nosso Motor e o reaveremos.

Pan balançou a cabeça.

– É impossível, Marlow. Nunca o encontraremos.

– Eles o encontraram – disse ele. – É possível. Se eu conseguir achar Charlie, se eu falar com ele.

– Você não acha que já causou danos demais? – disparou ela. – Eles estão mortos por sua causa. Eu também estou morta.

Ele engoliu a resposta junto com um bocado de bile. Tossiu, embora suas vias aéreas ainda estivessem abertas devido ao Motor. Mas não por muito tempo. Assim que o Círculo quebrasse seu contrato, a asma voltaria, e de alguma forma ele sabia que seria pior do que nunca – assim como a cela parecia menor para um prisioneiro que tinha escapado por um tempo. O monstro teria sua garganta entre as garras novamente.

– Quero ajudar – disse ele. – Preciso. Eu conheço Charlie, sei que ele nunca faria isso, a menos que tivesse sido forçado. Posso encontrá-lo, Pan.

Ela levou a mão para baixo e pegou outra pedra, mas em vez de jogá-la a manteve na mão, observando-a como se nela estivesse gravada a resposta para todas as perguntas.

– Ele falou alguma coisa pra você? – perguntou ela.

– Charlie? Não, nada.

Peraí, será que falou?, pensou Marlow, tentando se lembrar de Charlie no leito da enfermaria, as últimas palavras que havia sussurrado.

Eles estão mentindo pra você.

– Não – repetiu ele, surpreso com a própria resposta. Não sabia por que resolvera guardar aquilo para si. – Quanto tempo temos até os Motores serem reunidos?

– Não sei – respondeu Pan. – Ninguém nunca fez isso. Ninguém sabe realmente como funciona.

– Isso é bom, não é? – perguntou ele. – Pode ser que não descubram como fazer isso.

– Eles vão descobrir – disse Pan. – É Mammon. Ele vai saber.

– Então vamos encontrá-lo antes disso – falou Marlow. – Prometo, Pan, vai dar tudo certo.

– Tudo certo? – retrucou ela, soltando uma risada amarga. – Acabou, está tudo terminado. Você viu, quando estava na máquina. Você *o* viu.

Marlow o via, um amontoado de podridão e decadência que observava o mundo com olhos de inseto. Algo tão horrível que fazia o verme parecer inofensivo como um hamster. Quase sentia aquele anseio, o desejo de ser libertado. Fosse o que estivesse lá embaixo – o Diabo ou não –, ele queria ser livre. E o que aconteceria depois? Marlow pensou em Staten Island, imaginou a mãe em casa com o cachorro. Viu os vizinhos, os colegas de escola. Viu todos eles tentando lutar contra os demônios quando eles surgissem. Era demais, e se obrigou a tirar a imagem da mente antes que se afogasse em sangue.

– Ele está lá, Marlow – disse Pan. – E vai levar todos nós com ele.

Dessa vez, quando ele pôs a mão em volta dos ombros de Pan e a puxou para perto, ela não resistiu. Ele a abraçou com força, até que o ronronado suave de um motor surgiu atrás deles. Marlow se virou e viu um SUV se aproximando, os faróis desligados. O carro parou, e Caminhão abaixou o vidro, debruçando-se na janela. Parecia cansado, mas se esforçou para sorrir.

– Vocês dois não querem arrumar um quarto? – disse ele. Pan resmungou alguma coisa em silêncio e se levantou. Agora Caminhão tinha um sorriso enorme no rosto. – Não tem problema nenhum, tem um hotel ali mais à frente.

– Cala a boca, seu pervertido – retrucou Pan enquanto se aproximavam do carro. Mas Marlow pensou ter visto o brilho de um sorriso ali também. Isso é que era bizarro na vida, pensou. Não importava o tamanho do ferimento, o riso sempre podia remediá-lo. Tinha os próprios poderes. Um tipo diferente de Motor.

– Você sabe aonde estamos indo? – perguntou Marlow.

– Tem um aeroporto particular perto de Bethlehem, na Pensilvânia – respondeu Pan. – De lá vamos para a Europa, encontrar Herc e Ostheim.

– E depois? – indagou Noite. Ela estava encolhida no banco do passageiro como um pássaro no ninho.

– E depois vamos reaver o Motor – respondeu Marlow. – Primeiro o nosso, e depois o deles, e vamos acabar com essa guerra de uma vez por todas.

– Você está esquecendo uma coisa – disse Caminhão.

Marlow parou, então assentiu com um gesto de cabeça.

– Sim, vamos dar umas boas porradas também.

– Esse é o meu garoto – comentou Caminhão, cumprimentando-o com um soquinho.

Marlow esperou que Pan entrasse pela porta de trás e deu uma última olhada no lago. Por um momento pensou ter visto uma silhueta na água, um vulto borrado à deriva em meio à escuridão. Por alguma razão pensou no irmão, morto havia tanto tempo, e seu estômago revirou. Aos olhos de sua mente, Danny levantou a mão em uma saudação. Marlow sorriu, sentindo a típica coceira das lágrimas nos olhos. Respondeu à saudação, mas a ilusão tinha sumido, e a água era apenas água, plena e noturna.

Saudade sua, irmão, disse ele. *Queria que estivesse aqui.*

Ah, é, respondeu Danny em sua cabeça. *Correndo atrás do Diabo enquanto os demônios tentam devorar meu traseiro. Com certeza, Marly, eu adoraria estar aí.*

Marlow riu consigo mesmo enquanto entrava no carro, fechando a porta atrás de si.

– Que bom que alguém acha graça nisso tudo – disse Pan. Ela sorria para ele do outro lado do carro, e de alguma forma o sorriso a fez parecer ainda mais atraente. Aquilo era um bom sinal, imaginou o garoto. Pelo menos podia passar um pouco mais de tempo com ela. Pan podia odiá-lo até a morte, mas com certeza a ideia de ser arrastada para o inferno dali a mais ou menos vinte e cinco dias faria qualquer garota diminuir o nível de exigência.

– Eu só sei que vamos conseguir – disse ele. – Acho que as coisas vão acabar bem.

– Queria compartilhar do seu otimismo – comentou Caminhão, começando a guiar o carro devagar pelo parque. – Nós quatro, três sem poderes assim que o Círculo quebrar nosso contrato, contra dois Motores.

– Eles também vão recrutar mais Engenheiros – disse Pan. – Vão vir com tudo pra cima da gente.

– E Mammon vai estar lá – acrescentou Noite. – Talvez um ou outro verme também.

– E os demônios – completou Caminhão, virando à esquerda para entrar na estrada deserta. – Não se esqueça dos demônios.

– Bom, nós quatro contra todos os exércitos do inferno – resumiu Marlow, assentindo. – Por que não estar otimista?

Pan se inclinou e deu um soquinho no ombro dele, mas estava sorrindo, uma visão que era como os primeiros raios dourados do crepúsculo esgueirando-se no horizonte. Sorriram, depois riram, todos eles, como pássaros cantando enquanto o carro adentrava a noite.